霍桑探案 ————

 程小青作品

霍桑探案

程小青 著

**DETECTIVE
HUO SANG**

白衣怪

5

海南出版社

· 海口 ·

图书在版编目（CIP）数据

霍桑探案. 5，白衣怪 / 程小青著. -- 海口：海南
出版社，2025. 1. -- ISBN 978-7-5730-2066-6

Ⅰ. I247. 7

中国国家版本馆 CIP 数据核字第 20242AH472 号

霍桑探案 5　白衣怪

HUO SANG TAN'AN 5　BAIYI GUAI

作　　　者：程小青
策 划 人：彭明哲
责任编辑：高婷婷
插　　　画：杨冬梅
封面设计：张　军
责任印制：郄亚喃
印刷装订：河北盛世彩捷印刷有限公司
读者服务：张西贝佳
出版发行：海南出版社
总社地址：海口市金盘开发区建设三横路 2 号
邮　　　编：570216
北京地址：北京市朝阳区黄厂路 3 号院 7 号楼 101 室
电　　　话：0898-66812392　010-87336670
电子邮箱：hnbook@263.net
经　　　销：全国新华书店
版　　　次：2025 年 1 月第 1 版
印　　　次：2025 年 1 月第 1 次印刷
开　　　本：880 mm×1 230 mm　1/32
印　　　张：9.5
字　　　数：214 千字
书　　　号：ISBN 978-7-5730-2066-6
定　　　价：46.00 元

·目录·

一 只 鞋

一只女性式的男鞋

　　我记叙我的老友霍桑的探案纪录已有好几十种。一般读者时常写信来问我，此外还有没有别的案件可以公诸同好。在已往的二十多年中，霍桑凭着敏慧的智力，勇敢的精神和为大众服务的热忱，所经历的疑难案件何止一二百种，并且大半都记在我的记事册里。可是发表的任务，我却没有自由的全权。我每记一案，必须先得到了霍桑的许可，才可以披露出来。但霍桑所以如此严格郑重，也并不是出于"居奇"或"吝啬"的观念。因为有些案件是平淡无奇的，有些是终于悬疑而没有结束的，也有几种是因为他料事不中，结果竟至失败的。这些当然都没有记录的价值。此外，还有因政治风化和社会情形的攸关，或当事人的名誉的牵涉，霍桑也都严格地限制，不愿意贸贸然宣露，淆乱人们的视听。例如，当上海交易所风潮汹涌的时候，少数人为着个人的发财，设下了赌博性的陷阱，竟使多数人都疯狂地被拖溺在投机的漩涡中。那时候曾有许多案件来请求霍桑。那些案件的内幕，无非是为着投机亏累的缘故，出于卷款潜逃，或是跳黄浦，投海，也有些自缢，或服毒。我们在往来甬沪的轮船上和某游戏场后面的空场上，破获这样的案子不少。关于这类的案件，霍桑虽非常心痛，但当时只在暗中警告当局的人，却不许我把案情披露出来，原因是恐防扰乱全市的金融。直到风潮过去了，才把许可权给我。这不过是一个例，还有各种别的案件，霍桑也有同样的限制。因此之故，我也力与愿违，案件虽多，却不能够自由地发表。这是要希望读者们原谅的。

本篇所记的一案发生在十一年国历十月上旬。那天早晨警厅侦探王桂生打电话给我们，说南市陆家浜七十一号屋内发生了一件疑难的凶案。他已在那屋中勘验过一回，没有头绪，所以请我们去察验一下，帮帮他的忙。霍桑立刻应承了邀我一同去。一则"疑难"两个字，早已触动了他的好奇心，二则王桂生和我们有些交情，他此番既然诚意求助，我们也理当去走一遭。

我们到达发案地点时，那身材短小而结实的王桂生等候已经好久。彼此招呼了几句，王桂生就先把发案的情由告诉我们。他说这家姓徐，主人徐志高是武林银行的经理，死者就是他的夫人陆苡芳。那天早晨七点半钟的时候，有一个徐家的仆人顾阿狗到南区警署去报告，说他家的主母不知被哪一个人杀死了。署中便打电话到厅里，王桂生得信，就赶到南区署，同了署长许墨佣一起来踏勘。可是勘了一会儿，越弄越觉得困惑，所以才来请教我们。

霍桑听了这一节报告，问道："许署长现在在哪里？还没有回署吗？"

王桂生道："没有。他此刻又到楼上去了。我们不如先上去瞧瞧。"

霍桑点了点头。王桂生便在前引导。

那屋子是青砖嵌粉线的西式建筑，是徐志高自己的产业。同式的屋子有两宅，是并列的；七十一号一宅徐志高自居，七十二号一宅租给一家姓刘的人家。每宅有两进，第一进沿街，都有铁栏杆的阳台，那楼梯在第二进内。

我们到了楼上，我看见靠街的前一进是一个宽大的卧房。房中的一切家具都是西式的红木质，地上还铺着地毯，十分富丽。前面有两扇长窗，左右另有短窗。长窗外就是靠街的阳台，也有藤椅小几之类。那位正在卧室中勘查的高胖子许署长，看见我们进房，回头来略略招呼了一声，便重新转过脸去，把玩他手中拿着的一只鞋子，似乎正在竭力研究。霍桑也不说话，一直走到一只红木大卧床面前。我紧紧地跟着。

床上躺着一个女尸，有三十岁左右。那女子的面庞虽然惨白可怖，细眉直鼻，位置却端整有致，可见生前是一个绝色的少妇。伊的身上穿一件浅灰色缎子的薄棉袄，已不十分新，下面是一条玄绸的裤子，脚上是灰色丝袜，黑缎绣花鞋。伊的白皙的颈领间露着深紫色的凝血，似乎就是致命之处。

霍桑问道："是刀伤致死的？"

王桂生答道："是。我们已经仔细验过，喉管被利刀割断了。"

"有凶刀吗？"

"没有。但是尸旁有一只男子的鞋子。"

"一只鞋子？只有一只？"

"是。只有一只单独的男鞋。最奇怪！"

"可就是许署长手里的那一只鞋了？"他侧过头来，向站在窗口的胖子瞟一眼。

"是。"王桂生点了点头，准备回身要向署长去取。

霍桑忽摇头阻止他："慢。这尸体的状态，你们可曾移动过？"

王桂生道："没有。不过我们来时，床上的白纱帐子是下着的。"

霍桑摸着下颏，沉思地说："照这情形看，床上的被褥没有动，死者也没有卸衣鞋，似乎被杀死的时候，并不在床上，是死后给搬移上床的。"

"着啊！"王桂生不自觉地拍着手掌，"霍先生，你的见解恰和我相同。瞧，地板上的血迹反而比床上的多，也就是一个明证。"

霍桑点点头，又偻着身子，仔细向死妇的颈间观察。

一会儿，他又说："这是一件被杀案吧？"

王桂生道："不错。刀伤，不见凶刀，已尽够做被杀的铁证。"

霍桑的目光仍注视在尸身上："就伤势论，刀锋是从右肩后而向前的，似乎有一个人站在伊的背后，乘伊不防备，就突然间下这毒手。死者没有准备，不但来不及抵抗，连喊叫都不可能。"他顿一顿："可曾遗失什么？"

王桂生道："没有。箱子上的锁都完好，似乎没有什么损失。"

霍桑道："那么那只鞋子你们在哪里寻得的？"

王桂生用手指一指，答道："就在这近床的地板上。"

霍桑站直了，回过身来，笑嘻嘻地走近窗口去，向许署长点一点头。

他道："许署长，你看这鞋子怎么样？可已有什么发现？"

许墨佣的身材相当高，腹部更特别凸大，所以他的那件酱色厚呢袍子也特别宽大。他旋转了他的肥大的头颅，把鞋子递给霍桑。

他答道："我看这鞋子很有关系。破案的线索或许在这一着上！”

“唔？”霍桑唔了一声，将那鞋子反反复复地察验。“唉，鞋面上是个水渍吗？”他将鞋子凑在鼻子上嗅了几嗅。他又嘀咕一句：“真奇怪！”

那是一只蒲鞋式的男鞋，属于右足的，有七八分新。鞋面是淡雪青色的铁机花缎，鞋底是上等牛皮，颜色既显，式样又深口入时，但鞋的右半面染着些黑色的泥迹。

霍桑侧过脸来瞧着我，笑道：“这鞋子若是让西方人看见了，一定要说它是时髦女子的鞋呢！”

“唔！”

我应了一声，也不禁笑一笑。因为当那个时期，上海的所谓“漂亮”男子都喜欢穿花色鲜艳的鞋子。我对于男子们穿了这种女性式的鞋子，实在有些代他们肉麻。霍桑这句话分明和我有同样的见解。

霍桑抬起了头，问道：“许署长，你说这鞋子很有关系，那你总已在这东西上发现了什么，是不是？”

许署长道：“据我看，这鞋子的主人一定是一个漂亮的少年。”

霍桑延续着声调，应道：“是的，可是你那‘漂亮’两个字用得太罪过了！还不如直直截截地说一个‘浮滑’的少年，或是说一个不长进的堕落分了，更恰当些！”

王桂生接口道：“我看这少年的身材比你要短小一些。”

许墨佣忙道：“你是根据这鞋子的大小说的？唔，不错。我也有同样的见解。”

霍桑点头道：“你们两位的眼力都很高明。但是这鞋子的来由怎么样？它和这凶案有什么样的关系？你们可有没有什么见解？"

许墨佣答道："唔，这两个问题原是全案中的关键。我们请你来讨论的也就是这两点。"

霍桑在那红木梳妆镜台前站住了，向那胖子说："是。我看这鞋子不像是主人徐志高的。"他顺手将鞋子放在镜台上的几件化妆品的旁边。

王桂生抢着答道："当真不是。我已经问过顾阿狗和一个小使女苹香。据说徐志高的年纪已经四十多岁，从来不曾看见他穿过这样的鞋子。"

霍桑点点头，用手指着壁上挂着的一张肖照："这谅必就是他们夫妇俩的肖照……唔，我看这男的足有四十五六岁光景，当然不会穿这样女性式的鞋子。这女子的年纪似乎还不到三十，丰姿的确很美。不过夫妇俩的年龄相差好像太远些了。"

照片是半身像。那男的是方脸阔下巴，浓眉黑眼，很有精神；女的有一双美目，一张小口，脸形是圆的。从年龄上估量，这夫妇俩的确相差十五六岁。

许墨佣道："对。我已经问过，死者本是志高的续弦。"

霍桑又点点头："那才对。经过的情形怎么样？这里有什么人可以问话？"

王桂生应道："这里一共有五个人——三个主人，两个仆人。徐志高一向住在杭州，此刻还没有得到信息。志高有一个未嫁的老姑母，和死者同居，但在前天初三那天晚上，这老姑母已经往伊的次内侄徐志常那里去。方才我们已打发人去报信，还没有回来。所以可以问话的主人一个都没有。"

"这徐志常是志高的胞兄弟吗？"

"是。"

"他住在哪里？"

"虹口靖安里九号。这是顾阿狗说的。"

"顾阿狗还说些什么？"

王桂生道："他是看门打杂差的。据说昨晚他住在他自己家里，今天清早回来，忽然看见前门虚掩着。他走进来喊叫，又没有人答应。后来他到了楼上，又看见后楼的房门锁着，锁钥留在外面。他把门开了，才将苹香放出来。他叫唤少奶，不答应，才走进这房里来，就发现床上的尸首。这屋子里没有一个主人。阿狗和苹香都慌得没有办法。他们待了一会儿，阿狗才匆匆往南区署去报告。"

"那小使女可知道什么？"

"苹香还只十三岁，平日做些零星小事。昨夜的事，伊更说不出什么，连发案的时间都不知道。"

霍桑沉吟了一下，他的脸上出现诧异的神气："这真奇怪。现在顾阿狗不是在楼下吗？请你去叫他上来，让我问他几句。"

纸　灰

王桂生答应着，回身下楼去。霍桑乘机走到窗口去，察看那沿街的阳台。我也跟过去。许墨佣忽然近来，拉拉霍桑的袖了。

他低声说："霍先生，我看这件案子的主因大概不出一个字。"

霍桑旋转头来："喔，你已经看出了主因？哪一个字？"

许署长表演一种不必要的谨慎，仍附着霍桑的耳朵说："这个字一共九笔，三个三笔字拼成的。霍先生，你说是不是？"

重浊的脚步声阻止了霍桑的答语。王桂生领着一个男仆走进来。

那人的年纪有四十左右，身材很高大，面色略黑，头发光润，浅黑的眼珠中带些惊惶的神情。他的装束很整洁，一件毛纱混合质的黄柳条棉袍还是簇新的。霍桑先叫他把发现的经过情由说明白。他所说的和王桂生复述的完全一样。

霍桑问道："你既然在这里有看门的事务，怎么晚上倒住在你自己的家里？"

顾阿狗说："我家里有老婆和妈，不过我不是天天住在自己家里的，一个月只有一次。这原是少爷答应的。"

"唉，这倒巧。昨夜里可就是你每月例假的假期？"

顾阿狗不回答，但有意无意地吐出舌尖来舔他自己的嘴唇。

霍桑催着道："说啊。我问你。你的例假的假期是在每月初四吗？"

顾阿狗疑迟道："不……不是。假期本来是十六。可是昨晚上我回去，是少奶吩咐的，并不是我自己的意思。"

"喔？你主母怎么说？"

"少奶说本月中旬要出门去，我得看守门户，不能走开，所以叫我提早回家一次，补足本月份的例假。谁知道不先不后，偏偏就在昨夜里出了这样的横祸。"

男仆的舌头再度吐出来。他的头低垂着。霍桑靠镜台边站着。他的目光注视着他。两个公务员自动地并坐在一只有姜黄色锦垫的长椅上，视线也都集注着这男仆。我凭着靠窗口的一只红木书桌，用冷眼周瞩全局。

霍桑又问："你主母当真这样吩咐的？阿狗，你知道这一件凶案很复杂，你要是有一句虚话，那你就自己讨苦吃。你不要想死无对证，就可以随便说。你说的话，我都有法子证实的。"

顾阿狗抬起头来，张大了双目，慌忙道："先生，我的话句句都实在，不敢撒一个字谎。"

"那就好。我再问你。你主母叫你提前回家的话，在什么时候对你说的？"

"昨天傍晚时分。"

"你在什么时候从这里动身回家？"

"吃过了晚饭，六点半钟左右。"

"六点半左右已经吃过了晚饭吗？是不是天天这样早？"

"平常总在六点半钟才开饭，昨天因为姑太太往二少爷那里去了，少奶自己煮饭，就没有一定的时刻。"

"你家里在什么地方？"

"就在海潮寺后面，计家弄十四号。"

"你去的时候，你的主母怎么样？"

"少奶是好好的。"

"屋子里可有别的人？"

"没有，除了苹香没有第三个人。"

霍桑略顿一顿，又问道："昨天日间可有什么人来过？"

顾阿狗摇摇头："没有。"

"平常时候呢？可常有什么亲戚朋友等来往？"

"这也很少。因为少奶奶的母家在宁波，不常来往。若说朋友，更没有。少爷是在杭州的。少奶奶又不喜欢出外去应酬，人家自然也不上这里来。"

"你说很少，当然不是一个人也没有来，是不是？"

"隔壁刘少奶跟刘少爷有时过来聊聊天，不过是难得的。昨天也没有来。"

"还有吗？"

"嗯，二少爷有时候也来玩。"

"二少爷？是不是住在虹口的徐志常？"

"是。他在前天也来，领姑太太到他那边去。"

霍桑又换过题目："那么信札总也有的吧？我看你家主母不会不识字。"

"是的，少奶读过书。若说信札，少奶常常写。前天早上还有一封信来，是我拿上来给少奶的。"

"唉。这信从哪里寄来？"

"我不知道。我不识字。"

霍桑努了努嘴，似乎很失望。他眼光向那长椅方面掠过时，两个公务员都皱着眉。

霍桑又瞧着男仆说："这样说，平日来往的信，你也不知道从哪里来和寄到哪里去了？"

顾阿狗道："是。我都不知道。"

霍桑又回头瞧着王桂生："桂生兄，请你在那书桌上面检查一下，可有没有什么信。"

王桂生刚要立起来，忽给许墨佣抢了先。他快步走到我的背后的书桌面前去。王桂生也跟过来，开始帮同检查。我仍旧注意霍桑的动作。他忽离了镜台，走近顾阿狗的站立所在。

他低声问道："阿狗，我问你一句要紧话。你得老实说才好。你主人每隔几时回来一次？"

顾阿狗抬头向霍桑瞧了一瞧，现着疑迟的样子，缓缓道："少爷回家不一定，每月不过一两次。"

"你的主母平日的行为怎么样？"

"唔？先生，什么意思？"他好像不明白霍桑的语意。

霍桑说："譬如说，伊规矩不规矩？"

"唉，这个……少奶是很规矩的。因为伊不大出门口，又没有什么男人家上门。不过……不过……"

霍桑的眼光闪一闪，催逼道："快老实说。你为什么吞吞吐吐？"

顾阿狗又舔舔嘴唇说："有的时候有些不规矩的少年男子们，看见了少奶在阳台上，常在门外面胡调。但少奶终不理睬他们。"

"喔，怎么样胡调？"

"有时站在门口不走开，有时笑一阵，有时还作怪叫。"

许墨佣过来打岔子。他的手中拿着两封信，挺着他的大腹，匆忙地走过来。

他说："霍先生，这里有两封信。信锁在书桌的抽屉里，我们破坏了锁键才发现。可是都是寻常的家信，没有一点儿可疑的话。"

霍桑把信接过来细瞧。我也凑近去。一封是宁波寄来的，是死者父亲陆北海的手笔；另一封是伊的丈夫从杭州寄发的，内容果然都是家常话。伊父亲说的是死者的长兄添了一个孩子；志高的信告诉伊最近在股票交易上赚进了五万。而且两封信的日期也相当远，宁波的一封已隔了两月，徐志高的一封也在三星期以前。

霍桑道："此外没有别的信了吗？"

许墨佣道："没有了。我们都已检过。"

霍桑沉吟着道："那么那前天来的一封信呢？那封信既然打图章，不是快信，定是挂号，必然很重要，现在又往哪里去了？"

他运用他的锐利的目光，向四面观察。我也随着他瞧这卧室的四隅，忽见左壁角的一口衣橱脚边有一小堆纸灰。

我用手指着道："霍桑，你瞧，这是什么东西？"

霍桑的眼光接受了我的命令，急急射到壁角去。他随即走到那里，俯身下去细瞧。

他惊喜道："包朗，你的眼力不错！这真是纸灰，还有些没有烧尽。……唉，这明明是做信封的牛皮厚纸啊！"他轻轻地将剩余的纸角拾起来："可惜瞧不出什么字迹。"

我问道："你想前天来的一封信，会不会给烧掉了？"

霍桑丢下了烧剩的纸角，应道："是，大概如此。"

许墨佣空起劲了一场，重新坐在那锦垫长椅上。王桂生不再坐，走出长窗去，察看阳台上的一只精致盘花的藤椅。霍桑回到镜台前，继续向顾阿狗诘问。

他说："阿狗，你说的那些胡调少年，一共有几个？"

阿狗又舔舔嘴，说："唔，有两三个。"

"你可认识？"

"不——嗯，有个小白脸，身子不大高，我看见过。"

"喔，你说得仔细些。你怎么会特别注意他？"

"有一天我听得门外有怪叫声音——像画眉叫，我走出门去看一看。一个穿得很漂亮的男人正昂着头看阳台。我看见像是个小白脸。"

"那时候你的主母在阳台上，是不是？"

"是，我看见少奶刚从阳台走进去，在关窗。"

"以后呢？"

"那男人看见我开门出去，也就走开了。"

霍桑停一停，旋转身去从镜台上拿起了那一只鞋子。

他又问："这鞋子你以前可曾看见过？"

阿狗摇头道："没有。今天清早，我走进这房里来，才看见这鞋子留在地板上。"

许墨佣好像耐不住缄默，插口说："你想这鞋子会不会就是那个小白脸穿的？"

阿狗道："这个我不知道。"

"要是你再看见这小白脸，你可能认得出？"许胖子像要抓住这线索，逼一句。

顾阿狗又摇摇头，扫兴地说："不，我认不得。我不留心，没有看清楚。"

许墨佣失望地靠着椅背，蹙紧了眉毛，不响了。王桂生从阳台上回进来，用手指指那小藤椅。

他说："霍先生，我看这女人平日常坐在这阳台上。"

阿狗忽自动地接口道："是，少奶常在阳台上做针线，或者看书。"

霍桑经过了一度思索，突然提出一个意外的问句。

他问道："阿狗，这里的邻近昨天可有什么人家办喜事？"

顾阿狗呆一呆："唔，有的。草鞋湾里前天有一家人家娶媳妇。"

霍桑的眉毛掀一掀，接着又挥一挥手："好了。下去叫苹香上来。"

首饰箱

诘问告一个小段落，霍桑似乎闲了些，也坐到一只沙发上去。我也在书桌后面的旋转椅上坐下来。王桂生乘机向霍桑刺探。

他说："霍先生，你看这一件案子究竟是什么动机？"

霍桑沉吟地答道："疑点不少，牵制也很多，一时真不容易理解。"

许署长说："霍先生，你说的疑点是不是指这一只鞋子？"

霍桑道："还有哩。那烧毁的信，阿狗的提前回家，还有苹香的房门给锁住。种种疑迹似乎都指着一个方向。可是阿狗说的关于死者的操行，又显得不相符，我还看不透是什么动机。"

许墨佣的厚嘴唇牵一牵："据我看，不一定这样子困惑。事情是很显明的，我刚才已经说过，这案子是——"

他的高论给阻断了。苹香已走进房里来。伊是一个小孩子，面色有些焦黄，梳一条小辫子，穿一套灰布夹袄裤，神气上带着恐怖。伊走到那红木床的一端，站住了，低了头，不敢把眼睛看到床上去。霍桑用温婉的语调，问伊昨夜可曾听见什么声响。据这小使女说，从昨夜七点钟睡后，直到天明，伊一直睡得很熟，没有听得声响。

霍桑问道："今天早上你什么时候起身的？"

苹香道："我起得很早。可是我的房门从外面锁着，我走不出来。我叫了几声少奶，也没有答应。后来我听得前门上有人叩门，接着阿狗上楼来，才开了锁，把我放出来。"

"你的房门本来锁不锁？"

"不锁的。"

"那么钥匙呢？可是常留在房门上的锁孔里？"

"不是。钥匙一向放在这只抽屉里。"伊向镜台的一只抽屉指一指。

"你想昨夜里谁锁上你的房门？"

"我不知道。"

霍桑向王桂生和许署长瞟了一眼，似乎在暗示这一点也是案中的要害。王桂生点点头。许墨佣却像胸有成竹似的不理会，而且还像认为这诘问也是多余的。

霍桑继续问道："阿狗昨晚上不住在这里，你可知道？"

苹香说："起先我不知道。他开门放我出来之后，才告诉我。"

"你从房中走出来以后，又干些什么？"

"我跟阿狗进来寻少奶，一走进房，就看见少奶这个样子！哎哟，怕哪！"伊的黑脸泛了白，声音也发抖。

"以后呢？"

"阿狗出去报告警察，我也吓得不敢再留在楼上。"

霍桑停一停，又问："你是住在后房的？是不是？"

苹香道："是。我和姑太太睡在后楼。阿狗在楼下。"

霍桑道："假使这里有什么声响，后房可听得见？"

苹香道："要是声响大，听得见。不过昨夜里我实在没听见什么。"

霍桑立起来，又拿了鞋子问伊。苹香也说从来没有看见过。霍桑又问伊主母规矩不规矩，苹香的答语也和阿狗的话相同。霍桑不再问，先打发苹香下去，然后向王桂生说话。

他道："桂生兄，这件案子的动机是什么，我还不能说。但据现在观察，凶手似乎是一个熟识的人。但瞧死者的伤痕，苹香的没听见声响，和这房中并没有争斗的迹象，都是显明的证据。"

王桂生说："那么你想我们从哪条路入手？"

"我们应得分路进行。桂生兄，你等那姑母回来之后，仔细问问伊，究竟有没有常在这里往来的人。"

"阿狗说，徐志常常到这里来。"

"是，这个人最好也跟他谈一谈。"他回头瞧我，"包朗，你到隔壁刘家去问问。这夫妇俩也常来谈天的。"

许墨佣忽插嘴道："我已经到隔壁去问过。这姓刘的叫梅亭，在大通烟厂里当会计，人很朴实，不穿这种漂亮的鞋子。我以为这鞋子最重要，应得查究它的来历。如果能够查明了，案中的真相自然就可以明白。"

霍桑点头道："是，这鞋子果然是案中的要点，少不得要寻获它的主人。"

"喔，你有把握吗？是不是去找那些胡调的家伙？"许署长热望地逼一句。

霍桑缓缓地说："把握说不上。现在我就打算出去调查这一点。不过有个先决问题也得查一查。"

"什么先决问题？"

"死者的贞操怎么样，我们还没有确切的证明。"

许墨佣皱皱眉，不回答，仿佛又认为这问题是多余的。王桂生却表示同意。

他说："对，关于这一点，我们还只有顾阿狗和苹香的话。我看阿狗的话不一定可靠，我打算到计家弄去查一查。"他就将镜台上的鞋子拿在手中。

霍桑赞同了，就先下楼走出去。我和许墨佣王桂生到了楼下客室中，约定分头进行，事毕以后仍在徐家会集。王桂生到海潮寺背后顾阿狗家里去。他临走时又叮嘱守门的警士暗暗地监视阿狗的行动。我主张先到七十二号刘家去调查死者的贞操问题。许墨佣却表示反对。

他说："你何必空费心思？这明明是一件奸杀案，我早就说过了。"

我迟疑道："我还不敢下这样确定的断语。阿狗和苹香说，这女人好像很规矩。"

许墨佣坚决地说："你听他们？这一只鞋子已尽够证明了。"

"鞋子固然可疑，但若说它就是奸杀的铁证，似乎还难定。"

"包先生，你太老实了。你想一个少妇的房间里发现了这一只漂亮的男鞋，这男子既不是她的丈夫或亲戚，那么还有什么别的关系呢？这女人的贞操还待调查吗？"

凭着那只鞋子的支撑，他的辩驳是相当有力的，但是我仍不能无条件地悦服。

我说："那也不一定如此。也许有人为着什么别的缘故杀死了伊，却故意留下一只鞋子，叫人家疑为奸杀，以便掩盖他的凶谋的真相。"

许墨佣道："喔，你说有别的缘故？什么缘故呀？谋财？还是仇杀？你可有充分的理由？"

他的口气显示出他的成见很深，绝不容他人的见解。我有些着恼。有些生性刚愎的人，往往固执着自以为是的主见，对于他人的言论，无论有理没理，绝对不肯容纳。这种丧失了理智的非科学态度，我最不佩服。和这种人合作的确是非常困难的。这位许署长大概就是这一类的典型人物。

我冷冷地答道："我的推想固然没有充分的根据，但是你的奸杀的理由也未必就算真确啊。你想那鞋子虽是可疑，可是怎么会留在死者的房中，也得有个原因啊。"

许墨佣道："这容易解释。或者凶手在行凶以后，慌忙逃走，不留意便留下这鞋子。"

"据霍桑观察，凶手杀死那女人之后，又将尸首搬到床上。这就可见他的从容不迫。并且房间里又没有争斗的迹象，又何致像你所说的慌忙？"

"这也不是一成不变的。起先他即使很从容，但那时候也许有什么声响突然间发生，那么他的从容也可以立刻变成慌忙。"

"就算如此，那人怎么会留下一只鞋子？单独的一只也是难解的一点，是不是？"

"不，我看并不难解。留一只，不留一双，也就是慌忙的反证。你总相信人在慌忙中，别说穿了一只鞋子会跑路，就是赤裸了身体也会逃命的！"

辞锋很犀利，一句不放松。我也不禁动了些肝火。

我反驳道："即使如你所说，也有些矛盾。你起先说鞋子是奸夫的，现在又说留鞋的人就是凶手。那么那奸夫为了什么要杀死他的姘妇，你也有理由吗？"

许墨佣忽冷笑道："唉，这个问题不但我此刻还不能答复，我想就是尊友霍桑先生，在调查没有完毕的时候，怕也未必有把握吧？"

僵局既经形成，再说下去，势必更没有意味。我耐着性子笑一笑，结束了这无谓的辩论，独自离开徐家。

我直接去访问刘梅亭，据说他出去了，他的夫人也不在家。我退出来，又向附近的邻居探问了一会儿。有几个说不大看见徐姓妇出门，有几个说不知道底细，我没有头绪。重新回到贴邻刘姓家去询问。可是主人们仍没有回来，有个老年的女仆说，徐妇很规矩，但门外常有胡调的少年们，也是实在的事。我查明刘梅亭本人的年纪已经近五十，夫妻间的感情很密切。这一点似乎可以解除些他本身的嫌疑。此外那老妇还告诉我，上晚十二点钟左右，伊听得门前有鸟叫般的呼啸声音，接着，伊又听得徐家的阳台上好像有人开窗。

我回到徐家时，王桂生和许署长也早已回来。许署长出去访查的目的，是几个胡调少年，更注意一个不知谁何的小白脸，可是没结果。顾阿狗昨夜的踪迹王桂生也已经证明。阿狗和他家里的邻居们打了半夜麻雀，直到两点钟敲过才睡。王桂生又问顾阿狗本人，说话也完全相合。因此，他所说的奉命提前例假的话，似乎是可信的。我也把调查的经过和刘家女佣的话说了一遍。

王桂生发表他的意见，说："这样看，死者既然预先遣开了仆人，半夜里门外又有这种怪叫声音，显见彼此有什么成约。"

许墨佣忙接嘴道："对，对，我早已说过，这女人一定有偷汉行为，所以伊的贞操问题实在用不着再费心思去调查。"他用眼向我瞟一瞟。

这是挑衅吗？是。不过我不理他。这不是我的忍耐力加强了，我实在觉得跟这种成见执着的人辩论，太无意义。王桂生却提出了抗议。

他说："不过这里面也有冲突性。这件事既是两相愿意，房间里又没有争斗的情形，势不致妒杀。那么这奸夫又为什么行凶？"

许大块头支吾地说："这个……也许……也许这女人的情夫不止一个，有什么痕迹落在昨夜里来的奸夫的眼中，那么妒杀的局面马上就成立。"

王桂生低了头不答。我更不理会。

正在那时，死者的姑母已同了伊的次内侄徐志常闻信赶来。

徐志常是个满脸胡子的中年人，在碾米厂里当经理，衣服很朴素。我们陪他们上楼。他略略向他的嫂子的尸体瞧了一瞧，就向许墨佣谈话。他说他的嫂子很端贞，兄嫂间的感情也不坏。这件事太出意料。他说了几句，便说往电报局中去打电报给他的哥哥。许墨佣努起了嘴，显然不满意志常的表示，因为它和他的见解是相反的。那老姑母的年纪已在六十开外。伊一看见床上的尸体，便号啕地哭起来。等志常走了之后，王桂生才劝住了伊的哀哭，向伊询问。我听伊的口气，伊对于伊的侄媳妇的感情相当好。伊说死者很节俭，没有时下女子的习气；又说伊平日安居不出，不会有什么外遇，这鞋子太奇怪。前天志常来，死者怂恿伊一同到虹口去暂住。不料伊一走，竟会弄出这样的飞灾。王桂生谈到了谋杀的动机问题，那老妇忽然记起了什么。

伊惊问道："那只首饰箱子，你们可曾瞧过？"

王桂生道："不是那一只放在大箱上面的小箱子吗？瞧，那不是仍旧好好地锁着吗？"他用手指一指衣橱旁的一只箱子。

老姑母道："锁着是没有用的，还得取下来瞧瞧。这里面的首饰值五六万呢。"

王桂生才着急起来，忙走过去把一只小皮箱取下来。老妇又在镜台的抽屉里寻得了钥匙，将小箱子打开。伊在箱内翻了一翻，忽而失声呼喊起来。原来箱中的珠宝首饰都已不见，只剩些不值价的洋金饰品。

许墨佣的肥头连连点了几点头，很有把握似的说："对，对了，这一来案情有根据了。"

王桂生也不期然而然地点点头："唔，我们太粗心，不曾早些看一看。"

我仍处于旁观的地位，不发表什么，但觉得疑似的奸情案中还夹杂着钱财，案情显然更复杂了。

一个警士走上楼来，手里拿着一封信。

他说："这信是一个二区里的弟兄送来的，说明交给两位长官。"

许墨佣又抢先接过去。信面上写着许墨佣王桂生的名姓，是霍桑的笔迹。许墨佣随手拆开来。

那信道：

鞋主人是谁，虽尚不能指明，但下列几个人里面也许有一个就是。请桂生兄仔细调查一下，如有可疑，可即把他拿下。此后如有接洽，可通电话至爱文路敝寓。

张金宝陆家滨东二十六号；严松林小南门口杂货店内；秦雨生海潮寺左首一百〇六号；孙义山民立学校后街石库门内。

弟霍桑上　即日

回　电

我知道霍桑已经先回去了。这里的检查既可告一段落，我也不用再留，也就辞别了回寓。

我到寓所的时候，霍桑正在办公室内拉他的小提琴。他这时忽弄起琴来，难道这案子已经得手？还是这案子幻复得无从着手，他又借提琴来解闷吗？我正想从琴音中窥测他的心事，不料我一跨进门，琴声便突然停止。

他放下琴，仰面叫我："包朗，你的任务已经完成了吗？"

我应道："你可是说死者的贞操问题？"

"是。我看这女人不像不规矩。你调查的结果怎么样？"

"我听各方面的口气，死者的确很端正。"我遂把老姑母和志常的表示说了一遍。我又补充说："不过情节仍旧有冲突，除了这一只鞋子以外，刘家的女仆昨夜里还听得呼啸声音。"我又把女仆的话复述一遍。

霍桑思索了一下，忽惊喜道："唉！我的设想又得到一个佐证了。"

我乘机问道："什么设想？"

"不是别的，就是这一只不可思议的鞋子。"

"喂，你说得明白些。究竟怎么样？"

"你总已知道，我已经查明白，那鞋子的主人就是我在信中开列的四个人里面的一个。"

"是的。你用什么方法查明的？"

"我到草鞋湾里去调查过，前天办喜事的一家姓周，住在十九号。我到周姓家里去查明的。"

"方法呢？"

"这个很容易。我寻得了一个女佣人，问伊前天的贺客里面有没有几个住在近段的漂亮少年。伊就指出那四个人。"

"唔。可是我不懂你怎么会到办喜事的人家去探问。"

"这是顾阿狗指引我的。"

"不错，这话我也听见。但是你当时怎么凭空问到办喜事的人家，我至今还不明白。"

"这一点你还不明白？不，不是凭空。我自然有根据。"

"唔，什么根据？"

"就是那鞋子。"

"鞋子上有什么迹象吗？"

霍桑坐直些，点头说："是。你不见那鞋的右面有些黑泥痕迹吗？这像是阴沟里的黑泥。似乎那人举足不稳，曾经踏入路旁的阴沟里去。你总也看见鞋面上有个水渍。我嗅过一嗅，鞋子上带着酒气，是酒渍。这又显见这鞋子曾溅染过酒。那就可知那人所以举足不稳，也许就为了酒醉的缘故。可是近处没有酒楼，我才想到也许附近有什么喜庆请酒的人家，因此，便把这个问题问顾阿狗。"

在当时觉得突兀的问句，经过了分析的解释，便觉非常自然。霍桑的观察的精密又多了一个例证。

我又说："你现在叫王桂生去探问这个人，你想他能辨别吗？"

霍桑道："这个人还谨细，不像那许墨佣那么刚愎。如果我没有料错，他一定可以问出那个人来。"

"那么这件案子大概不久可以结束了。"

"是，只要一找到鞋主人，鞋子的来历总可以结束了。"

"什么？你说只是鞋子的结束，不是凶案的结束？"我有些诧异。

霍桑低一低头，自言自语地说："事情绝不会像许墨佣所料想的那么简单。……不，一定不。"他忽摇摇手："包朗，你姑且别问。我先问一句。我请王桂生去证实顾阿狗的说话和他的昨夜的踪迹，他可曾问明白？"

我答道："他已经把阿狗的踪迹证实了，并不假。并且据阿狗家里的人说，阿狗昨晚上归家，他家里的人实在没有预料到。"

霍桑点头道："唔，我也料他不会说谎。"

我又道："不但如此，就是那老姑母往虹口去，据说也是出于死者怂恿的。"

"喔？真的？"霍桑顿一顿，不禁拍手道，"对了！对了！这也不出我的料想。"

我更觉诧异。怎么都在他意料之中？他所料的怎么样？他究竟凭着什么根据？

霍桑向我瞧瞧，答道："包朗，你在怀疑？你想死者接信之后，将信烧毁，显见那信中必有什么不可告人的密约。所以我早料到伊所以把屋中的人一个一个调遣开去，而且将小使女反锁着，目的就要准备和什么人秘密会晤，现在果然都证实了。"

我也笑道："那么还有一件事，恐怕你也想不到。"

霍桑呆一呆，注视着我，问道："什么事？你难道有新发现？"

我应道："是。是一个最重要的发现！"

"唔？"

"死者所有的珠钻首饰都已失掉了，价值约有五六万！"

霍桑的眼光闪一闪，又皱着眉峰想一想，脸上溜上一层暗影。

他忙道："怎么样失去的？起先王桂生怎么不知道？"

我道："这也怪不得他。那首饰箱里的东西虽然失去了，外面的锁仍旧好好地锁着，钥匙也还在镜台抽屉里，自然不容易知道。"

霍桑的日光在地板上凝注了一下，忽而立起身来。他把两手交握着，在办公室中踱了几步，显出一种很惊奇的神态。

他又自言自语："唔，是的！这样看，我的设想已有八九分近于事实！……唔，这案子大概不难彻底结束了！"他又急急回到书桌边，取起当日的报纸，略略瞧了一瞧："包朗，我现在就要出去。你吃过饭后，可留在寓中，倘有什么电报，你给我收下。再见。"

"喂，你到哪里去？"我在他急急穿上他的黑灰呢大衣时问了一句。

他答道："我正忙呢。我要到徐家去，还要到照相馆去。对不起，别的话再谈。"他一溜烟地赶出去。

他的说话很突兀，行动也奇怪，我一时真抽不出头绪。这件凶案，我虽然已费了半日工夫，然而凶手是谁，动机是什么，仍旧困在鼓中。

亭午时我正在餐室中独自进膳，忽闻电话机的铃声震动。我放下了饭碗去接，是王桂生打来的。他要和霍桑谈话，声浪中带着兴奋。

我答道："他出去了。你有话，我可以转达。"

王桂生道："我要报告霍先生，鞋子的主人已经捕到了。"

"喔，是谁？你怎样访到的？"

"那个人果真是四个人里的一个，叫孙义山，在报关行办事，今年二十一岁，住在民立学校后街，身材不很高，确是个小白脸。我找到他时，看见他的足上穿着一双簇新的湖色'卍'字缎鞋子，便知有几分意思。我随即设法把他诱出来，刺探他的口风。一面我打发人到他的家里去，骗取那只存留的鞋子。果然不出所料，那另一只鞋子也给我们查到了。"

"好极了！这个人有什么口供？"

"他起先还不肯直说，可是胆子还小，吓不起。他一看见了那一只鞋子，就不敢再狡赖。他承认前天晚上在周家吃喜酒，喝醉了，走出门口就跌一跤。朋友们防他再倾跌，特地给他雇了一部车子，扶他上车。车子经过徐家门前的时候，不知怎的，他竟把他右足上的鞋子脱下来，抛上了徐家的阳台。据他自己说，这完全是酒醉的缘故，毫无意识。"

"他可承认和死者有什么关系？"

"他不承认。他只说他羡慕死者的容貌，偶然单方面地'胡胡调'是有的。"

"昨晚上做鸟声呼啸的可是他？"

"是的，他也承认是他。他说做画眉叫是从小就会的，高兴时常常做。昨夜十二点光景，他从周家回去，望见徐家的窗上灯光还明亮。他就叫车夫停一停，合着嘴唇啸了两声，又迷糊地脱下鞋子抛上去。忽然有一个男子的人影，开了窗向外探望。他吓得醒了些，赶紧叫车夫跑回去。"

"他不曾上楼去？"

"没有。他不承认。"

"那么谋杀的事，他当然更加不承认了？"

"是。我们已经一再究问过。他抵死不肯认。他说他可以把那个车夫找来做见证。因此，我特地来报告霍先生，请问我应得怎样处置这家伙。"

"好，他回来时，我马上告诉他。"

"包先生，要是这孙义山的话是实在的，凶手问题还落空。倘使霍先生能指示一个进行的办法，我是非常感激的。"

这报告使我又喜又疑。喜的是霍桑幸而料中了；疑的是这孙义山既不认行凶，凶手还没有着落。方才我听霍桑的口气，好似说这少年如果捕到，鞋子的来由便有结束；凶案的结束似乎是另外一件事。现在事实已经证明了。霍桑显然在侦查凶手的事情上奔波，而且好像他已经有相当把握。但是这案子到底是什么性质？图财案？奸杀案？或者竟是一件仇杀案？

疑障翳住了我的眼睛，我虽急于想刺破它，可是除了坐待霍桑的消息以外，没有别的办法。天气有些冷飕飕。我随手取了一本小说杂志，想借此消遣。不料读了几页，禁不住困倦起来。迷蒙间我给施桂叫醒，忽见他的手里拿了一封电报，走进来签字。电报是给霍桑的，我就代他盖了一个印章，拆开来一看，发电的是我们的老朋友杭州警察厅侦探张宝全。

那电报道：

　　来电收到。那人于昨日午后失踪，这里也正派人追寻。因他一走，还关系这里的大局。

张宝全

猜一猜

　　四点钟敲过了，还不见霍桑回来。我不知道他的行踪，没法把电报通知他。因为我估量这回电对于凶案的进行势必有关系，现在延搁在这里，不会坐失时机吗？

　　初冬白天比较短。六点钟不到，已是日落西山的时候。七点光景，霍桑才气喘喘地回来。他卸下他的那件黑灰呢外衣的时候，他的眼睛里在发光。

　　他说："包朗，我今天疲乏极了！快些叫苏妈预备晚饭，晚饭后我们一同到光明电影院去散一下子。"

　　他累然地倒在一张安乐椅上，伸直了腿，抹抹汗，开始抽烟。他这样安闲地要去瞧电影？难道凶手已经查明了？

　　我问道："霍桑，案子怎么样？是不是已经破获了？"

　　霍桑摇摇头："还没有。"

　　"那么你怎么这样子高兴？"

"唔，大部分可算已经成功，我们也对得住朋友了。"

"那么你得通知一声王桂生，使他可以安心。他方才打电话——"

"我已经见过他。他现在正忙着捕凶手。"

"捕凶手？这么快？"我惊喜得有些不相信。

他点点头："是。"

"这样说，案子已经破获了。"

"是，不过在凶手捉到以前，还不能说完全结束。"

"那么凶手到底是什么人？"

"唔，你姑且猜一猜。"他连续地吐出一串烟。

我想一想，说："我怎么能凭空猜想？我连案子的动机还看不透。"

"事实已经很明显，你应该看透了。"

卖关子？还是考试我？我相信是"兼而有之"的。

我说："是谋财案吗？"

"唔，是的……嗯，不是。"

"怎么？"

"财是有关系的，可是不是谋杀的主因，故而算不得谋财案。"

"那么是奸杀？"

"也不是。你自己已经查明白，这女人的贞操，各方面都证明没有问题。那孙义山明明是单恋。"

"奇怪，难道竟会是仇杀？"

"也不是。你越说越远了！"

忍耐力已被逼到边缘，我再受不住。但是霍桑仍暇豫地吸着纸烟。他的关子竟卖到底！

我高声说："霍桑，我准备交白卷了！你把答案揭晓了吧！"

霍桑放下了纸烟，笑道："什么？你动肝火？你难道真不知道这案子的真凶是徐志高，谋杀的原因是出于误会的吗？"

我突然仰直了身子："什么？误会的？是徐志高——？"

霍桑忙接嘴道："是的，凶手是死者的丈夫。事情的确很诡秘。现在凶手还没有归案，我的假定的推想，自信虽不致有多大错误，不过提前发表，究竟不合步骤。可是我如果再不说，你一定会冤枉我故意卖关子。包朗，你说是不是？"他格格地笑一笑。

我的气平一些。事实的结局太出意料，我实在再不能闷在鼓里面。

我说："霍桑，你说得不错。现在只能请你破一破例，提前解释一下。至少你的侦查的过程总可以告诉我。"

霍桑点点头，又向我笑了一笑："好，我说，我说。"他丢了烟尾，让身子靠得更舒服些："这一件案子本来没有什么奥秘，可是因为那一只鞋子的缘故，竟把人的眼光迷乱了，几乎走错路径。幸而这第一个疑阵，劈头便被我攻破，才不曾陷入迷津。因为就情势而论，行凶的人既然是死者的熟识，凶手进入一定是死者自己开的门；室中又没有声响和争斗的迹象，那就可知绝不是争风妒杀。既然如此，那凶手就没有匆忙恐慌的理由，也就不致无意中遗落一只鞋子。若说故意留鞋，那人既已行凶，却反而自留证迹，使人容易侦捕，世间当不会有这样的蠢汉。因此之故，当时我假定这鞋子的来历有两种：一、或是因为偶然的意外原因遗留的，譬如鞋子上有酒渍，酒汉的行动就不能衡以常理。二、或因凶手想借此掩饰卸罪，让人家信作奸案。那就可以知道这鞋子绝不是凶手自己的东西。换句话说，鞋主人不是凶手；要找凶手，不能不另寻线索。"

我不觉点头道："这样看，那鞋子只是案中的障碍，其实却完全没有关系。许墨佣先前把这鞋子认定是妒杀的铁证，真可算名副其实的'没用'了。"

霍桑摇头道："不，这也不是。我现在虽还不能断定，但我相信这鞋子一方面虽似无关，另一方面也许就是全案的关键。许墨佣的见解虽是隔靴搔痒，却也是间接地'谈言微中'。"

"唔，什么意思？"我又迷惘了。

霍桑说："这一点姑且搁一搁。现在我告诉你我侦查真凶的过程。这案中的最大的疑点，就在死者遣开屋中诸人，又把苹香的房门反锁了——因为钥匙在死者的镜台抽屉里，显见是死者自己锁的——预备和什么人秘密会见。所以这约会的人一定是案中的要角。这个人是谁？是死者的情夫吗？但顾阿狗和小使女都说，死者不大出门，对于恶少们的胡调也不理睬。我又看见妆台上的化妆品不多，伊也不像是个风骚的女人。这一点当时困过我的脑筋，但是我假定这密会的来由，大概和那一封烧毁的信有关系，所以要追究这约会的人，那信就是一个线索。据顾阿狗说，他接信的时候，曾请死者盖章，可知是一封挂号或快递的信。所以我离了徐家，先到草鞋湾去调查了一会儿，就往邮局中去探问，那信是从什么地方来的，寄信的人是谁。

"有收据的信，邮局里有存根可查。我探问的结果，才知道前天果真有一封快信寄给陆苡芳，那是死者的丈夫徐志高从杭州武林银行里寄发的。我起先还莫名其妙。试想丈夫回家，何必要秘密？死者为什么调遣佣仆和姑母？又把小使女锁起来？难道那妇人真是个不贞女人，有什么谋杀丈夫的心思，才这样秘密安排吗？但瞧现实的情势，却不像如此。包朗，这又是一个难题，你能够解释吗？"

霍桑停一停，重新点一支白金龙。他靠着椅背，闭了眼睛，慢慢地吐吸。他分明在等我解答。又是一个测验。不过我觉得这课题并不像先前一个那么困难。

我说："也许那丈夫有什么重要的事情，这一次回家不能不出于秘密，故而死者一接信后，便忙着安排，预备伊的丈夫秘密回来。"

霍桑突然张开眼睛来："包朗，你猜着了！当时我也有这样的假定，不过我还进一步，根据了徐志高在三星期前寄回来的一封信，看透了你所说的重要事情的性质。你总也知道近来有许多人，都因着交易所的失败而走失或自杀。徐志高是银行经理，很可能和投机事业有关。他的信中说，在股票上最近赚进了五万。但现在的股票买卖等于赌博。有力者在幕后操纵，政府又放弃了监督和制裁，飞涨狂跌的现象是常有的。所以今天你可以赚十万，明天反亏一百万，是一件稀松平常的事。徐志高或者是卖空失败了，没法弥补，只得走上潜逃的一条路。那么他要回家来一次，自然不能不出于秘密了。因这一念，我便立刻打一个电报给杭州张宝全，叫他探访徐志高的踪迹——"

我不禁插口说："不错。我忘了。张宝全的回电，我还没有给你瞧过呢。"我指一指书桌："在第一只抽屉里。"

霍桑开了抽屉，拿出电纸来看一看："唔，当时我虽没瞧过这电报，但电报中的说话，我早已料想到。因为我一听你说起失去了五六万元的首饰，箱子却仍旧锁着，便料定我的猜想不会虚。我重新往徐家去和徐志常谈了几句，就把徐志高的照片拿出来，送到如真照相馆里去赶紧添印，以便杭州的回电一到，就可把照片分给各区的探伙们，准备按图索骥。据我料想，他昨晚上行凶以后，大概还来不及离开上海。我看见报纸上登着，今晚上有一只开往日本的轮船。他拿了妻子的首饰做盘费，说不定会出国远走了。"

我问道："那么你想还有方法拦阻吗？"

霍桑道："也许还来得及。我从照相馆出来后，再到徐家去。我听得徐志常刚接到回电，说他的哥哥不在杭州。我的猜想证实了，再到照相馆去拿了印好的照片，交给王桂生。此刻他们正忙着侦缉呢。"

我停了一停，又问道："那么徐志高究竟为什么要杀死他的妻子？这个疑问你还没有解答啊。"

霍桑沉吟地说："我说过了，据我料想，多半是出于误会的。要是徐志高能够归案，这疑问你迟早总可以明白的。"

我又说："怎么样的误会，我还不明白。你索性把你的设想说一说。"

霍桑便立起身来，答道："就为着那一只鞋子……唉，苏妈，夜饭预备好了吗？好，包朗，快吃夜饭，九点一刻的一班的电影还来得及。别的话停刻再细谈吧。"

我们从光明电影院回寓的时候，王桂生等在我们的办公室中，我果然得到更完满的报告。

这案子的原委是这样的：

王桂生已在火车站上将徐志高捉住。志高自知密谋败露了，便一口承认。据说他因着干投机失败，私下挪用了行款，亏累得很大，一时没法子弥补，便打算溜之乎也。他预先写信给他的妻子苈芳，约定秘密会一次，再往北平去设法。谁知他到家后没有半个钟头，忽听见外面呼啸的怪声响。他不禁胆寒起来，走到阳台上去一看，果然看见车子上有一个少年男子，一见他，赶紧叫车夫避开去。同时他又在阳台上发现一只可疑的男鞋。他问他的妻子。伊回答不知道。他在惊慌之中，理智不清楚，以为他的妻子有了外遇，此刻知道他秘密回家，也许已跟情夫暗通消息，使他陷进圈套。他慌了，为着顾全他自己的安全，就悄悄地拿出他身上的一把大型便用刀，出其不意将苡芳杀死。他搬好了尸首，开箱子取了首饰，又将他的一封约会快信拣出来烧掉了，才脱身逃走。

幕障揭露了，我好像从厚雾中钻出来，看见了明朗的晴空。那一只若有若无关系的鞋子，终于做了这案子的主要关键。我觉得这恶少的无赖行为是不能轻恕的。全案的情节丝丝都入了扣，可是霍桑忽又抱憾似的补一句。

他说："我铸成了一个错。那封快信是前天到的，死者为妥密计，理应马上烧毁它，那么那纸灰就不会留存到今天。我假定死者自己烧毁这封信，委实太粗心。"

王桂生说："霍先生，你的料想都中鹄，谁也不及你。这一点小错误在实际上毫无干扰，你用不着抱憾。"

我叹息地说："真想不到！这凶案的主因竟会这样无意识！现在看来，死者是一个有贞操的女子，可惜被那被钱臭迷昏了心的丈夫错杀了！霍桑，这一件罪案，你想应得怎样办？"

霍桑也叹口气："是，很可惜！这妇人委实死得太可怜。若要论罪，我想除了这陷溺在投机恶潮中的无情无义的丈夫以外，那无赖少年孙义山也应得重重地惩戒一下。这法律问题，桂生兄总会注意到吧。"

王桂生立起来，点点头："是的，霍先生，你放心，提公诉的时候，我们绝不会便宜他。夜深了，天也冷起来了，早些安息吧。这件事劳两位的神，过一天殷厅长一定要来道谢呢。"

白 衣 怪

古怪的来客

人们都说侦探生活是一种冒险生活。是的，这句话我自然承认，不过，据我的经验，我意识中对冒险的定义，也许和一般人的有些差别。我觉得侦探生活的冒险，往往使人的神经上感受到一种欣羡紧张的特殊刺激。这是一种神经上微妙的感觉，原不容易用文字的方式表示。举些具体的例子吧，譬如：黑夜中从事侦查，或捕凶时和暴徒格斗；或是有什么狡黠的宵小和我们角智斗胜，用计谋来对抗计谋，栗栗危惧，而神经上同时可以感受到一种兴奋的刺激。这样的刺激，至少在我个人的主观上是很有兴味而足以餍足我的需求的。

我和我的二十多年的老友霍桑从事探案以来，所经的疑危案子，何止二三百起，其中危险的境界和疑难的局势，不知经历了多少。例如在那黑地牢事件中，我曾遭到枪击，灰衣人案中，我又受过暴徒的猛袭，几乎丧失我的生命，而所获得的报酬，也即在这一种微妙的刺激。如果我关于冒险的见解也和寻常人一般，那么我早应知难而退，即使我因着被服务社会的责任心所驱迫，也尽可另寻途径，又何必有时竟放弃了固有的职业——著作生活——而跟着霍桑去干那非职业的冒险行当呢？

这一件案子在我的日记之中，也可算是一件有数的疑案。那案子迷离曲折，当时我身处其境——事实上我也曾充任主角的一分子——仿佛陷进了五里雾中，几乎连霍桑也无从措手。并且这里面因着性质的幽秘诡奇，还有一种恐怖的印象，至今还深镌在我的脑中。不过在这案子的开端，却又似带些滑稽意味。从这滑稽的僵局上观测，谁也料不到那结局会如此严重。

那是七月三日——夏令气候最炎热的一天。寒暑表上升到九十六华氏度①。清早时红灼的日光，已显露出酷热的威吓，连风姐姐也躲得影踪全无。干燥的空气，使人感觉到呼吸的短促，几乎有窒息之势。我每逢夏天，总在清晨时工作，中午以后便辍笔休息。可是这一天清晨时既已如此炎热，我的规定的工作，也不能不暂时破例。我趁这空儿，别了我妻子佩芹，到爱文路去访问霍桑。想不到这一次寻常的造访，无意中又使我参与了这一件惊人的疑案，同时使我的日记中增添了一种有趣的资料。

我到霍桑寓里的时候，还只七点一刻。霍桑已从规定的清晨散步回来——这种散步工作，他在二十多年以来，无论寒暑风雨，从来不曾间断过。我踏进他的办公室时，他正坐在靠窗的那张铺着篾席的藤椅上。他上身穿一件细夏布翻领的短袖衬衫，下身穿一条山东土产的府绸西装裤，足上已换上了一双细草织成的拖鞋。那藤椅的边上，堆了好几本书，堆叠得不十分整齐，藤椅旁的地板上，另有一把蒲扇——关于这蒲扇，他曾发表过一番借此活动肢体的哲学见解——和一只玻璃杯子，杯子里还有些剩余的牛乳滴，分明他的简单的早餐也已完毕了。

他一瞧见我，突地立起身来。他的精神饱满的脸上，显出一种热诚的笑容。他开口和我招呼：

---

① 96华氏度约等于35.56摄氏度。

"包朗，你两星期不来，竟累我闲了两星期。你好忍心！"

我一边把草帽放下，又卸了我的一件白纱布的上褂，一边也笑着答话：

"笑话，我难道是制造罪案的人？你空闲没事，怎能抱怨我？"

"不，我有一种直觉——不，一种迷信。自从你婚后和我分居至今，每逢你到我这里来，往往会有奇怪的案子跟着发生。你虽然不是制造罪案的人，却可算是一个供给罪案的引子——媒介人。"

"那么，今天我总要让你失望一次了。不但我没有带什么案子给你，并且像这样的热天，我可以保证，也不会有人登门请教。"

霍桑忽皱着眉头，摸摸他的下颌，重新回到藤椅上去，伛偻着把地板上的一把蒲扇拿在手中。

他咕哝着说："这句话再扫兴没有！你岂不知道我是耐不住空闲的？"

"喜动不喜静，虽然是你的素性，但在这样的天气，你的脑子能暂时休息一下，也未始不是一种调剂啊。"

我说完了话，也在那只他斜对面的圈手椅上坐下。我瞧瞧这办公室中景状，已略略有些变动。那只靠壁的书桌，已移动了地位，放成折角形。那窗口里进来的阳光，便从斜侧里射到书桌上面。桌子面上除了墨缸、笔杆和始终不空的烟罐烟盆以外，似乎又增加了几个黑渍和纸烟的烧痕。书桌上的书籍文件和零碎而没有粘贴的报纸剪条，仍旧堆叠了满桌。还有几只化验用的玻璃量杯，却和一个插着一丛娇艳欲滴的紫薇花的古铜瓶，乱放在一起，显得十二分不调和。这量杯分明是他用过以后随便留在桌上，不曾放归原处。

霍桑在探案的时候，他用精密而合理的头脑，衡情察理，处处都能有条不紊，并且他的责任心最富，从不曾有过疏忽失误的行动。但他的书桌上那种杂乱的状况，不知他底细的人看见了，也许会疑心他是一个没有秩序没有条理的懒汉。当我和他同寓的时候，他就有这种倾向。我不知劝过他几次。他也承认这习惯的不良，有时也会发动一个狠劲，把书桌整理得清清楚楚，可是不多几天，桌面上又恢复了那种杂乱堆叠的原状。所以我曾向他说过："你这小小的懒病，终于无药可医了啊！"

"哈！包朗，这里有一节新闻，真值得注意！"

我立即收摄了目光，回转去瞧他。我从他的惊呼声上辨味，以为他在空闲无聊之余，也许在报纸上发现了什么惊奇的案子，足以破除他的烦闷。可是我的眼光一瞧到他的脸上，却又怀疑我所料的未必竟是事实。他的右手挥着蒲扇，左手中执着一张报纸，唇角上带着一种有些轻鄙意味的微笑，但绝对没有紧张之色。

我问道："什么？可是有什么凶案？"

"是啊——一件严重的凶案！"他顺手把报纸授给我瞧，又将蒲扇的柄，在那靠边的一节新闻上指了一指。

我仍旧满腹疑团。他的语声尽管严重，但他脸上仍显着矛盾的表示。我依着他所指的那节新闻瞧去，当真使我失望。新闻纸上载着东大旅馆中，有一个舞女，被伊的一个熟识的舞客开枪打死。那凶手姓诸，是个大学毕业生，当场被人捕住，已送交警署。据他自供，行凶的动机，就因为争风。

我带着疑惑的声音问道："究竟哪一节？可是枪杀舞女的

一回事？"

"是！"

"奇了！这样的新闻报纸上天天找得到，真是司空见惯。值得你这样大惊小怪？"

"什么？这样的案子，你以为不值得注意？"他说了这句，忽而放下了蒲扇，从藤椅上立起来，走到书桌前面，从烟罐中抽出一支纸烟烧着。

我越发诧异。莫非他当真闲耐不住了，就是这样平淡无奇的案子，他也打算去尝试一下？或是他的神经上已发生了什么变征，他的话竟是"言不由衷"？

霍桑深深地吐了一口烟，旋转头来向我说话：

"包朗，你的神经委实太麻木了——你想，一个知识阶级而又处于领袖地位的大学生，居然会跳舞，居然会得跟舞女恋爱，居然会得和人争风，又居然会得开枪打死他的恋人！在我们这个时代，竟有这种种现象，你说不值得注意？"

我才明白他刚才的警报，原是因着他的牢骚而发作的，我却误会到别方面去。

我因此答道："你原来说到教育方面去了。这确是一种最坏的现象。现在我们的国家，正在艰难困苦岌岌可危的时期，而教育界中除了最少数外，大部分都在那享乐、浪漫和颓废等恶势力笼罩之下。莫怪人家公然说我们的教育已经破产了。"

霍桑又冷冷地反问我道："如此，你想这个问题不是有严重注意的价值吗？报纸上几乎天天载着这种新闻，有些人也许还要加些'风流香艳'的考语呢！"他嘴里喷出了一口散乱的烟雾。

我不禁叹了一口气，应道："这种现象若不是根本改造，尽足以亡国灭种而有余——"

我说到这里，忽觉霍桑的身子突地站直，他的头迅速地旋转去，目光瞧着室门。我也不由得住口，跟着他的目光瞧去。

室门开了，霍桑的旧仆施桂已走进来，手中执着一张名片，正要通报有客，但那来客已紧跟在施桂的背后，不等霍桑的延请，早已冒失地跨进了门口。

那来客的模样，很有引人注目的特点。他的年龄似乎在四五十之间，一时却不容易断定，身材五英尺左右，比霍桑低一个头光景。他面部上有三种特异之点：一副凸片的金丝眼镜，显见他的近视程度很深，罩住了一双狭缝的小眼，镜框上面，有两条黑色稀疏的眉毛。第二种异点，就是他的高耸的鼻子，尖端上似略略有些钩形。第三，他的厚赤的嘴唇，骤然间瞧见，也不能不引人注意。他苍白色的瘦脸上的皱纹，无疑地是被一层雪花膏掩护着，虽然并不怎样显豁，可是仍掩不过我的眼光。他的额发也已到了开始秃落的时期，不过他抹了润发油膏，还足以薄薄地遮盖着他的头皮。他身上穿一件白印度绸长衫，烫得笔挺，背部却已带些变形；足上一双纱鞋，也是时式的浅圆口。他进门的时候，那顶重价的巴拿马草帽，本已拿在手中，这时向我们二人微微点了点头，又把手中一块白巾在额角上抹了几抹——不，那动作恰像妇女们扑粉似的按了几按。接着他重新把帽子戴上了："哪一位是霍先生？"霍桑将施桂交给他的名片瞧了一瞧，也照样微微点一点头，随手把烟尾丢进了烟灰盆：

"兄弟就是。裘先生，请坐。"

我早也站了起来，走到霍桑旁边，霍桑便顺手把那名片给我。那名片上印着"裘日升"三字，左下角上，还有一行

"直隶河间"的籍贯。我把那名片翻转来时，另有两行小字"现寓上海乔家浜九号；南市电话三○三二○"。我暗忖现在直隶的省名，早已改为河北，他却还是用着这废名片子，未免近于顽固。

霍桑给我介绍道："这位是包朗先生，他是个小说作家，也是我的多年老伴。"

那裘日升回过脸来，向我点一点头，我也照样答了一个礼。

我们坐定以后，我见那来客的状态，有些瑟缩不安，好似他心中抱着什么重大的疑难问题。他坐的那只沙发，面积原不算小，但他很节俭似的只坐在椅子的一边，所占的不到三分之一。他的双眉紧皱，脸上也带着一种恐怖而忧疑的神气。当施桂送冰水给他的时候，他一接到手，连忙立起身来，把杯子回放在施桂的茶盘中。

他摇着手道："我不喝冷水。"

霍桑斜着眼光，很有意地向他瞧了一瞧，答道："那么，请吸一支烟。"

施桂还来不及取书桌上的烟罐，来客又第二次摇手拒绝：

"对不起，我也不会吸烟。"

我总觉得这来客有些古怪，一时又揣摩不出他是一个什么样的人物。这时施桂既已退出，室中忽静寂起来。霍桑把烟尾丢了，身子凑向前些，正要问他的来意。他忽抢先发问：

"霍先生，你的公费怎样计算？"

我觉得这一句话不免要使霍桑失望。他自从探案以来，难得和人家计较酬报，现在案情还没有谈，却先谈这个问题，一定会使他感到扫兴。这料想果中的。霍桑的唇角上忽露出一种轻视的微笑，旋转头来向我说话：

"包朗,你怎不早给我像书画家一般地定一个润例?我以为你应当按钟点计算,每小时五百元至五千元。你想这数目不算得怎么贵吧?"

那裘日升似乎微微一震。他的两片粗厚的嘴唇,也张得很大,如果用一个胡桃投进去,包管可以"通行无阻"。我觉得事情有些弄僵了,我不能不从中转圜。

我说道:"裘先生,霍先生并没有规定的公费,而且也从不计较。他给人家侦查案子,完全是为着工作的兴味和给这不平的社会尽些保障公道的责任,所以大部分的案子都是完全义务,甚至自掏腰包。"

那裘日升忽改变了先前的面容,接嘴道:"唉,若能免费,那真是感激不尽!"

霍桑也冷冷地插口道:"不过我不是一律免费的,譬如你的姨太太跟人跑了,如果叫我侦查,我若肯答应的话,那当然不能不讲一讲代价。"

"不,不,我并没有姨太太,连大太太都没有;更没有跟人逃走的事。我眼前的事情却是一件——"

裘日升的话忽而顿住了。因为这时候霍桑又拿起蒲扇来挥着,他的眼光正瞧着窗口上挂着的白纱帘,显着一种不理不睬的态度,莫怪裘日升的疑迟停顿。我明知霍桑看见了这来客忘却年龄的"半老徐爷"式的打扮,显然已有厌憎地表示,那人劈头的一句问句,更加增添了他的不快,因此,他才有这种冷淡的态度。不过他正苦闲得不耐,这个古怪的来客,说不定怀着什么古怪的事情,要是就此决裂,也未免可惜。

我说道:"裘先生,我们不必谈什么废话,你究竟遭遇了什么事情?"

裘日升便旋过脸来，向我答道："唉，这件事说起了还使我寒凛凛的——这几天我害怕极了。前天和昨夜里我简直不曾睡着。我没法可想，才来请教霍先生的。"

这几句话稍微发生了些力量。霍桑冷淡的态度也改变了些。他旋转头来，虽还不即开口，他的眼光中，却已显露出一种注意的询问神气。

我乘机道："那么，你的事件是什么性质？"

"我也不知道。我只觉得有什么人，或是鬼，或是妖怪，暗中要谋害我。那真是害怕煞人哪！若使有人一枪把我打死，倒也罢了。可是这件事诡奇幽秘，使我再也忍受不住。前天昨天我已害了两天热病。如果再来一下，我说不定会发痴！"

我见裘日升的脸上顿时从雪花膏的掩护层里透出了白色，额角上也分泌出一粒粒的冷汗。他的坐的姿态越发局促不安了，几乎要从椅边上泻下来，仿佛我和霍桑两个人都变作了吃人的妖怪魔鬼，他直逼至此，才现出这种恐怖状态。这模样也引起了霍桑的同情。他坐直了些身子，缓缓摇着蒲扇，发出一种比较和婉的声音，请裘日升说明他的经过。

半个足印

裘日升顿了一顿，乂摸出他的那块白巾，在额角和面颊上抹了几抹——这时候的确是"抹"，已不像先前那么小心翼翼了。因此他脸上的雪花膏的掩护层，便被破坏，露出了那枯黄而干皱的本色，真像都市中一个晨起时未化妆的中年妇人的脸，瞧上去有些凛凛然。

一会儿，他先问道："我觉得这件事的由来已经好久。霍先生，我可能从头说起？"

霍桑道："好，你如果认为有关系的，越详细越好。"

裘日升点点头，便开始说道："去年的冬天，我家里便发生异象。我每逢半夜醒来，常听得吁吁的声音，很像是鬼叫，有时楼板上还仿佛有轻微的脚声。但等到我大声呼叫，仆役们上楼来四面瞧视，却又绝对找不出什么异状。当时我还以为我们现在住的旧式屋子，因着门窗间的隙缝不密，受了风吹，也许会发生这种可怕的怪声。可是后来我经过了一度改造门窗，一切隙缝完全塞没，但我的梦魂仍旧不能安宁。我这才觉得害怕起来。我的内兄便提议这旧屋子不很吉利，特地到三茅观去，请了那海玄法师来净一净宅。"

霍桑忽停了蒲扇，冷冷地接嘴道："这确是正当的办法！海玄法师当然可以把鬼捉住！是吗？"他的语声中充满着刺耳的讥讽意味。他的科学化的头脑，自然绝对容不下这种无意识的迷信。不料裘日升的答语，更使霍桑感到扫兴。

他道："果然有些效验。我家里安静了两个多月的光景，没有一些异状。"

霍桑的脸又沉下了，鼻子里哼了一哼，乱挥着手中的蒲扇："既然如此，你现在何不再去找海玄法师？你若以为我也有什么捉鬼降妖的法力，那你要大大地失望啦！"

裘日升摇头道："不，不，现在已不像是鬼的问题了。霍先生，我告诉你，第二次我本又请过那老法师，却已没有灵验。到了最近的一次，更不像是妖魔鬼怪作祟了，所以我想到了先生。我在报纸上常常见到先生的大名，无论怎样奇奇怪怪的事情，一经先生的神眼——"

"不，不！你弄错啦！你瞧，我只有两只眼睛——和你跟其他寻常人一般的两只眼睛，绝对没有神眼。"他略顿一顿，又说，"不过你说的第二件事，竟会使海玄法师也失去了灵验，这倒有些奇怪。这究竟是什么一回事？"

裘日升低头想了一想，方才答道："日期我已记不清楚了，但记得在清明节以后。有一天夜里，我又听得客堂楼的地板上有脚步声音。那是个雨夜，时间已在半夜光景，屋中人们都睡静了，只有外面飕飕飕的风声，使我的毛发都竖了起来。我起先以为误听。可是过了一会儿，不但那步声继续，并且那多年的地板，也发出一些吱嘎吱嘎的声音。我就大喊一声，急忙把我的头钻进被窝里去！"

裘日升的声音状态，虽显得十二分惊骇，但霍桑对此依然毫无反应，眼光中只含着一种有趣的神气，却绝不觉得严重。

他淡淡地问道："唉，以后怎样呢？"

"约莫五分钟以后，我家的老仆方林生和我的女儿玲凤都慌忙地赶上楼来。原来我的呼叫，惊醒了对面房中的紫珊，他也跟着呼叫，因此才把楼下的人唤醒了。但他们开了电灯，并不见什么异象。我起来开了房门，客堂楼上安静如常，也找不出什么。但因这一吓，竟使我接连发了三天寒热！"

"你自然又要去请教海玄法师啦，是不是？"

"正是，这一次仍是紫珊提议的——"

霍桑的眼光闪了 闪，似乎触动了什么："不是你说的那个住在你对面房中的紫珊吗？他是谁？"

"是我的内兄吴紫珊。起先我们一块儿住在北京，三年前我内人故后，我改了皮货的旧业，和我哥哥一块儿到上海来经营标金，紫珊也跟我们住在一起。他至今还住在我的家里。他大概已没有机会迁出去了。"

霍桑把身子凑向前些，似觉得这句话近乎蹊跷。他问道："这句话有什么意思？你的内兄为什么不会有迁出去的机会？"

裘日升答道："他患了风瘫病，自从去年十月上床以后，手足都不能动弹，至今仍不动不变，没有一些希望，我当然要供养他终身哩。"

霍桑搁起了右膝，缓缓点了点头，扇子仍缓缓摇动，眼光也凝视在来客的脸上：

"原来如此，你两次请海玄法师，都是他提议的吗？"

"正是。我已说过，第一次很有效验，我果真安静了几个月。第二次不但无效，却反而弄坏了些。因为我自从听得了地板吱嘎吱嘎的声音以后，又请那海玄法师净宅。不料隔了三天，那妖怪又发现了！"

裘日升说到这里，两只手好像没处安放，不住地牵动着，额角上的冷汗越来越多，一双近视的小眼，瞳子也呆定了不动。

霍桑却仍带着滑稽的笑容，向我点了点头，说道："包朗，你今天的造访，竟带引了一件多么有趣的案子给我！这真是值得纪念的！"他又回转去瞧那来客，继续道："裘先生，这里没有女客，你尽可把草帽除掉，也许可以凉快些。你瞧，我的额发不是和你一般地秃去了大半了吗？"

霍桑果真已猜透了他的心思。他进入屋子以后仍戴着草帽，并不是不懂礼节，实在是有着苦衷的，目的是要掩蔽他的秃发。因为他把那顶巴拿马草帽勉强除下来时，他的动作和脸色确有些不好意思的样子。

霍桑问道："你且说下去。那妖怪究竟怎样发作？"

裘日升索性把那块近乎湿透的纱巾，重重地在脸上抹了一周。

他答道："这一次更可怕了！我还记得发作的时候，恰在半夜十二点钟。我做了一个噩梦，突然惊醒，满身都是冷汗。我定一定神，全屋中都寂静无声，恰听得床面前桌上的那只瓷钟打十二点钟。我因着梦境的恐怖，一时再睡不着，坐起来挂了帐子。明净的月色，从厢房的东窗口里透进来，房间里照得很亮。在沉静之中忽又有吱嘎一声。哎哟！我浑身一凛，汗毛都竖了起来！我起先还自己壮胆，认为我自己心虚听错了，可是接着第二次的响声又起。那时我真恐怖极了！我的咽喉间好似筑了一个坝，一时竟喊叫不出。再等一会儿，更有一种骇人的景象。原来我因着去年冬天听得了吁吁之声，曾把那屋子一度修建，都改换了新式的窗门。那时我明明瞧见我卧室的洋门上的门钮，竟缓缓地转动起来了！"

霍桑仍保持着寻常的镇静状态，脸上那种有趣的神气还没有完全消灭。我有些怀疑。他这种模样，是不是要借此震慑来客的惊恐？或是他认为这故事的本身，只有滑稽成分而绝没有重视的必要？至于我的精神，却因着那来客的暗示，确已不期然而然地逐渐紧张起来。

霍桑挥着扇子，安闲地说道："据我料想，你那一次的结果，还不脱那老调——你当时一定曾呼喊过，楼下的人又都赶上楼来，结果却仍旧没有什么。对不对？"

裘日升吞吐着答道："是的，不，不。这一次并不像前次那么空虚，这明明是一件实事！"

"实事？可是说除了那吱嘎吱嘎的声音以外，还瞧见那门钮动过？"

"正是，我的确瞧见那钮转动。"

"那时候你卧室中的电灯，难道已开亮了吗？"

"这却没有，但月光从东窗口进来，照得通明。我实在瞧得清清楚楚。"

霍桑放下了蒲扇，把腰挺了一挺，笑嘻嘻地瞧着来客，不再说话。

裘日升忽提高了声音，说道："霍先生，你不要误会。你可是以为这完全是我自己的心虚吗？我还有确确切切的证据呢。"

霍桑的那双黑白分明的眼睛，虽是因着这句话转动了一下，但他发问时的声浪，仍旧没有严重的意味：

"你有什么确切的证据？"

裘日升道："当夜里大家找寻了一会儿，毫无头绪，前门后门也闩得好好的，绝对不像有什么偷儿进来。当时我的岳母和玲凤，仍都说我的眼睛花了，才有那门钮转动的幻象；又说我也许身弱耳鸣，才幻出吱嘎吱嘎的怪声。可是这声音紫珊也同样听得的。不但如此，第二天早晨，我曾在那两块略略有些松动的楼板上，发现了一个——唉，半个足印！"

霍桑脸上轻蔑的笑容，又一度显露。他顺着裘日升的口气说道："半个足印？"

"正是，半个赤足的足形，那五个足趾，我已瞧得清清楚楚。但我家里男男女女，即使是佣仆们，却都没有一个赤足的啊！"

这几句话才把霍桑脸上的笑容完全扑灭。他又把身子偻向前些，他的右手支着下颌，肘骨却抵在他的膝盖上面：

"当真？"

"自然真的。我还记得那一只是右足的足印，一个大趾和四个小趾，排列得非常清楚，不过足跟部分却已模糊，也许已被别人的鞋子践踏过了，或者是那人踮着足尖走的。"

霍桑的注意力已表示出显著的进步。他的眼睛中不但消逝了轻意的神气，并且灼灼露出异光。我也暗暗欢喜。因为在我的意中，这裘日升带来的故事，诡秘动人，确有值得注意的价值。但霍桑似乎因着裘日升说出了"妖怪"和海玄法师的一类话，便抱着成见，认作这件事太玄虚滑稽，始终抱着轻描淡写的冷淡态度。现在他既有这种注意的表示，可见他的好奇心已逐渐被引动。如果这里面真有奥妙的内幕，那么，我的日记中也不愁不添上一页好资料。

霍桑问道："那是一个男子的足印，还是女子的足印？"

"这一点虽然还不能说定。因为那足印不是完全的，长短也不知道。但从分开的足趾看来，大概是男子的足印。"

"现在天然足的女子，足趾也同样分开的。"

裘日升低垂了头，自言自语地作疑迟声道："我想不会是伊的足印……"

霍桑截住他道："你所说的'伊'，是谁？"

"我家里只有三个女子：一个是我岳母，一个是老妈子赵妈，她们都是缠足的；只有玲凤是天然足。但我瞧见的足印，不像是伊的——不，不会是伊的。"

"玲凤是你的女公子吗？伊几岁了？"

"今年十八岁。伊并不是我的亲生女儿。内人生前，因着并无生育，便把我们一家邻居的女儿认作了螟蛉女。那邻居姓王，本来是开豆腐店的，后来伊的父母都故世了，内人便把伊领了进来，算作女儿。那时伊还只九岁，我们给伊上学读书，伊倒也聪敏伶俐，现在伊已读完了师范二年级。"

霍桑点一点头，又问道："你家里一共有多少人？"

裘日升道："一共主仆六人：我的岳母，我的内兄吴紫珊和我的义女玲凤，还有两个仆人，一个是老妈子赵妈，一个是我们的老仆方林生。我还有一个侄儿，名叫海峰。他是先兄的儿子，至今还留在北方读书，去年只有年假时曾在我家里住过。"

霍桑沉着目光，在那条宁波出品的织回文线的地席上凝视了一会儿，又抬头问话："好，你再说下去，以后又怎么样？"

裘日升道："我自从发现了足印以后，才知道这不像是鬼的问题了。鬼当然不会留足印的啊，我疑惑家中也许有什么人要阴谋害我，所以便打算去报告警察。但这计划到底没有实行。因为我的内兄紫珊和我的外甥梁寿康都不赞成。他们以为这里的警察老爷轻易惊动不得。就是寻常的盗案，案子未破，动不动先要破钞，反而受他们的麻烦。像这样空虚无凭的事情，如果去请教他们，更不会有什么好结果。所以我们商议的结果，就叫寿康搬到客堂楼上来暂住，以防再有什么变端发生。"

"那么，再有没有别的变端？"

裘日升又像摇头又像点头似的把头侧动了一下："从寿康进我家以后，果真又安静了两个多月。"

"现在寿康还住在你家里吗？"

"不，寿康在福华纱厂里办事，平日本是住在厂中的。他在客堂楼上陪了我一个星期，因着那纱厂经理要叫他照管厂屋，所以重新又迁回厂里去。但他迁出去后，我家里倒也平安无事，除了我偶然在睡梦中受些惊吓以外，不再听得有什么异声怪响。可是……可是……"他的声调又颤动，脸色又苍白了，"到了三天以前，那妖怪忽而又出现了！"

白色怪物

我又暗暗地担忧了。因为霍桑的兴趣刚才已被引起些,我深恐他又因着"妖怪"二字恢复他的轻意状态。可是这一次并不如我所料,他仍注视着裘日升,他的注意的神气并不因此减低。

他着意地问道:"那妖怪又出现了?这一次谅来比以前更猖獗些吧?"

裘日升连连点头道:"对啊!对啊!……那是大前天——六月三十日。夜里的天气既热,我睡得很迟。我先在东厢房楼上那只靠窗的长椅上躺了一会儿,到了十一点钟光景,有些倦了,恐怕在窗口上回凉,便从藤椅上回到床上去睡。我睡时没有把帐子放下,身上也只盖了一条薄薄的线毯。我本是面向里床的,睡了一会儿,偶然翻身,忽觉床前一团光明,使我的眼睛一亮。我定睛一瞧,有一个白色的怪物站近我的床前!这一吓几乎使我丧失了三魂六魄!哎哟!先生!我……我……"裘日升的声浪哽住了,厚厚的嘴唇颤动了,他的面色也变得像烧过的纸灰。他的内心中的恐怖,不知已到怎样地步。

霍桑的脸色沉着,保持着暂时的静默。他放下支撑下颌的右手,身子坐直了些,又伸手把藤椅旁边的那把蒲扇取起,一边缓缓摇着,一边缓声问话:

"裘先生,你且定一定神。这个怪物究竟是怎样的形状?譬如方的,还是圆的?大的,还是小的?"

裘日升又把那块湿淋淋的白巾,在他的面颊、额角和头颈里用力乱抹了一阵,方才颤声地答话:

"那是一个浑身白色的人!"

"人？一个人？"

"一个人形。"

"怎样高低？"

裘日升疑迟了一下："很难说，似乎不很高大。"

"你可曾瞧见那人的脸？"

"我……我瞧见的。"

"是男，是女？"

"男！"

"认识他吗？"

"哦！我……唉！"

霍桑的神经分明也紧张了。他又丢了蒲扇，两只手都撑住膝盖，身子更向前偻着。

他催迫道："怎么样？你尽放胆地说。你究竟认识他吗？"

裘日升仍期期艾艾地答道："我……我……认识的。"

"那么，是谁？"

"他……他……他是我的哥哥日晖。但他已在去年六月里患伤寒病死了！"

霍桑忽把两手一挺，从藤椅上立起身来。他沉着目光走到书桌前面，从白金龙的纸烟罐里抽取了一支纸烟，又缓缓擦着火柴，把纸烟烧着。他旋转身来，把身子靠住了书桌的边，向来客沉静地瞧着。我也取起玻璃杯来喝了一口冰水，室中便完全静寂。

一会儿，霍桑又缓缓问道："这真是奇怪了！以后又怎么样呢？"

裘日升答道："我当时吃了一惊，呼叫不出，除了把线毯蒙住了头，再不能有什么动作。过了一会儿，我探出头来重新向外床瞧瞧，却依旧黑漆漆的，瞧不见什么。这时我才扳亮了电灯呼叫起来。除了那不能动弹的紫珊和那一睡下去便像死一般的赵妈以外，其余的人都赶上楼来。说也奇怪，他们不但找不到什么，连我的房门也照样锁着。”

霍桑沉默不答，只顾吐吸纸烟。

我不禁插嘴道：“我想你是眼花瞧错的吧？”

裘日升忽从沙发上站了起来，张大了一双小眼瞧着我，又努力把他的头左右摆动：

“包先生，绝不，绝不！这一次我还有更确切的证据。我现在带来这里。”他很郑重地伸手到衣袋里去，摸出一个长方的纸包。

我也站了起来，走到裘日升的面前，瞧他把纸包急急地打开。他的手指都瑟瑟颤动。那纸包里面有一只双钱牌的火柴盒子。他又把匣子推开，里面只有一根烧焦的火柴，那焦梗并没有断，约有三分之一还没有燃烧。

裘日升说道：“霍先生，这火柴就是在我卧室中的镜台上发现的。”

霍桑把火柴匣轻轻接过，衔着纸烟走到窗口，细细地瞧了一瞧。他喃喃自语道：“是一种药水梗的火柴，火柴梗上浸过硫酸镁溶液，所以虽经燃烧，焦梗也不致中断。”

我按嘴道：“这种特别的药水梗火柴，巾上确有发售。这是一种瑞典出品风牌火柴。”

霍桑点了点头，又回头问裘日升道：“你说这一根火柴是在你卧室中的镜台上面发现的。是吗？”

“正是，霍先生，你知道我是不吸烟的。卧房中绝对找不出一根火柴。你想这火柴是从哪里来的呀？”

霍桑吐了一口烟，沉吟道："会不会有什么吸烟的人，偶然遗留在那里的？"

裘日升连连摇头道："绝不会的。我生平有一种洁癖，卧房中不容任何人进去。除了那赵妈每天早晨给我打扫以外，绝对没有人进去。但赵妈也不吸烟的。"

霍桑凝视着来客的脸，又静静地问道："你再想想，难道当真没有别的人进你卧房里去过？"

裘日升的眼光无意中和霍桑眼睛接触了一下，接着又自动地移注到地席上面去，又像思索，又像避去霍桑的视线。

他道："我的外甥寿康有时也到我卧室中去闲谈。但这火柴绝不是他的东西。请先生不要误会。"

"你的外甥也不吸纸烟吗？"

"他虽是吸烟的，但他有一个怀中打火机，从来不用火柴；并且即使他用了火柴吸烟，也绝不会把这火柴梗留在我的红木桌子上面。我曾细细地瞧过，桌面上已留着一个淡淡的烧痕。况且三十日那天，他并没有来过。"

"事前你不曾见过桌子上有这一根火柴吗？"

"的确不曾。那是完全没有疑惑的。"

"但在事发以后，你不是说有好多人进你的卧室里去吗？"

"虽然，但这火柴的发现，还在他们进卧室以前。我不是说过我因着一团火光，才瞧见那怪物的吗？等我开亮了电灯，我的岳母他们赶上楼来敲我的房门，我披了衣服开了镜台抽屉，拿房门的钥匙，才发现台面上有这根火柴。"

霍桑缓缓地把火柴匣子推上，又问道："那么，这火柴匣子你从哪里得来？"

裘日升道："那是我向赵妈讨的。"

霍桑把火柴匣子放在书桌的中央，又丢了烟尾，背负着手，从窗口踱起，踱到办公室尽端的一只长椅面前，接着又回转身来。裘日升仍眼睁睁地站着。他的目光跟着霍桑的身子，也在室中溜来溜去。室中便形成一片难堪的静默。我既不便插嘴，只索走到书桌面前，取了一支纸烟默默地吸着。

霍桑踱了一会儿，又站住了问话："这事情发生过以后，你有什么举动？"

裘日升答道："我们在楼上楼下四处找寻过一会儿，毫无异象，也没有遗失什么。但我当夜里就害了热病，一连躺了两天，直到今天早晨，热度方才退尽。我觉得这种可怕的情形，再受不住了，因此才来恳求先生。霍先生，你想这究竟是人，是鬼，还是妖怪？若说是鬼，怎样会留这一根火柴？若说是人，房门好好地锁着，怎么能自由进出？如果是妖怪的话，那么——"

霍桑忙摇了摇手，阻止道："且住。你的卧房中有几扇门可通？"

"只有一扇通客堂楼的房门。北首靠楼梯一头，虽也有一扇小门，但用钉钉住，堵塞着不通。"

"有几个窗口？"

"我的卧房是次间连厢房的，厢房中朝西有四扇窗，下面就是天井，朝东一面有两个窗口，一个在厢房中，一个在次间中的镜台旁边。这朝东两个窗口，每一个都有两扇窗，窗外面是我们邻居江姓的一个园子。"

"那夜里有几扇窗开着呢？"

裘日升道："我记得很清楚。那镜台旁边的东窗关着，厢房中的东窗和西窗完全开着。但窗口离江姓的花圃一丈多高，决没有人能够从东窗口出进。"

我暗忖这问题的确不容易解释。据裘日升所说，这根火柴的来由果然奇怪。若说这火柴是有人偶然遗留的，那也绝不会把燃烧的火柴放在红木桌子上面；可见这东西很像是有人在匆忙之间留下，故而顾不到桌子的烧坏与否。这样，可见当真有一个人进过他卧室里去。但房门既然锁着，那人又怎样进去？并且在一刹那间，人影不见，房门却依旧锁着，想起来岂不奇怪了，在现在科学昌明的时代，若说果真有什么超乎物理现象的妖魅出现，岂不叫人笑掉牙齿？那么，这内幕中究竟有什么秘密？莫非当真有神话式的"一跃丈余"的人物，能从窗口里出进吗？

霍桑又烧着了一支烟，重新靠在书桌边上，向裘日升说话："裘先生，你所说的事情果真非常诡秘，很值得我们的注意。现在我很愿意给你侦查这件事的底蕴，公费不公费的问题，你可不必挂在心上。第一着，你须信任我说的话。这里面一定有一个'人'在暗中作弄。你须确信绝没有鬼，更没有什么妖怪。你能相信我的话吗？"

裘日升仿佛得到了绝大的安慰，惊恐失血的脸上居然露出一些笑容：

"唉，霍先生，我相信，我相信。只要你能替我彻查真相，我真感激不尽。我也觉得这一定是'人'的问题。但那个人究竟是谁？又有什么目的？他凭着什么法术，竟能这样子来去无踪？这种种我实在猜想不出。因为自从这些怪事发生以来，我家里绝没有遗失什么，可见不是图财盗窃。霍先生，你以为对不对？"

霍桑连续吐吸了几口烟，答道："这些问题一时候还不容易解答。照眼前你说的情形看来，你果然没有损失什么，好像不是图财，但你所见的怪状，也许只是一种发端，内幕中有什么目的，此刻自然无从窥见，自然也不容易猜度。至于这个'人'是谁的问题，我想等我到你家里去瞧一瞧以后，也许就可以找出些端倪。"

"霍先生，你想这怪物是我家里的人作弄的吗？"

"这个自然还难说。不过我很愿意和你家里的人一个个会谈一下，并且我还想瞧瞧你的屋子的结构。"

裘日升忙应道："霍先生，我可以说给你听。这是一宅旧式屋子，共有三进。前门在乔家浜，后门通乔家栅的小弄。前两进我租给一家姓徐的租户，第三进我自己住。除了有特别的事情，我们总是从小弄中的后门出进。所以我所住的一进，平日是和前面两进隔绝的。"

"这房子想必是你的产业。但我想不见得是你的祖产吧？"

"当真不是。我购买这宅屋子，还不到一年。起先我们从北方来时，本住在城外，后来先兄故了，我因着怕烦，才迁到城里。"

霍桑点点头道："好，你说下去。在这第三进屋子里，你们的卧室怎样分配？"

裘日升道："那前面两进都是五开间的。我们所住的一进最小，三开间两厢房。楼上一层，我的卧室占据了东面的厢房和次间，那西面的厢房和次间是紫珊的卧室。其实紫珊的卧室，只在次间之中。那西厢房中却堆积着些衣橱箱笼和别的笨重的家具。楼上的中间是一个小憩座。楼下一层，中间是客堂，西面的次间是我岳母的卧室。我女儿玲凤，就住在西厢房中。这两个卧室中间并不分隔。至于东面的厢房和次间，却分隔为二：这厢房做了我的书室，那次间却是一个客房。除了我侄儿海峰从北方放假回来，或别的亲友们暂住以外，这客房平日是关闭的。霍先生，这就是屋子的大概情形，你明白了吗？"

霍桑用右手执着纸烟，旋转身子，凑到书桌上的烟灰盆中，弹去了烟灰。

他应道："大致已明白了。还有你的一男一女的仆人，住在什么地方？"

"那老妈子赵妈，就住在我岳母的卧室中。因为伊老人家有时要水要茶，呼唤便些。还有那老仆林生，住在后面的披屋里。我们有三间披屋，除了林生占去一间以外，还有两间是柴房和灶间。我们的后门就在灶间里面。"

"你们家里现在只有这几个人吗？"

"起先我们还有一个小使女，名叫小梅，还只十四岁，专任服侍紫珊的。后来觉得伊的手脚不干净，喜欢偷东摸西，我岳母将伊辞掉，至今还没有相当的人替代。"

霍桑的眼光又动了一动，又吐了一口烟："这使女已辞掉了多少时候？"

"有三个星期多些，不到一个月。"

"你在什么时候雇用伊的？"

"在去年九月里迁进这屋子去时，和赵妈一块儿雇用的。只有那老头儿林生是从北方跟我们来的。"

霍桑点了点头，又把那烟尾熄灭了，转身丢在灰盆之中。

他又道："够了，够了。今天下午我打算到你府上去，和你家里的几个人谈一谈。方便吗？"

裘日升想了一想，说道："你可要见见我的家里的每一个人？那么，你最好在黄昏时来。因为今天下午，玲凤的学校里行毕业礼，伊要去参加，日间不在家的。"

霍桑皱着眉头，自言自语道："晚上似乎不很方便。"

裘日升忙接嘴道："那么，你索性明天来。今天玲凤校中已放暑假，明天伊不到校了。"

"好，我准备明天上午造访。这火柴焦梗暂时留在这里。你现在可再坐坐，喝一杯热茶，定一定神回去。"

霍桑走到门口招呼施桂备茶。那裘日升果真又坐了下来。这时他神态上已比先前安适得多，坐的姿势也自然了些。我也重新坐下，把背心靠着椅背。霍桑却站在窗口，似在那里欣赏那充满着热力的朝阳。

一会儿，施桂已送茶进来，又带了一盆面水。这一定是出于霍桑的额外吩咐。因为那来客的脸上汗液既多，雪花膏又不曾全部抹尽，形成了一个特别的花脸。他的那块纱巾也已失了效用，实在不能不彻底地洗一洗了。

数分钟后，裘日升已洗过了脸，又忙着戴上草帽，似乎他是用惯雪花膏的，这时他脸上既失却了掩护之物，便赶紧借重草帽来遮盖。他立起来准备辞别，霍桑忽又发出一句重要的问句。

他道："裘先生，大前天三十号夜里，你楼下东次间的客房中可曾住什么客人？"

裘日升站住了，抬起他的近视眼睛，盯在霍桑脸上。

"当真有一个朋友住过的。霍先生，你怎么会问到这层？"

霍桑垂着目光答道："没有什么，我随便问问。这朋友是谁？"

"他姓伍，名叫荫如，是我们北方的同业。因为先父在世时本来贩皮货，荫如这一次到南边来，也为着商业事情。他在我家里耽搁了两天，直到七月一日的早晨才去。"

"这个人可常到南边来？"

"不，难得的。我记得今年春天他来过一次，也曾在我家里耽搁过几天。"

"是不是在清明以后的那个当儿？"

裘日升瞧着霍桑，摇头道："霍先生，你可是疑心上一次我瞧见门钮转动的那夜，他也住在我家里吗？……不，不，那时候他并不住在我家里。不过我记得那一夜我外甥寿康恰巧住在下面。因为那天夜里寿康在我家里吃夜饭，喝了些酒，不曾回厂去睡。我在事发以后也曾和他商量过，所以记得很清楚。"

霍桑点了点头，答道："好，你现在安心些回去吧，别的事我明天到府上来再说。"

裘日升忽又疑迟着道："霍先生，你想这件事究竟有什么目的？我的性命会不会有危险？"

霍桑不假思索地摇摇头，答道："你放心，我敢说绝不会如此。不过你也应当振作些。我再告诉你，我不相信这世界上有鬼，鬼只在你的心里。你切不可自己心虚，造成无意识的恐怖。"

裘日升听了这话，连连点着头，精神上果真越发振作了些。他深深鞠了一个躬，便走出室去。霍桑送到门口，拖着拖鞋慢吞吞回身进来。我正要向他问话，霍桑忽站住了向外面倾听，接着他的嘴唇又嘻了一嘻。

他似喃喃地说道："唉，他还在那里和黄包车夫计较车钱呢。他委实'太'节俭啦。"

意外的变动

来客去了以后，我和霍桑恢复了我们的原来的座位。霍桑先喝了两口冰水，又烧着了裘日升来后的第三支纸烟。我准备先和他讨论这小小的疑问。霍桑忽先自暗暗地咕哝着：

"唉！他委实太节俭了——节俭得太过分些哩。"

我乘势纠正他道："霍桑，这句话你已说了两遍哩。我觉得这'节俭'二字，用得不很适当。你应当换上'吝啬'二字才称。"

"不错，不过这个人在某种地方却是绝对不吝啬的——我猜想这一出把戏的来由，也许就是从他这种脾气上引出来的。"

我急忙问道："你已推测到这事的原因了吗？"

霍桑呼了两口烟，一边摇着蒲扇，烟雾便弥漫满室，一边发出一种很有把握似的声调向我答话：

"据我观察，这个人有几种特点：第一，他明明是很有钱的，可是生性却很吝啬。有钱而很吝啬，那就是招怨的主因。"

我点头道："这话确近情理。你想有人因着他吝啬的缘故，就在暗中作弄他吗？"

"这是一种可能的解释。还有第二种——唉，包朗，我且试试你的眼力，你从他的状态上观察，他是一个怎样的人物？"

我想了一想，答道："他还有些虚骄的架子。他对人虽然吝啬，但他的衣饰却又故意时髦。我还见他长衫里面的胸口上，隐隐透露出一条很粗的金表链和两个金镑的表垂。"

霍桑点头道："正是。不过他的装束除了架子以外，还有别的副作用。他真是一个色鬼！"

"我也有这样的感想。他的修饰确已和他的年龄不很相称。"

霍桑忽似提起了精神。他的那一把借以活动手指的蒲扇，也停止了摇动，他的声浪也提高了些：

"有一点竟出我的意料。我以为他总左拥右抱地有着几个娇妻美妾。可是他连妻子死了都没有续弦。但是他的粗厚的嘴唇，失光的眼睛，弯形的背脊，丑怖的化装，还有忌冷怕寒的那种习惯，都告诉我他是一个性欲很厉害的色鬼。可是他却没有一个妻子。这种矛盾的现象，你可能解释得出？"

我摇了摇头，默默吸着烟，不即回答。

霍桑忽自动地解释道："这现象也是发生于'吝啬'二字啊。"

我仍默然不答，但我心中的怀疑，早已从我的眼中表示出来。

霍桑又说道："你还不明白？现时代尽多这样精于经济的男子。在现今社会中，供养一个漂亮的所谓摩登妻子，当然不是一个精通算盘的吝啬人忍受得住的，可是性的问题，总得解决，他自然会利用别的方式。所以这班抱着极端自私观念的'经济人'，便乐得不娶妻子而反可以恣纵自由些。我敢说这位裘老先生，也许就是抱着这样的观念的一个代表。不过这种别开生面的节俭方法，实际上不但不经济，而且是很危险的。他的奇怪的遭遇，或者起因在这一点上，那是有充分可能性的。"

我又忖度一下："不错，这一着当真也是可能的。但除此以外，你想可还有别的原因？"

"也许还有。不过我们现在既然还不知道他们的底蕴，当然不能够凭空推测。"

"那么，你想那个作弄他的人，究竟是他家里的人呢？还是——"

霍桑忽又放了蒲扇,把身子从藤椅上仰了起来:"这个当然更难说了。我们总括他所遇的怪事,前后共有三次。除了第一次也许是他的心理作祟以外,那第二次的足印和第三次的火柴和白色人形,都是有物质的证明的,不能不认为事实。但第二第三两次发作时,他家中都有外客——前一次是他的外甥梁寿康,后一次是他的朋友伍荫如。这一点不能不加注意。所以这问题我在和他家里的人会面以前不能信口乱说。"

"你姑且猜测一下,也许可以料到。"

霍桑忽坐直了,眼光凝注在我的脸上。他道:"包朗,你不会像那些迷信的人一般,把我当作有'天眼通'或'阴阳妙算'的仙人吧!"

我默然不答,低头吸了一会儿烟,心中自念,这件事的确不像是怎样简单的,若但凭裘日升的一面之词,便贸然下断,果真有些危险。可是我对于所怀的疑团,仍禁不住有一种提早解释的企图。

我又问道:"你刚才保证他不会有意外的危险。这句话可是只为着要安慰他? 或是你确已有了把握? "

霍桑喷出了一缕细长的烟,答道:"那是我根据着已往的事实而说的。你想如果有什么人抱着行凶的恶意,要伤害他的性命,那么,尽可以干脆地下手,何必这样子一次两次地鬼鬼祟祟? 更何必延长这许多时间? "

我对于这个解释也觉得满意,因此又引起我的另一个问句:

"那作弄的人竟能在锁闭的门里自由出入,究竟也觉得奇怪。我们既不相信隐身法的神话,你想那人会有什么神秘的技巧？"

霍桑忽然从藤椅上站了起来，走到书桌旁边，把烟尾丢了，又举起了两臂伸一伸腰：

"包朗，你且耐一耐吧。我在实地观察那屋子的结构和门上的锁键以前，当然也不能回答。你如果有兴，明天你不妨再破费半天工夫，跟我一块儿去瞧瞧。"

一阵子琅琅的电话铃声，打断了霍桑的话。霍桑赶着去接，约莫三分钟后，他又回过来笑嘻嘻地向我说话：

"包朗，你已听得了吧。汪银林请我到半凇园去吃中饭。他说有一个小小的问题，要和我商量。你既然抛弃了半天的笔墨，不如一同去疏散一下。那里有好几枝近水的杨柳，很有些诗情画意。我们到那浓密的柳荫底下去吃一顿饭，也可以算作'聊以解嘲'的避暑呢。"

霍桑的邀请，我自然是无条件接受的。一小时后，我已做了汪银林的不速之客。

汪银林是凇沪警署的侦探部长。他这个职务，已担任了十二三年，经历的案子既多，在社会上很有些声誉。他的短阔的身材，肥胖而带些方形的脸儿，除了嘴唇上添加了一撮黑须以外，还是像十多年前我们和他初见时的模样。有几个熟悉的朋友们常向他取笑："你的肥胖的脸儿怎么始终不会消灭？这可见你探案时不曾用过脑力，而用脑的却是另有其人啊。"这所说的另有其人当然是指霍桑。不过我说一句平心的话，汪银林探案时的认真和负责，在同辈中确也少见。他自从和霍桑交识以来，不但把素来的习气减少了许多，就是在观察和思想方面，也有不少进步。所以若说他完全不用脑力，那未免太挖苦他了。我这个见解，在这一天我们在柳荫底下进餐的时候，就得到了一个明证。

他和霍桑所讨论的，是关于某银行的一件假支票案。经过了一番谈话，霍桑指示了几点，便说起我们早晨的事情。霍桑的目的，想要问问银林那旧屋的历史。汪银林果然知道。据说这屋子很大，年代又古，旧主人姓朱，在前清做过什么知府。不过那姓朱的子孙不很争气，专在嫖赌两字上用功，所以不过几年，便将那也许从"刮""剥"上得来的祖产终于出让了人。因此，汪银林发生一种新的见解。他以为这屋子的建筑既古，也许这旧屋里有什么秘藏。这秘藏是有人知道的，或是偶然给人发现了这个秘密，便利用着鬼怪的迷信，目的在使新主人恐惧迁避，以便实施他或他们的掘藏的企图。这见解虽觉近于玄虚，但也就不能说汪银林绝对地不用他的脑子了。

我们在半淞园中足足消磨了八个多钟头。在我们的谈话结束以后，霍桑又发起划艇的游戏。我和银林也从兴赞同，结果大家都出了一身汗——汪银林更其是满身淋漓——预备回家去洗澡。因为霍桑是天性好动的，如果有可以活动的机会——无论脑力的活动或体力的活动——他都不肯放过。他常现在是竞争激烈的时代，一切的环境，都不能不利用"动"来应付。我们数千年来的安闲宁静生活方式，虽然也有它的优点，但因着时代的演进，欧洲文明的引渡，这一种生活方式已不能够适应。所以霍桑常有一种大声疾呼似的警语："我们不能再好整以暇地袖手安坐了，应当大动特动地急起直追！否则在这斗争剧烈的时代，我们的民族，会有淘汰灭亡的危险哪！"

傍晚时我和霍桑在半淞园门口分别的时候，约定下一天早晨九点钟我到他寓里去，会同了到乔家浜裘家去调查。不料这预约并没有实践。原来经过了一宵之隔，这案子已发生了意外的变动，霍桑的推想也出乎意料地完全失败了！

七月四日清晨七点钟，我才刚起来，漱洗完毕，正在打领结的当儿，忽听得楼下的客室中，隐隐有一阵电铃声音，分明有电话来了。我的佩芹已比我先下楼去，这时我听得伊的接电话声音，不一会儿，伊走到楼梯脚下，告诉我那电话是霍桑打来的，有要紧话和我接谈。我心中一愣，便慌忙赶下楼来，心中也早料到那裘家的怪事一定又有了新的发展，说不定那个"妖怪"上夜里又出现过一次。却不料那电话的报告，竟出乎意料的严重。

霍桑电话中的第一句话，便使我呆了一呆。

他道："包朗，昨天的事发生了意外的变端哩。裘日升已被人谋杀了！"

我惊骇道："唉！这却想不到！你昨天不是还保证他——"

霍桑忙裁住我道："是的，是的。我错了！我已完全失败了！他的被害，我在道德上的确应负责任。但这时候情势很急，你且暂缓责备我吧。"

我急忙辩道："你不要误会，我并不是责备你，我只是问问——"

霍桑又截阻我道："好啦，你问的话多哩。现在你如果已准备舒齐，不妨就近一直往乔家浜，不必再绕道到我家里来。汪银林已在那边等待，我也立刻就到。"

电话挂断了。我重新奔回楼上去，凭着兵士们闻号声集队的动作，在三分钟内，已扣好领带，穿上皮鞋，全身装束完毕。我和佩芹说明了一声，匆匆出门，跳上一辆黄包车，向乔家浜进发。

我坐在车中寻念，这案子如此变化，的确出乎所料。昨天下午，我们在柳树底下，靠着那只小小的圆桌，谈论这件事的时候，霍桑还是觉得很有把握。我记得他曾对汪银林说过一句轻描淡写的话："我觉得这案子的性质，不会怎样严重的，不过倒很有趣。"唉！现在这案子不但再加不上有趣的形容词，却明明是十二分严重了！这一种变端，在霍桑心中所感到的难堪，当然也不难想象到。

十分钟后，我的车子已在乔家浜九号门前停住。那是一排六扇的黑色墙门，夹在两宅西式屋子的中间，高低相差很远。这一条街，既已放宽，浜的名称原已有名无实，街上大半都是新建的市房。这宅九号老屋只缩进了些门面，还没有根本翻动，可算是硕果仅存。这六扇墙门仍紧紧关着，时间既早，又无其他异状，绝不像发生了什么凶案，料想前屋的邻居们，大概还没有知道。

我赶紧兜到了后面的乔家栅，寻到小弄口时，向弄里一望，才见弄堂中只有一个后门，有一个警士正站在那一扇包着铅皮的后门外面。我走到后门口时，那看守的警士不认识我，正在问我的来意，汪银林忽开了后门出来。他后面另有一个穿白色制服挂武装带的警官。

汪银林招呼道："包先生，早，霍先生也来了吗？"

我应道："他刚才电话给我，立刻就到。"

我认识那个凸肚挺胸、身长六尺以上、黑脸而有菱角须的警官，就是我们本来认识的许墨佣。好几年前，我们曾和他联手办过一件"一只鞋"凶案，他的争功嫉妒的本领，我至今还不曾忘怀。这件案子恰巧在他的警区之内，我又不禁替霍桑暗暗担忧。所以他虽然满面笑容地和我招呼，我却只很冷淡地应酬了一声。

汪银林先告诉我，这案子在上夜里十二点发生。那许署长在两点钟时方才得信赶到这里，忙碌了一会儿，东方已经发白，然后他转报总署，汪银林方始得信。

汪银林附加道："我记得昨天霍先生恰巧说起过这一件事，今天却不意出了凶案。我料想霍先生对于此案，一定是特别注意的；并且这案子又非常诡秘，也得借重他的大力，所以我一得信就打电话通知他。"

我道："你已察勘过了吗？"

汪银林摇摇头道："不，我也才到。"

"你现在上哪儿去？"

"我正要瞧瞧这扇后门。"

许墨佣偻着身体，引手指着后门外石阶旁边的一个污泥水潭。

他道："汪先生，你瞧，这水潭是厨房里倾倒出来的污水积成的。这潭边的污泥上，明明有一个足跟的印子，而且这足印很新鲜。"

汪银林弯着腰走近去细瞧。我也跟着瞧视，觉得许墨佣的话果真不错。

汪银林站直了身子，点头应道："这当真是一个足跟的印子，而且还有些滑溜的痕迹，好像那人踏在这里时曾滑过一滑。"

许墨佣用手指卷了卷他的短须，更起劲地说："今天早晨我用电筒发现了这个痕迹以后，曾站在这一块石阶上实验过一下，很像有个人匆匆忙忙从后门里出来，一失脚便滑进了泥潭里去。现在我可要再试一试？"

"唉，不消得。你的光亮的皮鞋，不怕沾污泥吗？"

这几句话的声音，从我们的背后突如其来地发生，但一进我的耳朵，非常熟悉。霍桑已赶到了。

于是我们三个人都旋转身来和霍桑招呼。汪银林又解释了几句，霍桑一边也向泥潭瞧了一瞧，一边带着笑容向许墨佣说话：

"许先生，你的见解很对，已没有再度实验的必要。不过那人并不像你一般穿皮鞋的，却是穿的平跟扎底的本国鞋子，而且那鞋子还是新的。"

那许墨佣忽笑着应道："唉，霍先生，你的眼力竟这么凶？你竟是一个观察鞋子的专家！你总还记得那徐志高妻子的一案，你也就靠着那只鞋子破案的啊。"

霍桑听了这句类似恭维的说话，只笑了一笑，不再答话，似乎他觉得这案子的性质既很严重，没有闲心思谈到别方面去。汪银林就把刚才和我说过的几句话向霍桑说明。

他道："据说发案以后，死者的岳母发现这扇后门开着。许署长认为这一点关系重要，所以先领我来瞧瞧这后门。"

霍桑点了点头，便踏上那后门外的石阶，向那包铅皮的后门上细瞧。那是一扇旧式的门，包裹的铅皮还不很旧，外面门上有一个小小的铁环。

许署长又卖弄聪敏似的解释道："这是一扇旧式门。里面有两个木闩。昨夜发案以后，两个木闩都已开着，门上也并无撬损的痕迹。可见这门是从里面开的。"

霍桑依旧点了一点头。他的眼光抬了起来，又瞧到门框边上装着的一个外面不容易瞧见的电铃。

"这电铃还有用吗？"他说着举起右手，在铃上按了一按，同时他侧着耳朵向屋中倾听。他又道："没有声音啊。不是已坏了吗？"

许墨佣发出一种带着讥笑似的声音，答道："霍先生，你的听觉似乎不及你的眼睛灵敏吧？这电铃并不坏，通得很远，所以你听不见了。"

"通到哪里？"

"通到死者的卧室里。"

霍桑的眼睛转动了一下："不是楼上东面一间的卧室？"

许墨佣不答，但瞧着霍桑点了点头，眼光中似在诧异霍桑怎么已知道死者卧室的地位。

霍桑作讶异声道："这倒奇怪！那裘日升死在楼上，还是在楼下？"

许墨佣道："在楼上中央的一间憩坐室中。"

"怎样死的？枪打的，或是刀？"

许署长摇着头，冷冷地道："也许都不是吧。那景状再奇怪没有。霍先生，你上楼自己去瞧吧。"

许墨佣在这件案中，似以负责者的地位自居，便在前领导。我和霍桑、汪银林三人，跟在他的后面。

我们进了后门，便见一个灶间，一个砖砌的旧式灶座，收拾得倒很清洁。走出灶间，有一个长方形的天井。和灶间毗连的，共有三间，居中一间是柴房，那靠西一间，就是那老仆林生的卧室。跨过天井，踏进正屋，便见那一部旧式的曲折阔梯，横在分隔客堂的屏门背后。

我们上了楼梯，见迎梯有一扇通西次间的旧式小门。正中一间也用板壁隔着，前面是憩坐室，后面靠楼梯栏杆的旁边，有一只空虚的小榻和一只半桌。半桌后面，也和对面一般有一扇小门，可通东次间去，但门上积着不少灰尘，又隔着半桌，似平日久闭不用。我事后才知道这梯头的小榻，就是那个已经辞歇的小使女小梅的卧处。

许墨佣踏进了中间，忽伸出一臂，又像警告，又像拦阻我们似的说："请诸位注意，这就是发案时的原状。我在勘察以后，就禁止这屋中人擅自移动什么。不过这地板很脏，瞧不出什么足印了。"

我们很谨慎地走进憩坐室中，我的眼光便立即接触那可怖的景色。

凶 案

在我的意料之中，我们既然到了这里，原准备接受任何恐怖的景象。可是清晨热灼的阳光，从那朝南一排改装不久的新式玻璃窗中透射进来，室中的光线既很充足，恐怖的意味也因此减少了些。不过那些窗完全关着，闷热的空气中带着些血腥臭味，鼻官中却很觉难受。

这憩坐室面积很大，恰成正方形，靠板壁有一只榉木搁几和一只红木方桌，桌的两旁，放着两只榉木的靠背。左右两壁，各有一只西式茶几和两只木圈藤垫的西式椅子。这时那东壁靠近房门口的一只西式椅子，已移动了位置，翻倒在地板中央，裘日升的尸体，就在这翻倒的椅子东边，彼此距离不远。

裘日升侧卧在憩坐室的偏东一些，面向东壁，背部却向倾倒的椅子。他身上穿着一身细花白香云纱的衫裤，一条连金镙表垂的金表链，还挂在胸前纽扣上。那衫裤的洁白熨帖的模样，和昨天他穿的那件长衫相同。他的头向着方桌，足部向窗，面孔向着东首的墙壁。他的左手的臂膊压在头下，右手伸直在地上，手指曲着，仿佛要把握什么的样子。他的右足弯曲不直，足上穿着白色的丝袜，却没有鞋子，左足上还套着一只紫色纹皮的拖鞋。

汪银林首先走近尸体，霍桑也跟在他的后面。汪银林把他的那件宽大的细白夏布的长衫卷一卷袖子，又把他长衫的下襟撩一撩起，蹲下身子，准备动手验尸。霍桑仍站在一旁，执着他的草帽，当作扇子一般地挥着。

他婉声道："署长，你如果认为没有妨碍，可能把那玻璃窗开一开？这里的空气太闷哩！"

许墨佣点了点头，便蹑着足尖，一步一步地走过去开窗，这种姿态，仿佛还防着惊醒了地板上的死人。

汪银林忽作惊讶声道："唉，这里的血很多！"

这时汪银林已执着死者右臂，把身子翻了过来，我才瞧见那死人的正面。

那死人的面部确很惨怖。额角和面颊，显着一种可怕的淡黄色，额角上面稀薄的头发，因着发膏的效力，倒还齐整不乱。他的钩形的鼻子和厚厚的嘴唇，连着他的枯黄的下颔，都染满了血液。在他的大腿部分，又发现一只紫纹皮的拖鞋，这拖鞋先前被他的腿部压住，所以没有瞧见。

许墨佣惊喜地呼："唉！这一只拖鞋原来压在他身底下，怪不得我找寻不着。"他就偻着身子，想要把拖鞋取起来细瞧。

霍桑突然警告道："署长，你自己也得留意些啊！这拖鞋遗留的部位和形式，我觉得也有注意的价值。"

许墨佣勉强缩住了手，仰起身子来向霍桑呆瞧。

霍桑指着那拖鞋说："你瞧，这拖鞋的鞋尖向着我们进来的那扇通楼梯的板壁门口，鞋跟却向着南窗。你若能再仔细瞧瞧，死者右足的丝袜底上，还染着地板上的灰尘。可见他在没有倒地以前，他右足的拖鞋已经脱落。因这一点，便可使我们推想到他未死以前有过怎样的景状。"

许墨佣伸着舌子，舐了舐他的嘴唇。他反问道："那么，你以为他未死以前曾和人挣扎过吗？"

霍桑微微点了点头，并不答话，他的眼光又移到了死人的胸口部分去。汪银林已把死者胸前的纽扣解开，连里面的汗衫钮子也解了开来，汗衫上却反而洁白无血。汪银林把右手的手背，在额角上抹去了些汗，嘴里发出诧异的声音：

"怪了！竟没有伤口。"

许墨佣插口道："那么，哪里来的血呢？"

我默默地观察了一会儿，也忍不住接嘴。

我道："也许是从他嘴里或鼻子里流出来的。"

汪银林听了我的话，仰起脸来向霍桑瞧着，似要等霍桑的批评，以定我的见解是否可靠。但霍桑不但没有批评，连他的脸上也没有表示。他把草帽放在方桌上面，又伸手到衣袋里去，摸出那面常用的放大镜来。他用一块白巾在镜面上抹了一抹，接着走近一步，像汪银林一般地蹲下身去。霍桑在死者的面部、颈项和解开衣纽的胸膛各处，都用放大镜照验了一回。

他喃喃地说道："奇怪，这胸膛左右的皮肤里面，显着一块块紫褐的血晕；并且这靠近咽喉的右肩骨旁，也有同样的血晕。"他说着，又把死者的汗衫拉开了些，瞧到胸膛下部的腹部上去。他又道："这里也有同样的紫血晕呢。"

汪银林道："我也觉得这血晕非常奇怪。"他仰起头来问道："署长，你不是说完全没有发现凶器吗？"

许墨佣把一只手叉在腰间，一只手拈着他的须尖，很自信地答话：

"完全没有。我在这中间和死者的卧室中，都已瞧过一瞧，既没有手枪，又没有刀。"

汪银林的眼光又移到霍桑脸上，问道："那么，这血究竟是从哪里来的？"

关于这一个问题，我刚才已表示过一句解答。汪银林此刻再问，分明因为我的资格不够，还不敢信任我的话。人们常诅咒社会上的势利人物。是的，势利的确是可诅咒的。一般人都惯于媚富欺贫，话语从富人嘴里吐出，好像句句是香脆而合理的，穷人的话却总是一文不值！不料在知识界中，会因着身份地位而有同样的势利现象！想起来真是可叹。可是我一听霍桑的答语，顿使我的不乐意的情绪，立刻消灭了。

霍桑道："从这现象上看来，刚才包朗兄所说从口鼻中流出来的见解，确有成立的可能。不过这人的死因，若不经专家的检验，我们还不便妄下断语。"

我心中很觉得意。霍桑的意识确是不受"势利"束缚的，我的见解居然有成立的可能。这时我的眼角里面忽觉那西面的次间门口，有一个丑黑的人面，似在那里窥探。

霍桑已立直了身子，说道："无论如何，这位裘老先生的死，绝不是自然的死，却是出于什么人的阴谋。这一点我可以断言的。"

汪银林点头道："这当然是没有疑问的。脱落的拖鞋和倾倒的椅子，种种现状，都足以证明他是被人谋害的。"

许墨佣在旁边又像自言自语，又像接嘴地说："不过这阴谋也太觉幻秘哩！"

"对，简直无从着手！"汪银林的语声似乎有些失望，他手里已摸出了死者身上的一只小金表，凑在耳朵上听了一听。他继续说："这表还在走着，不能做发案时间的证据。"

许墨佣接嘴说："这个不成问题。发案的时间，在昨夜十一点半。这里的人都知道的。"

汪银林听见许墨佣所说，把表重新放入死者的表袋里面，缓缓地立起身来。他蹲得久了，身体的分量又重，他的膝盖的节腱和他的腰脊，一时竟不能挺直。他从长衫袋里摸出一块白巾，用手抹了一抹他的手指，又顺手揩去了他额角上和颈项间的汗珠。

他说道："霍先生说的话不错。这人的死因，应得请法医来仔细检验。"

许署长道："这是应有的手续。我早已报告了法院。"

汪银林说："好，现在我们不妨在这里坐一坐，请你把发案的经过状况，再说一遍给霍桑先生听听。"他就先自走到靠西面墙壁的一只藤椅上坐下。

霍桑却不即坐下，先走到东房间门口附近，用足在地板上试踏，踏到一块，果然有吱嘎的声音发出来。这时我忽见那西次间门口的黑脸，又探头出来。这个脸约有三四十岁，皮肤粗而且黑，眼睛中露着惊异之色，上身穿着一件青土布短衫。

许墨佣正在把靠东壁的一把没有倾倒的椅子，移到方桌旁边去，也瞧见了那个黑脸。

他忽呵喝道："谁叫你东张西望？快进去！"他把椅子的背靠着方桌，一边坐下，一边用手向退进西次间里去的黑脸指一指，向我们解释："这家伙是小弄口木作里的老板，名叫阿毛。昨夜发案以后，那位西次间里的吴先生，因着一个人睡在楼上害怕，特地叫他来陪伴的。"他又回头向西面的次间里瞧了一瞧。那黑脸已不见了。

霍桑坐在银林的上首，一边摸出纸烟，一边缓缓答话："不是那个患风瘫的吴先生吗？"

许墨佣点一点头。他伸手接受了霍桑送给他的纸烟。

霍桑又把纸烟匣送到我的面前，我也取了一支。汪银林却有他自己粗黑的雪茄，霍桑并不客气。我也在方桌旁边的榉木靠背椅上坐下，汪银林正擦着火柴烧他的雪茄。霍桑的火柴梗还取在手中，没有擦烧，忽而跳起身来：

"唉，且慢，这里有一根火柴梗哩！"

霍桑早已偻着身子，凑到红木桌的足旁，很小心地拾起一根半焦的火柴。这火柴靠近桌子的足，我们入室时目光都被尸体所吸引，故而没有注意。

霍桑掀起了眉毛，自言自语地说道："这东西也值得注意。包朗，你来瞧瞧。"

我也立起身来凑近身去。那也是一根焦梗不断的药水梗火柴。

我道："这同样是瑞典出品啊！"

许墨佣和汪银林也站了起来。许墨佣瞧瞧火柴，又瞧瞧霍桑的脸，唇角上微微露出一种狞笑，似在诧异我们对于这一根火柴怎么如此重视。

他作疑讶道："这是一根火柴啊！"

霍桑应道："正是，而且是烧去了四分之三的焦梗，不值半文钱——但可是你丢遗的？"

许墨佣摇头道："不是。我袋中没有火柴。"他忽回头向汪银林瞧着。

汪银林忙道："也不是我的，你瞧，我的火柴梗还没有丢呢。"他的右手大拇指和食指中间，果真执着半根火柴，那烧过的半段却已化灰断落。我见他左手中执着的火柴盒子，是国产鸿生厂出品的双钱牌，和霍桑拾得的一根，质地的确不同。

霍桑又问许墨佣道："今天早晨你第一次来这里察勘时，有没有在这室中吸烟？"

许墨佣摇头道："没有，我出外时难得吸烟的。不过当时我虽用电筒在地板上照过，却不曾注意到这个东西。"

霍桑道："这也不能怪你，这种平凡无奇的小东西，就是瞧见了也不会引起人家的注意。"

"那么你刚才怎么说值得注意呢？"

"是，这里面还有一段小小的历史，我也可以告诉你。"于是霍桑就把已往的事实，约略说了一遍。接着他又道："现在大家坐下来，听听你的经过情形。"霍桑重新归座，摸出他的银质的纸烟匣来，把拾起来的火柴，小心地放入匣中。

我明知霍桑所以重视这根火柴，就因裘日升昨天说过，三天前当那怪事发生以后，他卧室中的镜台上面，发现过一根火柴。现在这一根火柴，既然和先前的一根相同，又发现在尸体的附近，当然不能不认为一种要证。一会儿，我们重新坐定。许墨佣便开始报告他的经过。

据说他上夜里有些应酬，回家得很晚。到了半夜过后，那警署里的值夜警士忽赶去敲门。他听说是一件奇怪的凶案，便穿好衣服赶到裘家，那时已两点过了。

许墨佣接着说："我到这里时，合家的人都慌作一团。楼上躺着一个患瘫病的男子，那老仆林生又谈不清楚，若没有死者侄儿和我接谈，几乎使我无从措手——"

霍桑忽插口道："对不起，我要问一句话。你所说的死者的侄儿，不是名叫海峰的吗？"

许墨佣应道："正是。他在昨天下午才从北平回来，此刻仍在下面。"

霍桑点点头："好，请说下去。"

许墨佣吸了一口烟，继续说道："据那海峰告诉我，昨夜里并无外客到来。十点钟时，他和他的叔父分别归睡。他因着火车上的困顿，又伤了些风，所以睡得很熟。他的卧室就在楼下东次间里，那本是一间客房。他在睡梦中忽被一种惊呼声音所惊醒。他仔细一听，他的妹妹正在伊卧室中竭力呼叫。他大吃一惊，匆匆穿上衬衫，开门到客堂里去。

"他妹妹玲凤的卧室，本在西厢房里。他开亮了客堂里的电灯，正要去敲门，忽见西次间的房门开了。西次间是死者岳母的卧房，但和玲凤的卧室互相贯通。那时玲凤站在房门里，兀自发抖，一时说不出话。伊的外祖母这时已帮着呼喊。海峰以为也许有什么偷儿进了伊的卧室，正要进去搜索，同时他又听得楼上有呻吟的声音，才知道楼上有了岔子。这时候那老仆林生也已披衣而起，于是两个人就一同赶上楼来。

"他们到了楼上，踏进憩坐室时，电灯虽没有开，但东次间的房门却开着，灯光从门口中射出。憩坐室的地板中央，隐约见有一段白色的东西。海峰一时摸不着电灯的机钮所在，耳朵中还听得低微而恐怖的哎哟之声，他也禁不住害怕起来。幸亏林生在墙壁上摸着了电灯机钮，开亮了电灯，海峰才发现他的叔父已蜷卧在地板上面。

"海峰先呼叫了两声，没有回音，又走过去推他叔父的肩背，却已僵硬不动。但那呻吟之声，仍不时送入耳朵。后来他才知那声音是西次间里那位患风病的吴先生发出的。他躺在床上，虽然没有眼见这凶案的发生，但案子的发觉，他却是第一个人。"

许墨佣说到这里，顿了一顿，又呼了几口纸烟。他的眼光在霍桑和我的脸上溜来溜去，似乎表示他自信叙述得清澈而有条理，希望获得我们几句赞语。霍桑定着目光，注视在他的纸烟的烧着的一端，脸上却沉静没有表示。汪银林的雪茄始终衔在齿缝中间，圆睁着两目，似已倾听出神。他见许墨佣停顿了不说，似乎耐不住静默。

他催促道："署长，以后的情形怎样？你索性说下去。"

许墨佣在不很愉快的状态中继续说道："当时海峰和林生又走进西次间去，向那吴紫珊安慰了几句，接着便下楼打电话报告警署。那时楼下的玲凤和死者的岳母，还有那老妈子赵妈，都已起身。他们听得了凶耗以后，越发震骇。那老太太觉得伊的儿子一个人病在楼上，也许再要发生其他的变端，所以叫伊的外孙女玲凤陪着，打算到小弄口去，叫那木作里的老板阿毛，到楼上来陪伊的儿子。可是那祖孙俩走到后门口时，忽见后门开着，后门上的两个木闩不但都被拔去，还开着两三寸光景。这就是发案的大概情形。"

霍桑才缓缓点了点头，仰起头来问话："那么你到了这里以后，有过什么举动？"

许墨佣道："我和海峰接谈了一会儿，便用电筒在这屋子的楼上楼下照察。从现象上看，除了这地板上的尸体和那只倾倒的椅子以外，并无其他异状，也不见有盗窃失物的迹象。地板上很脏，完全查不出足印。不过在那后门口的泥潭边上，却发现了半个脚跟印子。接着我就吩咐任何人不许在这憩坐室中出入。我又向那两个仆人问了几句，就回署去准备正式报告。

我回署以后，又派了一个警士到这里来看守，又报告了总署，请汪先生来勘验。"

霍桑又道："你除了在现象上观察以外，还不曾动过手吗？"

许墨佣道："完全没有。我觉得在汪先生到场以前，我还未便擅专。"他向汪探长瞥了一瞥，分明含着奉承的意思。

霍桑立起身来，丢了烟尾，瞧着汪银林说："银林兄，我想我们在查问以前，似乎先应到死者的卧室里去瞧瞧。你可赞同？"

汪银林也立起身来。他仍衔着雪茄，点了点头。那许墨佣重新做了我们的先锋，绕过了尸身，走进那东首的次间里去。

一个患风病的人

我们一踏进死者的卧室，景象便不同了。那中间的憩坐室中，虽是器物寥寥，这卧室中却布置得非常富丽。果真像死者昨天所说，这室中共有三个窗口。窗上虽都挂着很精致的舶来品窗帘，但光线仍很充足，因为窗帘是镂空的。这时厢房中的两扇东窗开着：朝西向天井的一组窗，共有四扇，靠南的两扇开着，另外两扇关着。就在这朝西窗的面前，排着一只小小的红木书桌。桌旁有一只白套的沙发。对面靠东壁有一只西式藤制的长椅。书桌的面前，另有一只红木的螺旋椅。那次间里的两扇东窗却关闭下闩。靠这关闭的窗口，放着一只西式的镜台，也是红木质的，雕镂得非常精致。有一只宽大的铜床向南排着，和镜台成直角形。不过镜台和铜床之间，还隔开了一两尺光景，排着一只锦垫的沙发。镜台对面靠近室门的一边，另有一口柚木镶玻璃门的衣橱。橱边的壁上，挂着一幅裸体西女的彩色印画。

当我跟着他们三人走进卧室的时候，眼睛向四周一瞧，本要找寻些特异的现象，不料竟使我失望。因为室中的一切，都整齐安定，绝无纷扰之象。那西式的铜床上，挂着白色薄罗帐，赤金的帐钩，依旧好好地钩着。床上并无席子，铺着雪白的单被。一个白缎绣花的大枕和两条毛线毯，都安放得匀整如常，显见上夜里不曾睡过。

那红木镜台上，两边各有一个抽屉，中间除了一只玲珑的瓷钟以外，还放着许多化妆品。这种陈设，很像是一个少女的闺阁，对于这已过中年的鳏夫，显然不称。因此可见霍桑在上一天所料想的关于死者裘日升的行径，一定离事实不远。这个人在他人方面虽然吝啬，在个人的享用方面，却又特别奢侈。

一会儿，我的眼光又瞧到厢房里去。厢房中最足引人视线的，就是那只靠西窗的红木书桌。桌子上除了笔砚、水盂以外，另有一只金壳的闹钟、一座铜质裸女的台灯、一个银质的花插，插瓶中有两朵红绸制的假花。这时有一支毛笔露着笔尖，搁在一方砚瓦上面，有一个铜笔套，却横在书桌中央吸墨纸板的面上。

我站在一旁，觉得这室中除了有一种过分奢侈的现象以外，绝无异常。但霍桑和汪银林二人，仍不住地向室中留神观察。霍桑先站住了向四周瞧了一会儿，又去察验房门和门上的锁，又走到床背后去细瞧。末了，他摇了摇头。汪银林也开了衣橱，发现了死者不少的衣服帽鞋。许墨佣站在一旁，静静地瞧霍桑和汪银林二人察勘，自己却似处于旁观的地位，仿佛他自信他先前的观察已经尽够，此刻已没有再瞧的必要。

一会儿，许墨佣最先开口说："我应得报告一句。这卧室中的一切东西，自从发案以后，我敢保证没有任何人动过，不过有一点我却擅自变动过了。"

汪银林把衣橱的玻璃门重新关好，走近来答话："你变动了什么？"

许墨佣举着右手，向书桌上和铜床面前指了一指："我第一次进这卧室的时候，这书桌上的那盏台灯和床面前垂挂的电灯，都还是亮着。据海峰跟林生说，他们上楼时卧室中本来亮着。后来我在查验以后，才把这两盏灯熄灭的。"

汪银林点了点头。他反问道："你刚才不是说后门的电铃，直通这卧室的吗？怎么不见电铃？"

许墨佣不即回答，但用手捻了捻他的短须，嘴角上露出一丝微笑——这笑中明明带着骄傲的意味，似乎在讥笑汪银林的眼力不济。我也暗暗地内愧，因为我实在也没有发现那个电铃。这时许墨佣的合着细缝的眼睛，从汪银林脸上，移渡到霍桑的脸上，好像准备要发什么刁难的问句。我暗忖这个人的卖功忌能的老脾气又快发作了，不禁替霍桑担忧。霍桑却很随便地向那铜床靠壁的一端指了一指，淡淡地答话：

"电铃就在帐子背后的东壁上啊。"

汪银林果真走近去细细地瞧了一瞧："唉，电铃装在这种地方，真是奇怪！"

许墨佣唇角上得意的笑容，不由得僵冻了，接着便由僵冻而渐渐消融，一双合缝的眼睛，也张了开来。

霍桑仍安静地答道："不错，不过奇怪的事情还多。我们知道死者是一个鳏夫，但这室中却还有许多鳏夫所不应有的东西。那也不能不算是奇怪的啊。"

许墨佣带着诧异的神气，问道："霍先生，你可是指镜台上的那些香水精玉容霜说的吗？不过一个人做了鳏夫，就连妆饰的权利都完全剥夺，这句话似乎不能算怎么样公允吧？"

霍桑点头道："许署长，你的话很对。不过你的眼睛还须更张得开些。你且把绣花缎子的枕头翻开来瞧瞧。难道那枕头底下的东西，也是一个不续弦的鳏夫所应有的吗？"

这句话使许墨佣呆住了，他的眼光闪了一闪，便急忙瞧到枕头上去。汪银林不发一言，早已奔到床边，翻开了枕头，拿起一本书来。我凑近一瞧，那是一本西式装订的性书。汪银林把书翻了一翻，里面还夹着几张裸女照片。

许墨佣皱了皱眉，舔着嘴唇，强辩道："唉！还有这个东西，但我还没有着手翻动过哩。"

霍桑仍冷冷地答道："是，不过我的手指也不曾触摸过那个枕头。我只瞧见一些书脊罢了。"

我觉得许墨佣贪功好胜的脾气，至今还没有改变，和他一块儿共事，确乎有些掣肘。此刻他和霍桑说话，分明已动了意气。我若不从中解围，说不定会越弄越僵。

我因此插嘴道："现在我们可以知道死者生前对于色的问题，似很注重。这一点对于此次凶案，也许有些关系。眼前我觉得有更重要的一点，值得我们注意。请瞧，书桌上有一支毛笔搁在砚上，砚子面上又明明新磨过墨。这不是值得研究的吗？"

汪银林似也领会了我解围的用意。他忙应道："不错，这一着我也觉得有注意的必要。从这现象上推测，很像死者正在书桌上写什么东西，那凶手忽然闯了进来，便发生这幕惨剧。"

许墨佣忽又挺着他的大肚，斜着眼光向汪银林发问：

"汪先生，照你的话，你想这惨剧怎样开幕的呢？"

汪银林道："我以为死者所写的东西，也许和凶手很有关系。所以那人一走进来，就把那所写的纸抢去。否则那所写的纸，应当仍留在书桌上啊。"

"抢去了后，又怎么样呢？"

"那自然就挣扎起来了——"

许墨佣忽情不自禁地笑出声来。汪银林立即沉下了脸，厉声反问：

"什么？这理解错误吗？那么，请问你有什么高见？"

许墨佣忽而很庄重地鞠了一个躬，又用他的右手捻了捻他的菱角形的短须。

他婉声道："汪先生，很抱歉。我的见解略略和你的不同。我以为这室中一定没有别的人来过。若使像你所说，他们曾在这室中挣扎过，那么，死者也不应死在外面中间里了。退一步说，即使假定他们争斗的发生是从这室中开始的，然后一逃一追，到了中间，方才发生惨祸。这样，这室中至少也应当留些纷争的迹象。现在，你瞧，这里的器物，无论大小，丝毫找不出异象。那岂不是没有人进来过的明证吗？"

霍桑在汪银林发窘之下，忽也向许墨佣微微鞠了一个躬："署长，你说这室中昨夜没有人进来过，我的见解也略略和你的不同。我说是有人进来过的，汪探长说得不错，并且我还知道那来人进房以后，曾安安静静地坐在这书桌旁边的沙发上，耽搁的时候很久，至少有二十分钟。"

这几句话不但使许墨佣张大了眼睛，连我也不禁暗暗诧异。我瞧霍桑的神色，又绝对不像是开什么玩笑。难道他要替汪银林辩护，故而凭空捏造一句？一会儿，霍桑不待许墨佣的质问，先自带着微笑解说：

"其实这是最简单的小问题，用不着什么疑虑。你瞧，那沙发右边的地板上，不是有一小堆纸烟灰吗？据我估量，足有两支烟的烟灰。这房间整理得如此整洁，显见是天天打扫，不会得留隔夜的宿灰的。我们又知道死者不吸纸烟。那么，昨夜里这室中一定有过来客，那客人又曾勾留过若干时间，不是都可推想而知了吗？"

汪银林听了霍桑的解释，神气上振作得多，凑着身子，到沙发和书桌之间的地板上瞧了一瞧，便连连点头表示赞服。

许墨佣的嘴唇牵了一牵，立刻想到了答辩的话。

他说道："霍先生所说的来客，既有和死者吸烟座谈的事情，显见是另一个人，并不是我所说的凶手。我们的观点不同，见解自然也差异了。"

霍桑不再回答，但微微笑了一笑。汪银林却走到房门口去，一边表示他对于争论的评语。

他道："我想这是一个重要问题。昨夜里总有什么人进过此室的。这个人是不是凶手？或凶手另有其人？都须彻底查明。现在我们与其空谈，不如先向这屋中的人们查问一下。我想那对面房里的吴紫珊，既是首先发觉这凶案的人，我们不如先向他问问。"

这提议立刻得到霍桑的赞成，我也从旁附和。于是我们三个人就走出房米。许墨佣却仍站着不动。

他道："汪先生，你的话很对，我想在这里的抽屉中搜索一下，也许可以得到些线索。"

吴紫珊的卧室，占据了整个西次间。西厢房中都堆积着许多家具杂物。靠西的一边并无窗口，光线只从厢房中的东窗里间接进来，所以这次间中的光线，比较死者的卧室幽暗得多。

我们一踏进房，迎面便看见一张挂着白夏布帐子向南的单人铁床，床上躺着一个人，身上盖着一层单被，只露着他的面部，头底下垫着两个很高的枕头。那人年龄也在四十五六光景，皮色虽然焦黄，但不见得怎样消瘦。他的额发很低，并很浓厚，两条浓黑的眉毛，罩着一双有力的眼睛，下颔带些方形，颔骨略略向外突出。他的嘴唇上的须根和两边的鬓毛，却已好几天没有修剪。靠床也有一只镜台，不过木质粗劣，淡黄色的油漆也斑污驳杂。桌上放着两瓶汽水和两只玻璃杯，一瓶已空，旁边还有一罐纸烟和一匣火柴。病人枕边有几张报纸和几本书，还有一把折扇。那个陪伴的木匠阿毛，却站在床的一端。那病人见我们进去，便发出一种很微弱的声音和我们招呼：

"诸位先生，对不起得很，我不能起身招呼。"

我觉得这个人的面色和他的声调似乎不很相称，因为他的声音好像是一个精神委顿的重病人发出来的。汪银林答应了一声，便摸出一张名片放在床边。那病人吩咐黑脸的木匠给我们端椅子过来。

我们坐定以后，汪银林还没有开口，吴紫珊忽从单被下缓缓伸出他的右手，勉强摸着了那名片，又缓缓举起了些，在名片上瞧了一瞧，接着，他便先自陈说：

"唉！汪先生，昨夜的事委实太可怕哩！我觉得这个地方再不能住人！等到我妹夫的事了结以后，无论如何，我要迁出去哩！"

他说这几句话时，声音略略提高了些，眼睛也现出一种惊恐的神气。我暗忖他的语气明明又牵涉到鬼的问题。难道那个裘日升在三天前见过的白衣怪物，他昨夜里也瞧见的吗？

汪银林答道:"这种事当然是很可怖的,何况你又在病中。昨夜里你瞧见些什么呀?"

吴紫珊勉强摇了摇头,说道:"我不曾瞧见什么,那完全是我的耳朵听得的。假使我的眼睛也瞧见了那种景状,也许我此刻也活不成了!"

汪银林作同情声道:"唉!那么,你把昨夜所听得的事情,请慢慢地告诉我们。"

吴紫珊定了定神,开始说道:"昨夜我睡的时候,约在十点钟光景。因为天气很热,那厢房里的朝东的窗完全开着,连我的帐子也不曾放下。因此,有几个蚊虫不时来扰我,睡眠便不很酣适。蒙眬中我仿佛听得'哎哟'一声,便使我突然惊醒。我正怀疑,也许自己进了梦境。忽而那'哎哟'的呼声连续发生。我听得出那声音是我妹夫的,又近在中间憩坐室中。那呼声虽不很高,却幽哀而拖长,更使我惊恐异常。汪先生,你大概还没有知道,三天以前,我妹夫也曾发现过一件怪事。有一个白色怪物,竟会到他的卧室里去。唉!那是多么可怖啊!"那病人说到这里,声音颤动得厉害,一双乌黑的眼睛,也张得浑圆,显示他心中非常恐怖。

汪银林又道:"吴先生,你且定一定神。这鬼怪的故事,我们已约略知道。昨天令妹夫已向这位霍桑先生报告过。但我们确信这不是鬼的问题,一定是人的问题。请你不要空自害怕。"

那吴紫珊因着汪银林的指示,便移过目光,向霍桑瞧着:"这一位就是霍先生?昨天早晨日升登门请教,回来后告诉我的。霍先生,你的意思,可是确信这事情不是鬼怪作祟吗?"

霍桑点一点头,很诚恳地答道:"当真不是。我看一定有什么人在暗中实施他的或伊的阴谋。你实在用不着惊恐。"

吴紫珊惊恐的状态似乎减少了些。他仍瞧着霍桑答道："我但愿如此。但那个阴谋的人是谁？霍先生可已知道？"

霍桑仍用温婉声答道："这就是我们眼前要侦查的问题。你现在但把你所知道的事情告诉我们。你昨夜听得了'哎哟'的呼声以后，又怎么样？"

那吴紫珊重新回到了本来的题目，继续说道："我老实说，当时我听得了日升的惊呼声音，便以为那个怪物又重新出现，所以我一时吓得喉咙里筑了坝似的呼叫不出；接着，我又听得椅子的倾倒声和足步的重踏声；再过一会儿，又听得'砰'的一声，仿佛有一个人跌倒在地板上。我那时没法可施，只索把单被蒙住了头发抖。又过了一会儿，外面又忽而静寂无声。唉！这一静更使我难受。我料想已出了事情，便冒着险呼叫日升，却没有回音。于是我用尽气力，想唤醒楼下的人，可是我终提不高声音。隔了好久，那林生和海峰才赶上楼来。他们告诉我日升已死在憩坐室中。我越发震恐，便恳求他们弄一个人到楼上来陪我。否则，我一人躺在这里，那真要吓破我的胆哩！"

吴紫珊的话停顿了，闭了眼睛，不住地喘息，神气显得十二分疲乏，比较我进门时所瞧见的模样，仿佛他已变换了一个人。

汪银林回头瞧着霍桑，低声问道："他听得脚步的重踏声，可见死者和凶手当真有过挣扎，是不是？"

霍桑但微微点了点头，他见吴紫珊重新张开眼来，便又婉声问话：

"吴先生，还有一句话。昨夜你听得那可怕声音的当儿，你这室中的电灯是否开着？"

吴紫珊摇摇头道："不，我平日总是熄了灯睡的，那时候当然不敢开灯。"

"你可曾瞧见中间里的电灯那时候是否亮着？"

"那时我的房门关着，中间里的灯亮不亮，我瞧不见。但我从厢房的朝东窗上，隐约见对窗有光，似乎日升房中的电灯完全开着。"

"你说你昨夜睡得不很酣适，那么，当那呼声未发生以前，你可曾听得过别的声响？"

"没有。因为我虽然不曾酣睡，但也不是完全醒着。"

霍桑低头想了一想，继续发问："如果在你醒的时候，你妹夫房中有什么声响，你可听得见？"

吴紫珊反问道："你可是说那一次夜里他在房中的呼叫声吗？当然听得的。"

"但假使有别种声响——譬如有什么人在他房中谈话，或是那电铃的声音，你也听得见吗？"

吴紫珊移转他的目光，瞧着他上面的帐顶，似在考虑什么。一会儿，他吞吐着答话："这个……这个……我听不见的。"他说完了这句，眼睛又闭拢了。

我觉得他的状态有些不很自然，不能不引起我的怀疑。我见霍桑把身子偻向前些，他的右手抚摸着他的下颔，也静静地似在思想。

汪银林忽发言道："吴先生，还有几句话，请你答复。我们知道后门上有一个电铃机钮，直通你妹夫的卧室，那电铃却装在你妹夫的床后。我们觉得这东西有些奇怪。你可知道他有没有作用？"

吴紫珊张开眼睛，疑迟了一下，才道："我想没有什么作用，也只是进出便利些罢了。"

"怎见得便利？难道有什么客人进来，他是亲自去开门的吗？"

吴紫珊的眼光又一度移到了帐顶上面。他缓缓答道："那后门日间总是开着的。但夜间如果有客人来，他因着不愿劳动那两个老年的仆役，有时自己去开，有时却叫那小使女小梅去开。小梅先前本睡在楼梯头上。他听得了铃声，招呼时比较便利些。"

汪银林回头来向霍桑瞅了一眼，似表示他对于那病人的答话有些不满。霍桑却似找着了什么线索，便乘机接嘴。

他道："吴先生，你说你妹夫夜间常有来客。那是些什么样的客人？"

吴紫珊急忙辩道："我并没有说他时常有客。在夜间，他是难得有客人的。"

"就是这些难得的来客，是些什么样人？"

"也不多，自从他迁到城里来后，交往的朋友已很少，只有他的外甥寿康，还有他从前在金业交易所里的朋友陆春芳，偶然也来和他谈天。"

"可另有什么女朋友吗？"

吴紫珊忽呆了一呆，他的眼光又从霍桑脸上移向别处去。

他又摇头道："没有，没有。"

霍桑也同样地回过头去，带着微笑向汪银林瞅了一瞅。汪银林皱着双眉，却似有些怒容。

他发出一种比较严冷的声调，说道："吴先生，我想你对于我们的侦查，应得加以助力。你说话也应得老实一些才是。"

吴紫珊也发急似的答道："我说的都是实话啊。我当然很愿意帮助你们查明白这件事。"

汪银林道："那么，你对于你妹夫的惨死，可有什么意见？"

吴紫珊又恢复了先前那种恐怖的声浪，答道："我还想这屋中也许有什么鬼——"

汪银林立即阻止道："我们已说过了，这不是鬼，一定是人。据你想来，什么人和日升有着怨仇？"

吴紫珊伸手将身上盖的单被拉上了些，他的眼睛又在帐顶上停留了一会儿，才缓缓答话："若使是人的作弄，我想……我想海峰很有些嫌疑。"他说到"海峰"的名字，声音特别放低了些。

汪银林忙道："你说海峰有嫌疑？有什么理由？"

吴紫珊道："你们总知道日升没有子息，只有一个侄儿，就是海峰。现在他一死，他的产业在习俗上就应得让海峰承袭了。"

"只有这一个理由吗？他们叔侄之间，可有什么仇恨？"

吴紫珊又疑迟了一下，答道："就是这一个理由也尽够了啊。况且他昨天下午才到，夜里就发生这件事情——"

这时候许墨佣走到房门口来，轻轻地说道："汪先生，我已找着了几种东西哩。"

汪银林本觉得问不出什么端倪，便乘机立起身来。霍桑和我也同时起立。我忽见那榻上的吴紫珊把两手撑住床边，仿佛要坐起来送客的样子。他的头部既离了枕头，上身也仰起了些。霍桑忙走近床边去摇手阻止。

霍桑道："吴先生，请安睡，不必客气。"

吴紫珊重新躺下去，嘴里说着："抱歉，抱歉。"

霍桑又带笑说道："吴先生，你的身体虽然有病，却还注意着金融消息吗？你枕边的两本书，不是《汇兑要义》和《证券一览》吗？"

吴紫珊点头道："正是，不过并不是我自己投资。我妹夫从前本是做标金的，现在只偶然在公债上投些资。他有时和我商酌，这些书就是备着参考的。"

当霍桑站在床边和吴紫珊做最后问答的时候，我站在霍桑的背后，靠近镜台，做了一件小小的非法举动。我瞧见那纸烟罐上的那匣火柴，是飞轮牌子，就悄悄地开了火柴匣，顺手取了两根火柴，放在我的白纱布的外褂袋中。等到霍桑退出，我也就跟着出来。

汪银林最先退出，跟着许墨佣重新走进死者的卧室中去。霍桑刚才跨出了吴紫珊的房门，忽又站住了，回身向那始终呆立在一旁的黑脸木匠招一招手。

他低声问木匠道："阿毛，你在这中间里出进过几次？"

那木匠露出了惊骇的目光，连连摇头道："没有啊！我的脚没有踏到过中间。我从那楼梯头上的小门里出进的。"

霍桑点一点头，便穿过中间，向对面的一室走去。

发案经过

许墨佣拿着几张女子的照片、一只皮夹、一本银行的支票簿子和一串钥匙，排列在厢房中的书桌上面，一一向汪银林解释。

他道："这钥匙和皮夹，都是在床面前镜台的大抽屉里查着的，抽屉没有锁。这三张照片，却锁在镜台面上的小抽屉里。只有这一本信丰银行的支票簿，却在这书桌抽屉里面，抽屉也不曾下锁。"

汪银林一边点头，一边把支票簿揭开，细细瞧了一瞧。他说道："唉，这里结存的存款，还有一万七千零六十一元。"他说着正要把支票簿放在桌上，忽而被霍桑伸手接过去。

他指着那结数的存根道："你瞧，这结数的一张存根，并不是最后一张。下面还有一张空白的存根哩。"

汪银林道："不错，我倒没有注意，这明明是在这一万七千余元结数以后，又撕去过一张支票。这最后一张的数目，存根上却不曾写明。"

霍桑道："是啊，但这撕去的一张，不会是写坏的废票吗？若不是废票，究竟开了多少数目？又在什么时候开出的？"

许墨佣也点头应道："这当真是一个重要问题。他的皮夹里也有一百多元钞票，还有几张关于公债的票据。"

霍桑约略把那皮夹翻了一翻，便放下了瞧那张照片。那三张四寸照片，都是时装的少女。内中半身的一张，相貌比较端庄些，硬片背后，还有钢笔写的"凤赠"二字。

许墨佣又解释道："这一张半身照片，也有些奇怪。这明明是他的女儿玲凤。还有两张，却有些像'庄花'的神气。但我不知道这一张怎么会锁在一起。"

霍桑又补充道："的确奇怪，还有那照片背后签着的两个字，也觉得有些不称。这哪里像女儿给父亲的照片呢？"

汪银林说道："这女子就在楼下，我刚才已经见过。伊既然是第一个听得楼上呼声的人，我们就叫伊上来问问。好不好？"

霍桑道："我们还是下楼去的好。署长，你是这案子的负责人，这东西暂时归你保存了吧。"

楼下也是三间两厢房，结构和楼上的完全相同。正中是客堂，厢房里都有长窗可通天井。客堂对面有一个石库门，却用一根粗大的门闩闩着，显见平日是不出进的。客堂中的椅桌不很考究，壁上虽有字画的屏条，也都俗不可耐。我早已知道那天回来的侄儿海峰，就住客堂东首的次间里面。东厢房中，布置着一间小小的书室，也排列着书桌、书橱和沙发等物，但都是廉价的东西，还不及楼上的精致。

我们跟着许墨佣进了书室，本打算先向玲凤问话，忽见有一个穿西装的少年，先走进来和我们招呼。那就是死者侄儿裘海峰。

裘海峰的年龄还只有二十三四，脸儿是长方形的，略带苍黑，鼻子很高，鼻梁隆直，一双深棕色的眼睛，澄澈而有威光，加着浓黑的眉毛，红赤的嘴唇，具备着新时代"美男子"的条件。他这种美的印象完全是出于自然的，比较他已故的叔父，专靠人工的修饰，恰正相反。他的浓黑的头发蓬松着，并不膏抹。他身上穿一身淡灰色国产纱布的学生装，因着他的体格的修伟，式样上也并不逊于舶来品的毛织西装。

他进了书房，经过了许墨佣的介绍，便很端庄地坐在霍桑的对面。他咳嗽了几声，开始陈说昨夜发案的经过。他的话和许墨佣先前转述的完全相同。他在北平美术专门学校读书，今年恰巧毕业，六月三十日的那天，他校里举行毕业典礼，他受了文凭，就高高兴兴地回来，在上一天下午三点半钟方才到家。他从小早已丧母，他的父亲也已死了一年。他的父亲日辉，在未死以前，不幸在标金上破了产，所以他差不多已是一个孤儿，那已死的裘日升，就是他唯一的亲戚了。末了，他又附加几句，解释他眼前所处的地位。

他道："诸位先生，现在你们总可以谅解我在这件事上所受的刺激。我叔父是我唯一的亲属，现在不幸遭了这场惨祸，我已成为这世界上的一个孤零人。昨天我回家时，我叔父还很高兴地和我谈话，晚餐时他的精神依旧很好，谁也想不到两小时后，会有这种惨祸。所以这件事我真处于困难的地位。这里面的真相如何，总要请先生们设法彻究。"他说到这里，又禁不住咳嗽了一声，急忙用白巾掩住了嘴。

汪银林问道："那么，你对于这件惨案可有什么意见？"

那少年沉吟了一下，答道："这句话很难回答。不过有一点我却和这里一般人的见解不同。"

霍桑本默坐着静听，绝不参加，但听到了这一句话，他的眼珠转动了一下，好像增加了些注意。不过他依旧保持着静默，让汪银林继续他的问答。

汪银林问道："哪一点你和家人们不同？"

裘海峰道："这屋子里的人们，都以为这件事是有什么鬼怪作祟。譬如那紫珊舅舅和外祖母，至今都抱着这种见解。其实这句话我是根本不赞成的。在现在的时代，还有这种鬼怪的迷信，那岂不可笑？"

霍桑忽似不自觉地点了点头，但仍不发表什么。

汪银林高兴地说道："你也以为这不是鬼的问题，而是人的问题吗？"

"正是。我敢说一定有什么人在暗中作弄，却故意装出种种鬼腔，目的在掩护他的罪行。不过这个人是谁，我却完全没有成见。"

汪银林点了点头，移转目光向霍桑和许墨佣二人瞧了一瞧，似暗示他自己的问句已完，他们俩有没有补充。霍桑对于这个暗示果真接受。他把身子向前偻些，准备继续汪银林的工作。他先摸出纸烟来敬客。汪银林仍自吸他的粗雪茄，我和许墨佣各受了一支，那少年却声言不吸纸烟。

霍桑烧着了烟，开始问道："裘先生，你的意见我非常佩服。但那鬼怪的故事，已传说得活灵活现。这故事你听过没有？"

裘海峰一边点头，一边又咳了几声，分明他在途中受了些感冒，其势很凶。他答道："我知道的。昨夜晚饭过后，我叔父讲的，一大半还是些鬼怪的经过情形。我当时就告诉他，这一定不是鬼，只因着那作弄的人设计巧妙，处处显得诡秘莫测。我叔父似乎也接受我的意见，对于鬼怪的迷信，已并不怎样坚持，他也承认是有人作弄他了。"

"他可曾表示那个暗中作弄的人是谁？"

"没有。我曾问过他，他似乎怀疑这家里的人，但又绝对猜不出是谁。"

"你总知道上两次那怪物发现时，这屋子里恰巧都有外客。第一次是你的表兄弟梁寿康，第二次是你叔父的朋友伍荫如——"

裘海峰忽接口道："正是，正是，我都知道。并且昨夜的事情，又恰巧发生在我回来以后，所以这一次我本身也受着嫌疑，总要请诸位给我洗刷明白。"

"那么，昨夜的事情发生时，可有人再瞧见过那白色怪物？"

"昨夜我一听得表妹的呼声，急忙从床上爬起，陪着林生赶到楼上去。楼梯上没有什么异状。我们发现了尸体以后，曾在我叔父和舅舅的卧室中瞧过一会儿，绝没有什么怪物。后来我们又到楼下各室中搜索，也毫无影迹。不过当外祖母陪着表妹到外面木匠作里去时，那后门却是开着的。"

霍桑沉吟了一下，又吸了一会儿烟，问道："昨夜你和你叔父谈话，在什么地方？在楼上还是在楼下？"

裘海峰道："在楼下，就在这一间书室中。"

"你不曾上楼进他的卧室中去过吗？"

"昨天我到这里以后，曾上楼去瞧过紫珊舅舅，和他谈过一会儿，但不曾进叔父的卧室里去。晚饭后我不曾上楼。"

"那么，你们昨夜的谈话，除了鬼怪的故事以外，你叔叔可曾提起其他问题？譬如他曾否说起他和什么人有过纠葛，或是和家中人有过口角事情？"

裘海峰摇头道："他并没有提起这样的事。不过我曾和他商量过，我要往法国去留学，他却还没有答应。霍先生，我不妨老实说，我父亲故世以后，他名下不但没有余款，还欠了些债。我去年一年的学费，都是叔父供给的。这一次我想出去留学的费用，我自己既然没法可想，自然仍不能不恳求他帮助我。不过这数目太大了，我叔父近来在公债上又亏了些，所以他还没有答应。"

霍桑向少年问答的时候，许墨佣坐在壁角的那只沙发上，一边吸烟，一边毫不经意地似在养神。这时他把他的两臂伸了一伸，表示出一种厌倦不耐的神气。霍桑似也会意，便向汪银林点了点头。

霍桑说："银林兄，我想我们和海峰先生的谈话，暂时可告结束。现在最好请那位玲凤女士来谈谈。"

汪银林放下了雪茄，把目光射到许墨佣的脸上，似乎这介绍的责任，要叫许墨佣负担。许墨佣也就很高兴地立起身来，似想借此活动一下。他先走出厢房，裘海峰向我们鞠了一个躬，也跟着出去。不到两分钟工夫，那裘玲凤已姗姗地跟着许墨佣进来。

这女子的身材瘦小，脸儿是瓜子形，肌肤并不怎样白皙，却带些黄色，一双俏眼，罩着很长的睫毛，额角上覆着一层秀发。伊的发髻已经剪去，发根上扣着一只镶水钻的半月形的发卡。伊身上穿一件细白夏布的顾衫，四周镶着狭条的黑边；足上穿一双白色的纱袜和一双陈嘉庚公司出品的淡绿色帆布平底鞋。从伊的容貌和装束上批评，可算得朴素而美秀。我听得裘日升说过，伊今年才十八岁，在师范二年级读书，但我从伊的面貌上估量，却似已超过二十。伊向我们三个人深深鞠了一个躬，便在书桌旁边的一只方凳上坐下。伊低垂了头，两手交握着放在膝上，静悄悄等待问话。

汪银林先问道："裘小姐，昨夜的事，据说你是第一个听得了楼上的怪声，才把楼下的人们叫醒的。现在请你把经过的事情仔细说一遍。"

裘玲凤垂着视线应道："好，昨夜我因为计划了一张暑期自修课程表，睡时已经十一点钟。我睡到床上，不到半个钟头，正要入梦，忽被一种声音所惊醒，我就喊起来。"

汪银林道："你听得怎样的怪声？可是楼上的争斗声音？"

伊仍低垂了头，忽而从顾衫袋中摸出一块雪白的纱巾，在嘴唇上按了一按：

"不是，我没有听得什么怪声，只听得紫珊舅舅的呼叫。"

"此外可还有别的声音？"

"没有。"

伊的答语的声调很冷，并且低垂着目光，始终不抬起来。我有一种感觉，仿佛伊对于这件惨案不愿意多提，此刻的问答，完全是出于勉强的。这表示分明已引动了霍桑的注意。他把身体凑向前些，婉声插话：

"裘小姐，你昨夜只听得你舅舅的呼叫声吗？他怎样呼叫？你现在可能模仿得出？"

那女子顿了一顿，又摇着头道："我不能模仿。我但觉那声音低沉而很奇怪。"

"哎，奇怪？怎样奇怪？"

"那仿佛像一个人的咽喉被另一人扼住了，那被扼的人很想竭力呼叫，却终于发不出高声。"

"这样的声音当真是很奇怪的。你听得以后，就立刻呼叫起来，是吗？"

"正是。"

"你可记得你自己怎样呼叫的？"

裘玲凤第一次抬起了目光，向霍桑瞟了一眼，随即又低了下去，用纱巾按伊的嘴。

伊答道："那时我很惊慌，也不记得喊些什么……"伊顿了一顿，又道："我记得我似乎只喊着'哎哟哎哟'罢了。"

霍桑始终凝注着那女子的面容，这时他的唇角上忽微微嘻了一嘻。

他又继续问话："你说当时你很惊恐，请问你所惊恐的在哪一方面？你可是早就料想到楼上会发生凶案？"

伊一听这话，身子似乎微微一震，接着伊又连连摇头："不……不。我并没有这种料想。我……我……我心中只有一种说不出所以然的恐怖罢了。"

霍桑缓缓点了点头，便把身子靠后些，恢复他的静默态度。我觉得他这一种点头的动作，不像是接受伊的答复，却像另有会意。

汪银林又乘机问道："以后又怎么样呢？"

裘玲凤答道："我叫了几声，便听得对面房中海峰哥哥开门出来，我也才敢放胆开门。这时候林生也披衣起来。他们听得了楼上的声音，马上赶上楼去——"

霍桑忽又坐直了身子，插口问道："请原谅，我还有一句话。照你所说，你开门出来和你的海峰哥哥见面时，你还听得楼上有声音吗？"

"正是。"

"据我们所知，那时候你哥哥和林生所听得的声音，就是你舅舅的叫喊声。这声音和先前使你从梦中惊醒的怪声，可是相同的吗？"

伊又把白巾按在嘴上，疑迟了一下，才缓缓答道："差不多。"

霍桑又点点头。他向汪银林瞅了一眼，表示请他继续他的问句。

汪银林又道："当你哥哥和仆人上楼去后，你又有什么举动？"

伊答道："我仍回我的房去，那时外祖母和赵妈都已起来了。我们因着害怕的缘故，都不敢出房。直到海峰哥哥下楼来报告了凶信，我们又啼啼哭哭，慌作一团。后来大家定了定神，我才陪了外祖母到弄口去，敲那木作的门。"

"你们出去时，那后门不是开着吗？"

"是的，这后门天天是林生闩的。据林生说，昨夜里他也曾亲手闩好。但我陪外祖母出去的时候，不但没有闩，还开了几寸，我们都觉得寒凛凛。这一点是最奇怪的。"

许墨佣旁听了好久，一会儿捻着他的须角，一会儿又搓着他的两手，显出他的烦躁不耐。这时他忽似得到了一种机会，便利用着来打破他的沉寂。

他瞧着汪银林说道："从这一点上推测，明明有一个人在发案以后仓皇逃出。那人不但来不及把后门拉上，并且出门口时，又在那泥潭里滑了一滑。我觉得这一个人，才是案中最重要的角色。我们的眼光也应得集中在这一点上才好。"

他说话的时候，眼光在汪银林和霍桑的脸上溜来溜去。他的弦外之音，仿佛说霍桑和汪银林的问句离题太远，近乎空泛了。

汪银林应道："不错，但我们即使要侦查这逃出去的人，也不能不先从屋内着手。因为那后门既经林生下闩，如果那凶犯真是外面的人，又怎样进来的呢？"

汪银林这一句重要的问句，好像有双关作用：又像向许墨佣答辩，又像向裘玲凤发问。那玲凤斜着眼睛瞥了一瞥，果真自动地回答。

伊道："不错，那后门是什么人开的，的确不容易解释。我们已问过赵妈和林生，都说没有开过。"伊缓缓立起身来，把手巾在伊的额角上抹了一抹，向着汪银林问话：

"先生，你们要问的话已完了吗？"

汪银林不答，但回过头去瞧瞧霍桑。霍桑点了点头，也站了起来。

他向裘玲凤道："裘小姐，够了。不过还有一句。我们听说这屋子里曾发现过什么鬼怪，你可曾——"

伊忽抢着答道："我没有瞧见过。"

霍桑仍保持着镇静的声浪，问道："那么，你对于这鬼怪的事，有没有意见？"

伊连连摇头道："不知道。我没有什么意见。"伊说完了这句，略略点一点头，便回身退出书室。

霍桑目送着这女子出去，唇角上又像先前一般地嘻了一嘻。

许墨佣又伸了伸腰，提议道："好啦，现在我们对于这案子发生的情形，已有了些端倪。我以为我们若要侦查凶手，应得到外面去活动，不能老是闷在这屋子里。"

霍桑作赞同声道："对，我们当然不能一辈子闷在这屋子里。不过我劝你再破费五分钟，听听那两个仆人说些什么。我们若能从他们嘴里得到些线索，那么，你到外面去活动起来，也许可以便利些。对不对？"

霍桑的意见，在汪银林意中当然毫无异议。许墨佣虽不赞同，却也不便独自反对。一分钟后，许墨佣又把那老仆方林生和赵妈两个人传唤进来。

新的线索

方林生是个五十以上的老头儿，身材也不很高，但瞧了他的阔大的躯干和紫红色的脸儿，可见他的体力和精神，都还离衰老时期很远。那老妈子却不同了。伊的年龄既高，枯瘪的脸上，砌满了深刻的皱纹，头发已白了大半，背脊弯得像弓一般。那种龙钟的老态，一望便知伊的供述不会有多大希望，可是事实的结果，却又出乎意料。伊竟说出了一个案中的要点。

那方林生的供词大部分和裘玲凤的说话互相符合。他也是因着玲凤的呼叫而惊醒的。他绝不曾听得其他声音。他在供述案情以外，又附带发表了些意见。他说他在这裘家里服役了二十一年，从前在北方的时候，那日晖、日升本属一家。上年日晖死了，他仍留着服侍日升，所以主仆们的感情很好。他对于主人的岳母吴老太太怀疑他的小主人海峰，竭力表示反对。他说他是看着海峰长大的，海峰从小品行端正，绝不会干出这种事来。他的话坚定而有力，很容易使人产生一种可信的印象。

霍桑在他的供述完毕以后，又添加了几句看似不甚重要而实际上很有关系的问句。

他问道："你听得了小姐的惊呼声音走到客堂里来时，可是还听得楼上有声音吗？"

老仆答道："正是，我听得的，小主人也同样听得的。"

"那声音像什么？你可能形容得出？"

"那很像是一个人受了什么痛苦哼着，又像一个人在梦魇。"

"那声音不很高吗？"

"不，很低。"

霍桑点了点头，又换了一个题目：

"那时候你瞧见小姐站在什么地方？"

"我……我记得伊站在房门口。"

"伊有什么表示？"

"伊起初呆木木地站着，没有一句话。我也暗暗诧异伊为什么呼喊。后来伊用手向楼板上指着，对小主人说：'快上去！快上去！'我们才听得楼上的哼声。"

"你可曾注意小姐身上穿什么衣服？"

老人想了一想，才说："我瞧见的，伊就穿着这件白夏布黑镶边的顽衫。"

许墨佣似又觉霍桑的问句出了范围，努着嘴唇，横着眼睛，表示他的不耐。霍桑似乎没有瞧见他这种模样，仍自顾自地继续他的问句。

他问道："你可知道你的老主人有女朋友吗？"

那老人突然张大了两眼，向霍桑瞧了一瞧，接着又移转他的目光，摇着头回答：

"我不知道。"

"你可曾瞧见过有什么女子来瞧你的主人？"

"没有……没有。"

老仆答话时，态度上有一种不自然的表示，显然和他先前说话时的神情不同。霍桑似也会意，但他并不强制。他点了点头，便退过一旁，让汪银林究问那仆妇赵妈。

赵妈的昏聩程度，不但在伊的形态上充分显示，连伊的说话也不伦不类，听的人很觉费力。伊对于案事的经过，并无多大补充，不过有一句话，却引起了霍桑的注意。

末后，伊带着惊惶的神色，放低了声音，说道："先生，我见过那个鬼的！哎哟！真吓煞人啊！"

霍桑禁不住走前一步，占夺了汪银林的地位，抢着发问。

他也低声问道："哎，你见过鬼吗？你可曾瞧见那个鬼脸？"

仆妇摇头道："没有，没有。我哪里有这样大的胆？"

"那是一个什么样的鬼？"

"一个浑身白色的鬼！"

"在什么地方？"

"在楼梯转弯的地方。"

"这个鬼可是上楼？还是下楼？"

"这个……这个我也不仔细。先生，难道你有这样子的胆，还敢瞧一个清楚不成？"伊的枯皱的面颊上泛出白色，伊的失血的嘴唇也有些颤动。

霍桑作同情声道："唉，当真可怕的。怪不得你。你可是在昨晚上瞧见那鬼的吗？"

老妇忽摇头道："不是。昨夜里我没有瞧见什么。"伊举起了伊的左手，扳着手指算了一算。伊又道："那是三天前夜里的事。"

霍桑点点头道："那么，那是三十日晚上的事了。你在几点钟瞧见的？"

老妇道："那时夜已很深，钟点却记不清楚。我因着天热，帐子里蚊虫又多。我的那把竹丝骨的纸扇，用不出力，不能赶蚊虫。我记得我的一把蒲扇，遗忘在客堂里。所以我悄悄地爬起来，开了后面的房门，到客堂里去拿扇子。那蒲扇就在客堂中的方桌上面，所以我并没开灯，一摸就着。我在回房的时候，忽瞧见楼梯的转弯处——啊！一个白鬼！我真吓死啦！"

霍桑等伊的喘息略略平静，又继续问道："那时候你可曾呼喊起来？"

老妇又摇头道："没有。我吃了一吓，急急回房，赶紧把房门关上。我坐了一坐，还疑心是我眼花，不料不多一会儿，主人忽在楼上喊起来。我才知道果真是鬼。"

"但你当时不曾把见鬼的事说出来啊。"

"我曾告诉过太太的，太太却叫我不要声张。"

伊说到最后几句，声音特别放低。我也暗暗疑惑。昨天裘日升告诉我们，那白色的怪物，只有他一个人瞧见，实际上这仆妇竟也同样瞧见。但死者的岳母为什么把这件事秘密起来？这一点似也引起了许墨佣的注意。他先前本急于要到外面去活动，此刻忽又变了主意。他声言先须将死者的岳母吴氏叫进书房里来问几句话，然后再贯彻他先前的主张。

那吴氏已有六十多岁，不过枯瘦皱瘪的程度和赵妈相差甚远。伊的面颊上还带些红润，头发虽白，却发出灿灿的银光，可见伊平日营养得宜。不过这时候伊的双目红肿，显见发案以后，伊曾经过长时间的悲哭。伊身上穿一身拷绸衫裤，还是崭新的。伊除了供述昨夜的经过以外，对于叫赵妈守密的问题，解说得非常简单。伊在事后听了赵妈说的话，便也深信有鬼。不过，伊知道伊的女婿——裘日升——正害怕着鬼，若使把赵妈见鬼的事向他说明，不免会使他害出病来。所以伊的守密的动机，完全是出于好意。许墨佣对于这一个解释表示满意，霍桑也并无异议。伊在上夜的事件上，又曾补充一个新的事实。

伊说道："昨晚十点钟过后，日升回房去睡，我虽也早就上床，但到了十一点钟光景，我还在床上翻来覆去。一会儿，我忽听得楼梯上有脚步声音。我仔细一听，很像有什么人故意放轻脚步，在楼梯上走动。我一想到三十号夜里的事情，不禁害怕起来。我便从床上爬起，轻轻推醒了赵妈，叫伊走出去瞧瞧。伊起先推托着不肯，后来我再三勉强，伊才披了衣裳，开了房门去瞧了一瞧。据赵妈的回复，并无异状。但我还不放心。我很怀疑，也许那海峰——"伊忽而顿住了，眼睛瞧着银林，又瞧瞧那间和厢房分隔的客房，分明有所顾忌。

汪银林用手指指客房，作会意状道："你疑心他吗？"

老妇点点头低声道："正是。不过昨夜的事，我还不能说定是他。因为我听了赵妈的报告以后，曾自己开了房门，轻轻地叫披屋里的林生。我听得林生的鼾声很大，呼叫不醒，同时我又听得客房中的咳嗽声音，才知道上楼的并不是他。"

汪银林又道："以后怎么样？"

吴母道："以后我就重新睡了。我刚才入梦，忽又被玲凤的呼叫声音所惊醒。"

霍桑忽又抓得了机会似的从旁插口。他也放低声音问道："老太太，我也要问几句。昨夜你听得了林生的鼾声和海峰的咳嗽声以后，可曾叫过你的外孙女玲凤？"

老妇张目道："没有啊。伊是睡在对面厢房里的，差不多和我一个房间。上楼的绝不是伊，你不要误会。"

霍桑点头道："是，是。我并无他意，随便问问罢了。但他们父女之间，平日的感情，大概总是很亲热的吧？"

老妇道："是的。不过伊并不是日升的亲生女儿，所以论到感情，伊还不及寿康。日升平日是很疼爱寿康的。刚才海峰已打电话给寿康，他还没有起身。他得了这个凶信，不知要怎样伤感呢。"

霍桑又问伊昨天曾否到过伊女婿的卧室里去，伊回说没有。霍桑又提起日升的朋友伍荫如、陆春芳二人。据吴母回答，那伍荫如是日升的同业，从前弟兄俩住在城外的时候，伍荫如每逢到南边销货，总耽搁在他们家里，所以彼此很相熟。末后，霍桑又问到死者和他哥哥的感情怎样。那老妇答称弟兄间的感情很好，但伊的神气上似表示霍桑的问句已越出范围，有些厌烦。

正在这时，忽发生了一个意外的岔子，打断了我们的谈话。

有一个穿白色制服的警官，汗流满面地走进书室里来，要找许署长谈话。那警官名叫张子新，是本区第二分区里的巡官。他的报告引出了一条新的线索，大家都很注意。

张巡官道："署长，这件事发生在我的境界以内，我自然觉得责任重大。所以刚才我把区里的警士唤齐了，查明了那几个昨夜派在这里值夜班的，便一个个向他们仔细查问。有一个名叫李得宝的警士，派在这处岗位——就在乔家栅西口。昨夜他值班的时间，从九点到十二点。他在将要换班的半小时光景，忽见有一个男子急匆匆从乔家栅出去。那人走出西口时，恰巧有一辆空车经过。那人招呼了一声，不讲车价，跳上了车子，便向南驰去。李得宝当时本不曾疑心什么，只觉得那人的态度有些匆忙罢了。但我查明以后，认为有注意的必要，故而赶紧来报告。"

许墨佣连连点头地说："啊，这报告当真重要！从时间上说，这两点合得拢了。因为李得宝瞧见的时候，在换班前半个钟头，那明明是十一点半。这案子又恰巧发生在十一点半。岂不是两相合符？"

汪银林对于这个见解首先表示赞同，霍桑也点头默许，不过他又补充了几句问句。

他问张巡官道："你可曾问那警士，他所瞧见的人，是不是从后门外的小弄中出去的？"

张巡官答道："问过的，他却没有瞧见。他只见那人走出乔家栅的西口。"

"那么，李得宝有没有注意那人的打扮？"

"他说他瞧见那人穿一件长衫，似乎是栗壳色的，不过他当时并不曾怎样注意，总之是深色的罢了。他还见那人头上戴一顶龙须草的草帽，身材不很高大。"

许墨佣接嘴道："他可曾注意那人穿什么鞋子？"

张巡官疑迟了一下，答道："这个我倒不曾问过。推想起来，他在一瞥之间，又在黑夜，大概也不会注意到这点。"

许墨佣点点头道："够了，子新兄，你这个报告，确实很有益于这案子的进行。现在请你再传令你区里的警士们，叫他们留意这个模样的人物。"

他又旋过头来，瞧着汪银林和霍桑说："现在在这屋子里的查问，可以告一个段落了。据我看来，昨夜里后门开着，那个凶手一定是从外面来的。现在得了这张巡官的证明，更足见已毫无疑惑。"

霍桑冷冷地插嘴道："但那后门本是闩着的，你想那凶手又怎样能够进来？"

许墨佣把两臂在胸口交抱着，横过眼梢向霍桑瞟了一下。

他道："这也不难解释。我见死者卧室的厢房中的东窗开着，窗口离地又不很高。那凶手也许就是从窗口中进来的。"

霍桑带着微笑答道："我的意见却和你不同。我见窗下满种着晚香球，附近又排着几只荷花缸，绝不见有人越窗而进的迹象。"

许墨佣皱眉道："虽然，我们但须找着那个凶手，其他一切，都可以连带解决。现在我想与其用脑，不如到外面去活动活动足力。恕我不能再奉陪了。"他随即旋转身子，准备要跨出厢房的长窗的样子。

汪银林道："你这办法我很赞成。但你要侦查这外来的凶手，打算从哪方面进行？"

许墨佣忽又站住了，捻了捻他的须角，嘴唇上也微微牵动了一下。他又装出道歉的模样，弯了弯腰。

他笑着说道："汪先生，请原谅。我虽已拟定了两条探查的线索，不过我自己还没有把握，说出来也许惹笑。所以我打算等我查出了些端倪，再向你报告。"

他说完了话，又像鞠躬似的弯了弯腰，接着他就陪着那张子新巡官匆匆出去。

汪银林目光中含着怒气，显得他心中非常恼恨。霍桑却仍安静如常。他目送着许墨佣走出书室，脸上忽冷冷地露出一种微笑。接着，他摸出表来瞧了一瞧，回头向汪银林说话：

"九点半了。那死者的外甥梁寿康那边，早已报了信去，怎么还不来？"

汪银林应道："不错，这个人迟迟不至，未免可疑。"

霍桑道："我们为收集事实起见，也须和这个人会一会面。"霍桑说着，便把草帽取在手中。我也立起来准备同行。

汪银林道："既然如此，我们不如直接往福华纱厂里去瞧他。我的汽车停在凝和路口，我们就一块儿去，怎么样？"

霍桑点头赞成，我们便一块儿穿过客堂，走进灶间里去。那时老仆林生恰在灶间门口的天井里。霍桑又站住了向他喃喃问话。他先问屋中共有几个人吸纸烟，林生说只有吴紫珊和紫珊的母亲吴老太太吸烟。霍桑又提起张巡官报告的那个穿栗壳色长衫的人，往日是否有这样的人物在屋子里出进。林生寻思了半晌，回答没有。接着，我们便从裘家的后门里出来。

几个推想

福华纱厂在龙华路，预计汽车的路程，至少须十五分钟。我默忖这十五分钟的时间，不可虚度，必须利用着把案情讨论一番。因为我们经过了这一番的究问，只觉头绪纷繁，对于这凶手有什么动机和凶手是谁的问题，在我个人仍然是毫无端倪。不过我相信霍桑必不会像我一般，他也许已有了相当的了解。汪银林也和我抱着同样的见解。所以在汽车开行以后，霍桑吸了一支烟，背靠着车座的皮垫，正在闭目养神的时候，汪银林却再耐不住静默。

他说道："霍先生，你想许墨佣这样子兴冲冲地出去，会不会当真有了把握？"

霍桑把身子略略坐直了些，张开眼睛向银林凝视了一下，方才答话——仿佛他的思想正飞越在什么窎远之处，因着汪银林的问句，方才收摄回来。

他答道："你问那聪明绝世的许署长吗？唉！我但愿他确有把握！"

汪银林似不得要领，继续问道："你想他现在从哪一条路进行？"

霍桑带着些冷笑的样子，答道："谁知道呢？他防我们争功似的守着秘密，想起来也真好笑。不过我敢说一句预言，在他眼中必以为这是一件简单的案子，立刻就可以破获。这一着却是大大的错误！我敢说这案子真是十二分复杂而幽秘的。案中的线索虽多，却又处处窒碍冲突，所以我们若使不放宽眼光，收摄心思，不但没有破获的希望，而且还有钻进了牛角尖去而退缩不出来的危险。"

我觉得霍桑的话匣机捩已开，我所希望的讨论，谅必可以实现。

我乘机插嘴道："那么，你想这案子复杂到怎样地步？"

霍桑吸了两口烟，毫不留难地答道："这问句不是一句话可以回答的。我们应分一个先后的步骤。第一步，我们应问这案中的凶手是屋中人，还是从外面来的？要解决这个问题，当然要把事实做根据。事实怎么样呢？据我们所知道的事实，因着前两次的鬼怪的故事和这一次尸体附近又有一根同样的火柴，很像是一贯的做法。所以我们姑且假定这事是屋内的人干的。"

我乘他略顿一顿的机会，又发问道："这话我还不很明白。你莫非已经确定前两次鬼怪的事实，都是屋中人作祟？"

霍桑答道："我假定如此。昨天裘日升告诉我们，那两次怪事发生的时候，他们唯一的通道——那扇后门，仍照样闩着，显见没有外面的人进去。"

"但你总也记得那两次发作的时期，他屋中都有外客住着。难道你把那两个外客也算作是他的屋中人吗？"

"不，这两个外客是两个人，不是一个人。第一次是他的外甥梁寿康，第二次是他的朋友伍荫如。这是一个重要之点。若说这作弄的事是外客干的，这两个人势必合谋。但我们从两个人的地点、职业和其他关系方面推想，这两个人可会有合谋的可能性？就我们眼前所知道的事实看，可以说完全没有。因此，我们不如假定他屋中的某一个人，故意利用着有客留宿的机会，实施他或伊的阴谋，用以分卸嫌疑，倒觉得较合事实。但瞧这一次惨祸的发生，又同样利用着死者的侄儿刚才回寓，岂不是一个显明的证据？"

汪银林点了点头，忽自动地给我代庖。

他接嘴道："这理解确很近情。不过这一次的情形又变动了。发案以后，他家的后门是开着的。"

霍桑吐了一口烟，紧皱双眉，答道："原是啊。这就是我所说的冲突点了。根据开后门的事，好像这事是外面人干的，并且我们也不能说这是屋中人在犯案以后偷开了后门，用以乱人的耳目。因为我们已确知有一个人在发案以后仓皇出去。但瞧那后门口泥潭中的新鲜足印和那警察的报告，都可证明。我们已不能不承认，昨夜里果真有一个外面的人进去过。因这一来，凶手是屋中人的推理，便也不能充分成立。那么，现在我们就从外面人一方面着想。这个人仓皇逃出，犯案固然很有可能，但那人究竟怎样进去的呢？这又是一个绞脑汁的问题了！"

汪银林道："你想除了后门以外，会不会还有别的通道？"

霍桑把烟尾丢了，摇头答道："没有的。我们不是已在那屋子里瞧过了吗？前门有粗大的木闩闩着，并且灰尘封满，显见好久不曾开动过。楼上东厢房中的窗虽是开着，但我已瞧过，窗口外通江姓的园子，离地足有一丈四尺高。窗下是江姓的花圃，晚香球种得齐齐整整，绝没有越窗而进的可能。所以他家的通道，只有这个后门。但据屋中人们供述，昨夜里这后门是老仆方林生亲手下闩的，却没有一个人开过。那后门上有两个木闩，后门外面又包着铅皮，又势不能从隙缝中撬拨。"

我禁不住说道："莫不是死者自己下楼来开的？"

霍桑斜过脸来，向我笑了一笑。他答道："这确是一种见解。因为后门上那个电铃，直通死者卧室的床端。那凶手按动门铃，死者不察，便自己下楼开门。这原是可能的事。但我们试想死者开门以后，见了那个凶手，应有怎样的态度？论情，那人赚开了门，一见他的仇人，势必立即动手。这样，裴日升应得死在后门里面，怎么会死在楼上？这又是一个冲突点了！"

汪银林道："也许那凶手进门的时候，并不立即表示仇意。他们到了楼上，座谈了一会儿以后，方才决裂。你想可能吗？"

霍桑点头道："不错，这也是可能的。我们从那沙发旁边的纸烟灰上推想，的确有过座谈一会儿的事实。但我们如果再进一步推想，这推理又发生窒碍了。"

"什么窒碍？"

"你知道那楼上的三间，中间是憩坐室，东间是死者的卧室，西间是死者的内兄吴紫珊的卧室。那凶人既和死者熟悉，且能到他的卧室中去座谈，当然知道西间中吴紫珊卧病在内。这样，那人决裂动手，为安全而防止意外阻碍起见，应得就在死者的卧室之中。万一死者发生呼叫，或甚至直呼凶人的姓名，因着憩坐室的间隔，声浪的传达，多少总可以减少些危险。但那人怎么计不出此，却反走到中间憩坐室中去决裂动手？"

"也许那人计虑不周，或是裘日升逃到憩坐室中方才被害。"

霍桑摇头道："不是的。那憩坐室中的景状，也有难解之点。那一只椅子倒在方桌的近旁，恰在憩坐室的中央。死者的倒卧之处，却近房门口的东面。很像死者起初曾借用这椅子当作武器，向凶手丢掷，然后方始倒地。这样，可见凶手所在的地点，一定在憩坐室的西面，或者在通楼梯的板壁门口的附近。从这一点上着想，和你所说的裘日升从房中逃出，凶手追在后面的推理，又显然相反。"

汪银林不答，只低着头默默地寻思。他虽然不再辩驳，但他的神气上明明表示对于这一层解释不很满意。我也觉得霍桑把椅子被人丢掷作为这解释的重点，未免含混。因为那椅子同样可以被凶手利用作武器的。

霍桑似已会意，补充道："你还不明白吗？我这个解释完全是根据事实的。我们知道这裘日升的身心两方面，都是脆弱不过的。若有人要伤害他的性命，原用不着费多大的力量。所以我料定那椅子的给人丢掷，一定是裘日升的动作，却不是凶手的动作。因为打架时丢掷椅子，原只是弱者方面的示威举动，实际上并无效用，徒然发生些声音。那凶手既然设计行凶，绝不会采用这种笨拙的方式。并且据吴紫珊说，他听得了椅子的倾倒声以后——你须注意，椅子的倾倒声，他只听得一次——不一会儿，便发生砰然的巨响。那分明是裘日升倒地了。所以据我推测，这凶案发生时的实在情形，大概是这样的：裘日升闻声从房里出来，踏进中间，一瞧见那凶手已进了板壁门口或正在进行，他一边骇呼，一边就取起右手里靠壁的一把椅子，向凶手丢掷。他那时穿着拖鞋，因着掷椅无效，便向后骇退，因此右足的拖鞋便即脱落。当时那凶手势必向前进扑，或施展什么毒手，裘日升便倒地而死。接着，那凶手就匆匆逃出。所以若说裘日升和凶手先在卧室中起衅，后来他逃到中间，方才被害，这实在和事实的现象不合。”

汪银林道：“如此，那凶手怎样进去的问题，还没有解决啊。你对于这层，可有什么意见？”

霍桑沉吟了一下，答道：“我固然也有几种假定，不过仍免不掉我所说的窒碍，不能够一线贯通。”

我觉得时不可失，便怂恿着道：“你姑且说说看，也许可以触发什么。”

霍桑道：“也好。我曾经假定过三种推理。第一，那凶手也许在后门未下闩前，悄悄混到里面，伏匿在什么地方，到半夜发动。不过他家的房子不大，藏匿不很容易，必须屋中有一个通同的内线，才可成功。第二，那屋中真有一个内线，悄悄地开了后门，让凶手进去。那时裘日升还在楼上厢房中写什么东西，忽听得中间里有声音——或是擦火柴的声音。他走出房来瞧视，接着便发生这幕惨剧。这两种假定，都着重在屋中的内线。这假定在发案的经过上虽都合符，但沙发旁边的烟灰，却又不能解释。因为从这两点上着想，那凶手一上楼便即发案，断没有吸烟和座谈的可能。因此，我又假定第三种推理。”

　　霍桑说到这里，忽又顿住了，摸出第二支纸烟来，缓缓擦火烧着。他的眼光又瞧到车篷外面，仿佛在默数马路旁一棵棵掠眼而逝的法国梧桐。我暗暗着急，料想他的第三种推理，一定更近情理，只怕目的地将到，因此打断。说也奇怪，汪银林竟也和我有同样的意念。他掏出表来瞧瞧，又探头向车外望了一望，便催促霍桑发表。

　　他道："霍先生，你的第三种推理怎么样？"

　　霍桑呼了几口烟，缓缓答道："这推理比较空泛些，但在事实上却能贯通没有冲突。我也假定这后门是裘日升自己下楼开的。但那个按铃叫开后门的人不是凶手，却有另一个人——这人也许是他的一个相好的女子。关于这一点我还须补充一句。裘日升本人的模样，他房间中的陈设，搜出来的书本和女子照片和那装置奇怪的电铃，都告诉我往日里一定有女子在夜间私进他的卧室里去。不过他家里的人没有一个人承认，一时还不能证明。现在我们姑且承认这一点。昨夜他开门见了他的相好，就陪同着上楼，后来那女子就坐在书桌边的沙发上吸烟。正在这时，那凶手忽乘隙而进。裘日升也许听得了中间里的声音，出门瞧视，因而便发生凶案。那时那女子藏匿在他的房中，势必耳闻——或许眼见——那凶剧的发作。伊为自身的安全起见，故而不敢声张。后来伊等到那凶手逃出去后，也就继续逃出。我以为这假定最近事实。不过还不容易证明罢了。"

　　汪银林道："那也容易。许墨佣那里有两张照片，我们尽可以照着这照片到庄花们那里去找。"

　　霍桑点头道："正是，还有那个小使女小梅，如果能够找得，也可以做一个线索。因为伊的卧榻就在楼梯头上，往日里有没有女子出进，一定瞒不过伊的眼睛。"

汪银林在他的短须上摸了一摸，低头想了一想，又问道："那么，那个凶手和昨夜先进去的女子，你想可会有两相合谋的可能性？"

霍桑又紧皱着双眉，努力吐了几口烟，摇头答道："很难说，这里面问题很多。例如那女子进门以后，裘日升曾否重新把后门闩好？若使未闩，凶手才有乘隙而进的可能。这里面又有凑巧和当真通同的区别。这样，我们才可以假定凶手是外客。如果是重新闩好的话，那么，即使女子和凶手通同，也不能进去，那凶手却是屋中人了。不过这个假定，那后门外的足印和警察所见的男子，又觉都没有着落。唉，这种纠纷复杂的问题，真是困人脑筋啊。"

我和汪银林都静默着。汪银林低沉了头，似乎在深思。我的耳朵里但听得汽车的轮声轧轧不绝。热炙的日轮，虽已高悬，但汽车从树荫底下驶过，又有一阵阵的风吹来，倒也不觉得怎样炎热。可惜风中夹着灰沙，有时扑在眼睛和鼻子里，有些难受。我默念这案子如此隐秘纠纷的，的确少有，照眼前的情形看，真像一团乱丝，莫怪霍桑也承认棘手难办。

一会儿，我又耐不住问道："霍桑，你对于这案子的动机，可已有些端倪？"

这时霍桑背靠着车垫，嘴唇间衔着纸烟，像在养神，又像深思。他听了我这问句，把纸烟从口中取下，弹去了些烟灰，缓缓答话。

他道："动机的问题，也有好几种可能：譬如女色问题，是一种有力的假定。他仗着金钱的魔力，蹂躏人家女子，难保不因此引起他人的仇恨。他有钱，可是他是对己奢侈而对人吝啬的。在这个时代，这种人当然也有招致危险的可能。还有他的家庭问题，情形也很复杂。我们都不能凭空悬揣。"

我道："会不会有人图谋他的金钱？他的支票簿上不是有一张没着落的空票根吗？"

霍桑点头答道："这也可能。这人在金钱上非常精细。那支票簿上所有的存根，都写明数目，只有这最后一张票根空着未写，可见那撕去的一页，很可能是被人窃去了，以图冒领巨款。但眼前我们还不知道他的支票是凭签字的，或是凭图章的。"

汪银林答道："他身上和皮夹之中都没有图章发现。"

霍桑道："这一点容易明白，我们可以往信丰银行里去调查。"

汪银林点点头，又道："那么，我们现在应从哪方面着手？"

霍桑道："我们先去见了梁寿康再说，也许从他嘴里，可以探得些较切实的线索。"他顿了一顿，又说："我想仍从内线方面着手。"

这句话立即触动了我的兴味。我忙问道："你的确相信有内线吗？"

霍桑把身子坐直了些，答道："正是。我觉得刚才对于屋中人们的问话，很不满意。他们都像不肯实说，暗地里一定隐藏着什么。"

"你怀疑哪几个人？"

"我觉得那死者的义女玲凤最可疑。"

我和汪银林都呆了一呆，彼此把目光集中在霍桑脸上。我心中十二分疑讶，这样一个少年女子，怎么会参与这件凶案？霍桑的话，确乎使人吃惊。我和汪银林都要发问，汪银林却抢着了发言的先机。

他问道："你觉得伊有哪几点可疑？"

霍桑答道："至少限度，伊说的话并不完全实在。我深信伊所知道的关于这凶案的事实，比伊所告诉我们的，定要增多若干。"

"何以见得？"

"有一着已很明显。我敢肯定地说，昨夜发案的当儿，伊并不是从睡梦中惊醒的，伊对我们说的明明是谎话。"

"有什么根据？"

"有三点可以证明：据伊说伊是因着吴紫珊的呼叫而惊醒的。但吴紫珊的叫声，何以别的人都不听见，伊一个人独能从睡梦中惊醒？我们已确知紫珊的呼声很低，好像是一种呻吟声音。你想这样的呻吟，隔着一层楼板，可容易惊醒别人的睡梦？这是可疑点一。伊一听见这种呻吟声音，怎么不疑心是梦魇或别的，却便立即发声呼喊？这不是伊明明早已知道楼上出凶案了吗？这是可疑点二。伊如果当真从睡梦中惊醒，那么，在情势上伊一定来不及穿好衣服。但我们听老仆方林生说，他瞧见伊的时候，伊身上穿着一件白夏布黑镶边的颀衫。这也足以证明伊那时候实在并不曾睡。这是可疑点三。此外伊对于鬼怪的问句，不肯表示意见，伊说话时始终低垂了目光，都足以给人一种伊的态度不很光明的印象。所以我正打算从伊的身上找一条看手的线索。"

唉，霍桑所以疑那女子，原也是有相当的理由的，我一时确也不容易辩难。我本来还有其他的问句，想乘机发表，不料车身突然一震，汽车已停在福华纱厂的门前。我们的目的地已经到了。

凶手已查明了

我们下汽车的时候，厂门前已有一辆空车停着。汪银林首先进去，我和霍桑二人跟在后面。这纱厂是本国人办的，规模并不算大，但已有三年历史，并且专纺四十二支和六十支细纱，用以抵制劣货，所以成绩已很可观。

当我们走到门房门口，正在向一个守门人询问，忽一个穿柳条纹白法兰绒的西装、戴龙须草帽的少年，匆匆从里面出来。守门的一瞧见那人，便指给汪银林瞧，声言那人就是梁寿康。这时梁寿康低垂了头，举步很匆促，好像正要急于出门的样子。汪银林等他走近，便迎上前去招呼，向他说明了来意。

梁寿康停了脚步，向我们三人打量了一下，答道："唉，我正要去瞧我舅舅。我听说他已经被人——"

汪银林接嘴道："正是，已经被人谋死了。现在有几句话要请教。我们就在这里立谈一会儿吧。"

这梁寿康约有二十三四年纪，面形带圆，皮色很白皙，两条浓眉，配着一双活泼的乌眼，张口时又露出灿然的金齿。他的西装很时式，烫得笔挺，草帽却戴得不很端正，说话时把手插入西裤袋中，又侧着头向人斜视。他的神气似欠大方，还带些浮滑意味。

汪银林开端一句，就问他昨夜曾否到过他舅舅家里去。那少年一口回绝，并说已一星期没有进城。汪银林又问他什么时候得到裘日升的凶信。据说他的表兄海峰打电话给他，本来很早，但他因着起身得迟，厂中人等他醒后才转告他，所以他得信还没有多少时候。

霍桑摸出表来瞧了一瞧，插嘴道："你天天起身得这样迟的吗？此刻已近十点钟了啊。"

梁寿康向霍桑瞟了一眼，摇头答道："不，这是难得的。昨夜我弄了一回账，睡得迟了，因此，今天早晨竟睡失了时。"

霍桑仍瞧着他的脸，缓缓道："这却凑巧了。你舅舅家里正等你去照料一切哩。"

梁寿康急忙应道："是，是，我刚才请好了假，正打算赶去。"

霍桑又问他对于这件凶案有何意见，他又一口回答不知；又提起裘日升有没有女友的问题，寿康也照样否认。我料想霍桑也许要提出其他问句，不料竟出我的意料。

霍桑忽点了点头，说道："够了，我们再不必耽搁你的工夫。你赶快去吧。"

梁寿康好似放下了重担一般，伸出手来在草帽边上触了一触，应道："是，是。我已雇了一辆汽车在门口，怠慢得很。再会。"他就急步走出厂门。

一分钟后，我们也出了厂门，站在厂门阴处，目送着梁寿康的汽车疾驶而去。

我说道："这少年有些可疑。"

霍桑点点头："是的，他的神气并不像刚才起身。他的膏润的头发和过分整洁的装束，也不像是听得了凶耗赶去奔丧的样子。"

汪银林附和道："我也觉得如此。你想他对于这件凶案可会有什么关系？"

霍桑的目光注在地上，牙齿咬着他的嘴唇，显然又在深思。一会儿，他有了主见似的抬起头来。

他道："现在我们不必空猜。最要紧的，还是多搜罗事实。

银林兄，你不如就跟着他回裘家去——"他忽又摇了摇头，改口道："唉，这不妥。包朗，还是你去，可以减少些人家的注意。你回到裘家以后，但须从旁冷观，注意这少年的言语举动，更须注意他和玲凤的关系究竟怎样。我想法院里的检验吏此刻总可以到了。你可推托去等待检验消息的，人家不至于怎样忌你。银林兄，你可以设法到他家附近的荸头铺去，探访那小使女小梅的下落，再到银行里去查一查。再过两个钟头，你叫三分区的张子新巡官，把玲凤传到区里，我要再和伊谈几句话。包朗，你如果能探得什么，我们也在张巡官那里会面。我眼前还须从别方进行哩。"

霍桑先乘了黄包车别去。我和汪银林仍乘了汽车进城，车中也曾预测过这案子的前途。我们都承认因着与梁寿康的会谈和霍桑指示的计划，分明已从黑暗中发现了一线光明，案情已趋向发展的途径。我默思那玲凤的神态似还端庄，也没有时下所谓摩登女学生的神气。不过霍桑对于伊的怀疑，又是确有根据，真使我感到烦闷。一会儿，汽车到了凝和路口，我下车往裘家里去，银林也独自去进行他所负的任务。

我进了裘家，才知法院的检验吏果真到了，正在楼上检验。楼下也有几个法警留着，还有几个临时性质的仆役，忙着布置孝堂。我混在里面，人家果然都不很注目。那裘海峰陪在楼上，梁寿康却在楼下指挥照料。他似乎很兴奋，仿佛他在办什么喜事，不像给一个有至亲关系的人料理丧务。他不时走进玲凤的卧室里去，无事当有事似的找机会和伊谈话。不过我默察玲凤的态度，却像有什么顾忌似的，往往故意引避。霍桑真像有先见之明，这一着当真被他料中了。寿康与玲凤，显然是有些关系的。那么，这件案子难道是他们俩合串着干的？但他们有什么目的呢？

这时我又得到了一份意外的报告，更使我增加了无量兴趣。那老仆方林生忽而走到我的面前，向我挤了挤眼，又牵了牵嘴，像是一种暗号。我立即会意，便不露声色给他一个回复。不一会儿，他提着一把铜壶，从后门里出去。我也乘机一溜，悄悄地跟到外面。

我走出后门时，林生已走到小弄口，向右转弯。我也跟出了小弄，见他在斜对面另一条弄口站住了向我招手。我走到了他的附近，他又闪进了弄里去。我略略踌躇，索性跟进弄去。这小弄很狭，名叫鸳鸯厅弄，车辆是不能通行的，的确很静僻。方林生站在一根电杆木旁，提着铜壶等我。他有什么情报？何以竟如此诡秘？他等我走近他的身旁，先向左右瞧了一瞧，才低声向我说话：

"包先生，我有几句话告诉你，不过这事情很危险，我有些害怕。从前小梅也是说了这种话而被辞歇的，但我若不说，又恐后来受说谎的处分。"他说完了这话，眼光盯在我的脸上，等我答复。

我作鼓励语道："你放心，如果有什么紧要的话，出了你的口，进了我的耳，绝不会在外面宣扬。但你的说话可是关于这凶案的吗？"

老仆点头道："正是，我想一定有关系的。"

"那么，什么事？"

"刚才有一位先生，不是问过我主人有没有女朋友的话吗？这一回事，在主人家里，谁也不敢实说。所以我那时也只能回答没有。"

我暗忖关于这一个问题，霍桑正在想法找寻那小梅，以便探听实情。现在这老头儿竟肯自动报告，真是俗语说的，"踏破铁鞋无觅处，得来全不费功夫"了。

我说道："这样说，你主人当真是有女朋友的，是不是？"

林生皱眉道："这怎么可算朋友？简直是姘头——而且他的姘头不止一个，每隔十天五天，总有一个女子到他楼上去陪宿。这一回事，也许就关系他的这些姘头。"

"她们可是公开进出的？"

"不，这些女子总是在夜间来的。你总已见过，后门上有一个电铃，直通主人的卧房。有时主人亲自下楼来开门，有时打发小梅去开。自从小梅辞歇以后，他总亲自下楼。这件事表面上虽然秘密，其实除了吴太太以外，家中人没有一个不知道。不过没有一个人有这样大胆，敢说出这句话来罢了。"

"那些女子来时，你每一次都瞧见的吗？"

"不，有时我偷开了房门，冒险瞧瞧；有时我只听得她们的声音；还有些时候，她们进来时我已睡着，直到天明时小梅送出门去，我才知道。"

我见时机既已成熟，便立即把谈话归到本题。

我问道："昨夜里不是也有你主人的姘头来过吗？"

方林生忽摇摇头："这个我不敢乱说。昨夜我不但没有瞧见什么女子，连开后门的声音我都不曾听得。不过推想起来，那后门既然开着，多半是有女子来过的。"

我虽不免有些失望，但霍桑对于这问题的推理既已证实，未始不是一条线索。

我又道："那么，你对于这些女子们，是不是都认识她们的面貌，知道她们所住的地点？"

方林生又皱眉道："这也不能。她们的地点我是没法知道的。认识的话，有一个我倒认识，年纪约在十八九岁，白馥馥瓜子形的脸儿，常穿着长到足背的花色顾衫。这个女子来的次数最多。最先一次，寿康少爷陪着她进后门的时候，他的电筒的光，恰巧照在伊的脸旁，所以我才瞧清楚伊的脸。"

我不禁作惊喜声道："寿康少爷陪伊来的？他不是你主人的外甥吗？"

"正是他。他陪来的，不止这一个呢！"老人吐一吐舌，又向小弄口望了一望。

我暗思我先前对于这少年的印象，认为有些浮滑，却想不到他还有这种"拉马"的能耐。因这一着，我又记起吴母所说的，甥舅的感情，胜于父女的感情的话，那当然是有充分理由的。

我又乘机问道："你可知道这位寿康少爷和你家的玲凤小姐有没有关系？"

老仆忽仰起头来，向我呆瞧了一下，似乎一时不知道怎样回答。

他反问道："包先生，你说什么样的关系？"

"我觉得他时常要和你家小姐亲近。"

"对啦！有一次他竟闯进小姐的房里去，小姐便高声呼叫。主人曾因此把他骂过一顿。"

我私念这话如果不虚，很像寿康有意诱惑玲凤，玲凤伊却未必有心，否则伊也不会喊起来。这样，我刚才假定的这两个人合谋的推理，又似乎发生了阻碍。

我又问道："你主人对于他女儿的感情怎么样？"

方林生道："包先生，你总已知道，他们本不是亲生的父女啊。我看他们的感情不见得好，小姐似乎很畏怕主人，平日父女俩难得接谈。"

"你能不能举一件事实？"

"我记得有一次主人叫伊上楼去，不多一会儿，伊忽涨红了脸，急匆匆奔下楼来，主人却在楼板上拍桌顿足地大骂。我们都吓得什么似的，但大家又不知道是怎么一回事。"

霍桑曾说过，他们的家庭问题非常复杂，现在看来，不但复杂，却还非常黑暗。

我索性问道："那么，你对于前两次的鬼怪和这一次的凶案，可有什么意见？"

老仆缓声道："我没有见过鬼。但这一次凶案，我以为那些女子，说不定有些关系。"

我略一思索，忽而引动了另一种意念。

我又问道："你们楼上的那位吴先生，你有没有看见他下床走动过？"

老仆摇摇头答道："他是患风病的。他不能走动。"接着他呆住了瞧我，似不明白我的问句的意思。

我急忙岔开道："好。除了那些女子以外，你想你们家里的人，有没有人和你的主人过不去？或是——"

这时我忽听得有人在小弄口大声呼叫：

"林生，你在干什么？法官要找你问话，你却溜在这里闲谈！"

我回头一看，那梁寿康正站在弄口，他的右手叉着腰部，架子十足地厉声呼喝。那老儿却吓得脸色灰白，低垂了头，提着铜壶，赶紧走出鸳鸯厅去。

我处在这种情势之下，照我的本意，很想发作起来。因为寿康这种盛气的态度，直接虽对老仆，间接也就是对我。不过我此刻是来探听案情的，不必要的闲气的争论，是理应避免的。所以我耐足了气，重新回裘家去。

检验的工作已完毕了。据检验吏的报告，死者是受惊而死的。死者的心脏很衰弱，当时他受了强烈的刺激，或被凶手推倒，或是受惊后他自己倒地。因着跌倒的震动，心脏便立即停止活动，结果就丧了他的性命。他的胸部和肩部的血晕，就是心脏猝然停顿的明证。他的头部的血，证明是从鼻子和牙齿里流出来的，那唇部和鼻部都显有伤痕，很像是他倒地时覆面跌伤的。这报告和霍桑所说，凶手行凶时不曾费多大力量的假定，也已证实。

不多一会儿，法院里一行人都已离去，但临行时却把老仆方林生带走。我明知这定是梁寿康从旁撺掇的结果。他私下告诉了我几句话，不幸竟自己被累，我一时又不能替他解围，很觉不安。因此，我越觉得梁寿康可疑。他恨方林生多说，分明就怕这事实的真相因此显露出来。那么，他的关系也可想而知。但时机没有成熟，我这时还不能奈何他，只索再忍一忍气。

一会儿，区里派了一个警士来，传令唤裘玲凤去问话。我知道这就是霍桑的预定计划。玲凤似有些恐惧，但又不敢违抗。寿康也显着很关心的样子，却也没法阻拦。

他送伊到门口，作安慰语道："表妹，没有事的，你走一趟吧。如果他们有什么难为你的话，你马上打电话给我。我是聘定了常年法律顾问的。"

他说话时的态度，处处表示一种"有恃无恐"的神气。我越觉得这个人可憎可鄙，可是还捉不住他的把柄。

这时孝堂已布置完成，中间挂一大幅白幔。裘海峰帮同着仆役，准备将尸体移到楼下来成殓，所以楼梯上上落落很忙。因为这天天气很热，尸体不能延搁，他们准备当日棺殓。我坐了一会儿，觉得已没有留在这里的必要，正打算也到三分区里去听听霍桑问话。不料三分区里先有一个电话给我，那电话是汪银林打的。他说玲凤已到区里，霍桑却还没来，所以问我他曾否到过裘家。我回复了他，又乘势和他谈几句话。

我告诉他道："关于女子问题的事，我已得到了一种意外的发展。你对于小梅那条线索，似乎不必急急进行了。"

汪银林答道："这条线索我本来摸不着头绪。据一家王荐头铺说，小梅已回浦东乡下去了。但我已查明了一个比较重要的事实。"

我惊喜地问道："什么事？"

汪银林道："我打过电话到信丰银行里去。据说今天早晨，有一张裘日升签字的支票曾经兑现。那支票的数目，竟有一万五千元之巨。这一着我认为非常重要。你也快到三区里来，我们细细地谈吧。"

这一个消息当真不能不认为非常严重。因为霍桑对于支票问题，曾有过不是死者提款的假定，现在却明明有人提去了巨款。这一着既然出于霍桑的意料，难保不另生枝节。

我挂好了听筒从厢房中出来，正想赶到三区里去，不料在客堂门口和一个人撞了一下。我抬头一瞧，就是那个穿白色制服，身长六尺，嘴唇上有菱角须的南区署长许墨佣。

他忽笑嘻嘻地向我说道："包先生，你急匆匆哪里去？现在你慢走一步，请你带一个消息给贵友霍桑先生。你叫他安静些吧，不必再虚费他的宝贵时间。你告诉他，那凶手我已查明了！"

拘　捕

许墨佣这几句话，确含着绝大的力量。我心中虽在暗暗诧异：凶手已查明了？竟被你查明了？但我这怀疑的问句，却不敢在面上表露出来。我自然停住了脚步，听他的下文。许墨佣摇摇摆摆地走进书室里去。那梁寿康和裘海峰一听这话，也抛开了正事，走到厢房里来听他的报告。

梁寿康抢着问道："当真查着了吗？谁是凶手？谁是凶手？"

许墨佣卷了卷他的短须，显露出一种得意扬扬的神气，好像一个打胜仗的将士在欢迎声中凯旋的样子。

他拖长了声音，答道："话长哩！你们别乱吵。这凶手是一个少年男子，年纪在二十六七，身材很短，大概不到五尺，身体胖胖的，脸圆圆的，皮色略带黝黑，两颊上都有酒窝。他身上穿一件白云纱长衫，头上的头发——"

梁寿康急不可待地问道："这凶手在哪里？这凶手在哪里？"

裘海峰也附和道："署长，你已把那人捉住了没有？"

许墨佣发一种轻描淡写的语声，答道："捉还没有捉住。不过有了这样的消息，要捉住他，也并不费力。刚才我已通告了总署，以便按图索骥向四面兜捕。我预料不出两天，包管把他捕到归案。"

梁寿康忽变了声浪，说道："唉，原来你还只得到了一种消息！"

这句话分明扫了许署长的兴——在许署长意中，也许要把这样的语调，认为伤失他的尊严。他的脸儿果真沉下了，他的语声也带着冷涩的意味。

他横睨着寿康，答道："就是这个消息也不容易啊。假使和你易地而处——"

我为节省时间起见，便从中给他解围：

"署长，你也值得和这个不懂人事的孩子闹意见？你能探得这个凶手的模样，委实不能不佩服你办事敏捷。请问这消息你从哪方面得到的？现在还有守密的必要吗？"

许墨佣的本意，说不定仍抱着守密态度，但因着我给了他一个落篷的机会，似乎再不好意思坚拒。

他微笑道："此刻已用不着守密了。这消息我从银行方面得到的。我还有一个消息，说出来也许要使你吃惊！"他的眼光忽在海峰和寿康二人的脸上打了一个旋儿。他又继续道："今天早晨九点零五分钟，你叔父名下的存款，提去了一万五千元现款。"

海峰果真很吃惊的样子，忙问道："当真吗？你不要误会吧？我叔父哪里会有这许多现款？他昨夜亲口对我说过，现款不多，所以我的留学款子还没有筹集，怎么会有这一回事？"

许墨佣淡淡地答道："信不信由你。我所着重的，在乎那个凶手。这凶手胆子真大。他分明一等到银行开始办公，立即进去提款。现在回想，可惜我刚才在这里多耽搁了一会儿，否则他也许早已在我的掌握中了。"

他的眼光向我轻轻一瞟。我记得他先前曾提议要走，霍桑留阻过他，此刻他言中有骨，分明在抱怨我们。

我却假作不知地问道："我真佩服你。你怎么会想到这一条线索？"

他又得到了卖弄的机会，便道："这是我观察而来的。我们都瞧见死者卧室中的写字桌上，有一支笔搁在砚上，那本支票簿却在书桌抽屉中。这书桌抽屉并不曾锁，并且除了支票簿以外，并无其他重价东西。这可见那支票是暂时放在抽屉中的，又因着那笔砚的证明，又可见最近曾经用过。"

他顿了一顿，目光盯在我的脸上，仿佛一个演说家自以为他的议论已到精彩之处，便故意停顿一下，以便接受听众们的彩声。我索性送他上路，让他暂时开一开怀，以便他吐露真情。

我说道："署长，你这样的观察和推想功夫，委实值得记录下来，当作警探们的参考资料。但你怎么又会联想到这支票会落到凶手的手里去呢？"

许墨佣道："这也很容易明白的。据我料想，当发案以前，那被害人为了某种用途，正在写那张一万五千元的支票。他刚才写好，搁下了笔，又撕下了支票，把簿子放进了抽屉，忽听得中间里有什么声响。他走出去瞧时，便遭那凶人的毒手。那凶手行凶以后，也许在房门口探望一下，发现了书桌上的支票，便顺手带了出去。那不是很自然的吗？"

我道："这个人怎样进来的？"

这问句不再是灌迷汤了，分明揭着了他的创瘢。他的满面春风的脸，自然也不能不减少了些色彩：

"这个不成问题。或许是有人从里面接应，或许那人在未闩门以前，溜进来藏在什么地方，等到夜深人静时动手。总而言之，只要那人捕到，进来的问题，不怕他不供说明白。现在我特地到这里来问，这样圆脸矮胖的少年，你们是否相识？"

裘海峰摇头不答，梁寿康也同样否认。

寿康道："我常在这里出进的，却从没有见过这样的人物。"

许墨佣点头道:"如此,我们在侦查上要比较费些力了。"他又旋转来瞧着我说话:"包先生,你还有一种任务。我希望你通知贵友,他如果不怕烦,欢喜在这件事上尽力,那么,最好依照我的发现,就在这一条圆脸胖子的线索上进行,免得他劳而无功。"

我听到这里,实在再忍耐不住。他这样自吹自擂,简直不把霍桑放在眼里,此刻霍桑不在,他简直是当面讥笑我了。我觉得他所探得的事,已尽在于此,也不过是些空洞的消息。我不如反唇奚落他一番,免得他迷了心窍。可是这时候已用不到我亲自辩难,我的闷气也同样得到了发泄的机会。

我忽见霍桑从客堂里的白布孝幔后面转身而出,踏进天井里来。他的左臂的腋下,夹着一个新闻纸的纸包。他跨进厢房门口的时候,右手执着他的草帽,像扇子般挥着,脸上带着笑容,婉声向许墨佣招呼。

他道:"署长,你竟肯劳驾通知,承情得很!我应得向你道贺。你不是已把凶手捉住了吗?"他且说且走进厢房里来,把纸包放在书桌面上,又摸出白巾来抹汗。

我暗暗地欢喜,我刚才真像孤军被攻,取援无路。此刻忽而飞将军自天而降,危急的阵线上加入了一支生力军。因为我瞧霍桑的态度,镇静而安闲,分明他对于这案子的把握,并不逊于这位夸大的警官。果然,许墨佣趾高气扬的神气,已无形中打了个折扣。他答话时的声调,也不敢提得怎样高了。

他向霍桑道:"凶手还没有捉住,但这不过是迟早的问题。"

霍桑点头道:"是的,我也深信是迟早问题。但这个'迟'字,不知道有限度没有?"

许墨佣的傲态完全改变了。他低垂了头,紧蹙着双眉,他的高挺的躯干，仿佛也顿时矮缩了些：

"这个难说。也许三天两天，也许四天五天——"

霍桑忽接嘴道："也许一月半月，也许三年五年，也许永世不会破案！"

许墨佣忽涨红了脸，身子又挺直了！他嘴唇上的菱角须也像变成了一条条钢刺。

他厉声反诘道："你怎么当面讥笑我？你知道我永世不会破案吗？"

霍桑仍笑嘻嘻地并不发怒。他未答话前，先向许墨佣鞠了一个躬。

他道："署长，请不要见气，我怎敢有意讥笑？我只觉得你所说的迟早的限度，太空洞，太迂缓。须知侦查罪犯，第一步应观察精细，着想周详。一经找着了线索，确定了方针，第二步就应急速进行。否则，所谓'稍纵即逝'，便不免坐失时机，这原是一种极幼稚的侦探学识，不配在你面前讲的。不过你所假定的三天五天，我实在不能不认为要坐失时机了！"

霍桑的语声很温婉，却是话语有刺。墨佣起先的虚骄无礼，此刻已得到了相当的酬报。那裘海峰和梁寿康二人，在旁边瞧他发窘，虽不助威，也不解围。这也尽够他受用了！许墨佣的辩才，本来也是很有能耐的，这时他还想维持他的阵线，鼓足了勇气，向霍桑反抗。

他反问道："你以为三天两天还算多吗？"

霍桑冷然道："自然太多了。我以为这种事应当把钟点做限度，断不能以天计算！"

"假使这件事移交你办，你也能以钟点计算吗？"

"那自然。"

"你说要几个钟点？"

"我还用不到钟点，也许分数，也许秒数，也就够了！"

"喔！这样快？……好，我现在承认失败了。这件捕捉凶手的事就请你去办吧。"他的脸儿显着铁青色，声音严冷得刺耳，一双圆睁的眼睛，瞪瞪地向着霍桑，分明在等着霍桑的答话。

我觉得书室中的空气顿然紧张起来。大家都像忍住了鼻息，形成一种窒息的静默。许墨佣的反攻计划的确恶毒。霍桑所进行的途径，显然是和他不同的，并且还在侦查时期，一刹那间，怎能担任这种捕凶的任务？那两个少年都呆望着霍桑。我也暗暗着急，急他讥讽这署长的说话太随意，反而不能收篷。但霍桑仍泰然自若，侧着头斜睨许墨佣，他脸上不但没有紧张的神气，却还带着笑容。

一会儿，他淡淡地答道："你要把这个捉拿凶手的重任交给我办吗？我也可以接受的，不过有两个先决的条件。"

许墨佣冷然问道："哪两个条件？"

"第一，你须限我一个时间。"

"时间？那自然。"他夹着一阵冷笑，"这是你自己说的，你只需用钟点计算，或者甚至分秒。"

我咬紧了嘴唇，说不出话。寿康和海峰也都张目骇顾。

霍桑仍点了点头："当真如此。秒数，恐怕不容易计算，就请你限一个分数，好不好？"

"好，我限你五分钟！五分钟内，你得把那个凶手捉来！"

"可以的。还有第二个条件，你也必须遵守。"

"好，你快说！"他的眼睛几乎要迸出火星来。

霍桑仍慢吞吞地答道："你必须听我的命令。我若指出了一个凶手，叫你捕捉，你不得违抗。"

许墨佣的红赤的眼睛始终盯在霍桑的脸上，这时他反而有些疑迟的样子。他仿佛要刺探霍桑的内心，这一番话，究竟是滑稽的还是正式的。

他答道："那也可以，只要你举出证据。"

霍桑点点头道："这个自然，我当然不能凭空诬人。现在请你把凶手的容貌、衣饰告诉我。"

许墨佣的嘴突然张大了，作诧异声道："什么？你连凶手的面貌都没有知道吗？你倒还想捕他？"

霍桑又鞠了一个躬，答道："请你不用过虑。我想请你说得仔细些，免得发生错误。"

我在焦急之余，实在不能不暗暗纳罕。霍桑的闷葫芦里究竟在卖什么药？他的话由衷吗？他能在五分钟内捉住凶手吗？我看他的神气，又像胸有成竹，又像有些滑稽。他如果最后声明他的说话只是开开玩笑，完全出于游戏，但局势既已这么紧张，许墨佣一定不肯干休。那时，霍桑也不免会吃他的眼前亏了！

许墨佣仍沉着脸儿，忍气似的答道："好，我告诉你。他是一个圆脸的胖子，身长不到五尺，年纪——"

霍桑忽摇头道："你先说他穿什么衣服。"

许墨佣道："他穿一件白云纱长衫，头上戴一顶有花丝边的栗壳色硬胎的草帽。"

霍桑忽皱眉道："但张巡官所报告的那个人是穿什么衣服的呢？"

"那是穿栗壳色长衫，头上却戴一顶龙须草草帽。"

"那么昨夜这个穿栗壳色长衫和戴龙须草草帽的人，和你所说的圆脸胖子，可是两个人吗？"

许墨佣摇摇头道："不，当然是一个人。不过他为防人家疑心起见，变换了衣服罢了。"

霍桑忽举起他的右手，在许墨佣肩上用力拍了一下。他大声道："好署长！这句话我才认为中听。不过你还有些欠缺。那人变换了衣服，果真是不错的，但他并不是把深色长衫变换了淡色长衫，却是把中装换了西装！"

霍桑的声浪停住了。书室中又是一度难堪的沉寂。霍桑的眼光在旁边呆立的两个少年身上瞧来瞧去。这两个人都是穿西装的。难道内中有一个竟是凶手？这两个少年的脸色都改变了，态度上也都显出不很自在。许墨佣也张大了眼睛，眼光在这两个人身上溜来溜去。我的呼吸也增加了速度，仿佛突然间进入梦境。

霍桑又冷冷地说："那凶手改换的西装，非常漂亮。他穿一身柳条的白法兰绒西装，头上戴的是龙须草草帽，足上穿的是黄色英国纹皮皮鞋。他简直是一个道道地地的推销舶来品的模特儿——喏，喏，这梁寿康就是凶手！你立刻将他拘住了吧！"

这话一出，不但那少年突地一震，把身子倒退一步，连许墨佣和裘海峰二人，也都十二分惊讶。我也暗暗疑讶，霍桑的话不会是儿戏吗？这梁寿康真是凶手吗？在大家面面相觑的当儿，霍桑又开口了：

"署长，你怎么呆怔怔地不听我的命令？你但把他拘下就是——"

梁寿康忽厉声骂道："混蛋！你竟敢含血喷人！"

他说话时，额角上青筋暴露，两只手握着拳头，形势像要用武。我也踏前一步，做一种必要的准备。

许墨佣瞧着霍桑，插嘴道："你说凶手就是他吗？但和我所查明的人，面貌不相同啊。"

霍桑道："你说那提款的人吗？那是他的傀儡。他才是主使的人。"

"那么，你有什么证据？"

"自然有的。在这里。"

霍桑说完，便走到书桌面前，把他刚才带进来放在书桌上的新闻纸包着手打开。他将纸包展平在桌面上，纸包中有一件咖啡色纺绸的长衫，一双新式圆口骆驼皮底小方格的玄色缎鞋，鞋底上用麻线扎过两圈，还是新的。

这东西在书桌上展开来时，大家的眼光受了吸引，都自然而然地集中在书桌面上。在这当儿，那梁寿康忽而有一种可怕的举动。他踏进一步，举起右手的拳头，直向霍桑的后脑击去，这一着真是险极。因为霍桑正低垂了头，想要取起那一只缎鞋来，万不防他会动手。幸亏我早有防备，站在这少年的近旁，才解除了这危险的局势。

这时我自然再不能袖手旁观，把左臂一伸，在寿康的肘骨上用力向上一抬。他的拳头不但没有击中霍桑，他的两足不稳，自己的身子竟晃了一晃。我乘势举起右掌，在他的右肩上一拍，左手便握住他的右腕。说也奇怪，这少年竟是虚有其表，毫无实力，他经我这么一来，就不敢动了。许墨佣在无可奈何之中，也回过身来，帮同我握住他的左臂。于是左右夹攻，这少年便完全失了自由。

霍桑仍保持着镇静态度。他旋转身来，手中执着那只右足的缎鞋，仿佛没有这一回事。他仍很安静地自顾自说话。

他道："署长，张巡官报告警士李得宝所瞧见的人，不是穿一件栗壳色长衫的吗？这一件是咖啡色的，相差不远，黑夜中当然不能瞧得怎样清楚。至于李得宝所说的那顶龙须草草帽，我刚才瞧见，还挂在客堂中的墙壁上，他明明不曾换过。"

梁寿康的身体虽失了活动，他的嘴却照样可以自由。他又从齿缝中进出声音来，向霍桑咒诅：

"好！你尽嚼舌！你竟信口诬人！你小心着，我是有律师的。"

霍桑微微弯一弯腰，淡淡地答道："好，梁先生，我准备坐诬告罪吧。你刚才自己告诉我，昨夜里你在厂里弄账，不曾出外，今天早晨九点半钟方才起身。我却知道你在昨夜十二点半方才回厂。今天早晨七点半钟，你就从厂中出来，办好了提款的事，才重新回到厂里。这和你的说法不同，你自然要说我冤枉你了。对不起得很，现在我只能暂时冤枉你一下子了。"他点了点头，重新向许墨佣说："署长，你现在总可以相信了吧，如果你还觉得证据不足，这里还有一个铁证。"他把那缎鞋翻了转来："请瞧，这鞋尖上有新鲜的泥痕。你如果拿到那后门口的泥潭里去试一下子，就可以证实你在今天早晨自己所发现的要证。"

霍桑向那啼笑皆非的许墨佣嘻了一嘻，重新把鞋子放在书桌上。他又摸出一块白巾来在额角和头颈里抹了一抹，忽回头向我说话：

"包朗，我们有一个约会，已错过了时候哩。你放手吧。这一个孩子，许署长一定应付得下。"他又回头向署长道："这桌子上的证物和这个少年，现在都交给你了。你给我的五分钟时限，大概差不了多少。对不起，我还有些事，恕不奉陪。别的事再通知你吧。"

当我们俩从裘家出来的时候，前门早已开通，一口广漆棺木恰巧抬到，还有几个和尚、道士、吹打和六局执事们，也陆续地来到，一时间便闹成一片。

霍桑的工作

我和霍桑离了裘家以后，便向第三分区进行。那时火一般的阳光，已照射满街，干热的空气从四周向人身袭击。我们因距离不远，便拣墙壁阴处缓步进行。我自然急不可待地要问霍桑侦查的经过。

我道："霍桑，你真敏捷！你凭着什么方法，竟在一小时内查明梁寿康是凶手？"

霍桑先掉转头去，向我们的背后瞧了一瞧，然后向我嘻了一嘻，低声答话：

"包朗，我老实说，我刚才的举动，完全是一种虚冒。他是不是凶手，我此刻还没有把握。"他说时又向我一笑。

我惊讶道："什么？那么，你怎么擅自捕他？那岂不危险？"

霍桑仍低声道："你别慌，他即使不是凶手，却也有被拘捕的理由。我知道他昨夜一定到过裘日升的卧室中，他却隐藏着不露。那沙发旁边的烟灰，就是他到过的成绩。我起先本假定有一个女子到过，现在已知道这推想不是事实。我又因着那巨款支票的被提，便料想这梁寿康定有关系。我从这烟灰和提款两点上着想，此刻才把他拘捕。我想我这举动也不能算是违法。"

"你说的这两点，你都已证实了吗？"

"不，还没有——这是我推想如此的。此刻我就准备搜罗证明的事实。"

我觉得霍桑既还没有确切的把握，单凭着推想，贸贸然把梁寿康逮捕，似乎违反了他平日的稳健态度，而且还有些冒险，因为这梁寿康不是一个容易对付的人物。我们一边缓行，我一边把从老仆林生嘴里所得到的消息告诉他。接着我又重新问他侦查的经过情形。

霍桑说道："我和你们分别以后，就径直到金业交易所里去，访问那个裘日升的朋友陆春芳。半路上我曾打过一个电报，给北平警厅的钟侦探长，叫他调查北平美专哪一天举行毕业典礼，以及那裘海峰在哪一天离校。"

我又惊异道："什么？你又怀疑海峰？"

霍桑摇头道："不是，不过这件案子既然如此复杂，我们的眼光不能不四面周瞩，凡与此案有关系的人，我们不能不每一个加以询查。譬如那女子玲凤，那死者的岳母，那患风病的吴紫珊，还有那老仆林生，赵妈，都在我们侦查范围之内。总而言之，在事实证明以前，谁也不能除外。我很想知道三十日那天，海峰是否还在北平，或是他已悄悄地到了上海。"

我点点头道："原来如此。那个陆春芳你会见了没有？"

霍桑道："瞧见的。他所说的话没有多大价值。只有一点，还可以供我们参考。他说日升和日晖弟兄俩，起先都做标金营业。你总也记得，去年六月里，不是有过一度标金忽涨忽落的大风潮吗？那时候吴紫珊还没有患病，也同样干这卖空买空的投机事业。在某一次标金忽而暴涨的当儿，那日晖做的是空头，日升做的是多头。因此，日晖破产，日升却变了富翁。这一个消息，也可以解除我们先前的怀疑。"

"以后你又到什么地方去过？"

"后来我想到了梁寿康。这刁滑的少年，在厂门口的谈话，明明是当面说谎，不能不引起我的疑心。所以我重新回到福华厂去。我明知他已不在厂内，就利用着刚才在厂门口和他立谈的机会，向那个看门的接洽了一句，叫他领我到寿康的卧室里去，假托着寿康叫我代他觅取一本书。那守门人果然不疑心。我乘机向这守门人刺探，才知道寿康今天一清早出去，当我们到厂中去访他的时候，他回厂还不多时。我又探问寿康昨夜什么时候回厂，那守门的虽不知道，但寿康所说弄账的谎话，不久便得到物质的证明。原来我进了他的房间以后，立即发现那双缎鞋，又从衣架上发现了那件纺绸长衫，我预料他昨夜到过裘家的假定便即成立。他昨夜干的事情，必自以为没有人会发觉，所以这物证虽是重要，他一时却还想不到掩藏。后来我拿了衣鞋离厂，曾打过电话到信丰银行里去，知道了今天早晨有人拿了裘日升的支票去提款的事。接着，我就赶到裘家，听得了许墨佣夸张的经过情形，我就假定提款的胖子，虽不是寿康本人，一定是他委托了另一个同党干的。我在那许墨佣的压迫之下，就大胆地虚冒一冒——但我相信这虚冒离事实也相差不远。"

"但他到底还没有承认啊。"

"不错。现在我打算从那玲凤嘴里探出些正确的事实。我的虚冒举动，也许就有证实的可能。"

我们到第三分区时，汪银林急忙忙迎了出来。我一见他的脸上紧张的神情，还以为他等了许久焦急不耐，才有这种忍耐不住的模样，却不料又有一种意外的消息，竟使霍桑也吃了一惊。汪银林告诉我们，他因着等得不耐，又打过第二次电话到裘家里去，那时我们已经离了裘家，许墨佣和汪银林接谈了几句，所以刚才我们在裘家的经过情形，汪银林也知道了。

汪银林在警察署门口站住了，向霍桑报告："那梁寿康在你们走出以后，已向许墨佣供认了。"

霍桑很注意地瞧着银林，一时并不发话。我却再按捺不住。

我抢着问道："他供认了什么？莫非他吃不起惊吓，已承认他是谋害裘日升的凶手？"

汪银林摇摇头道："不是，他只承认昨夜里到过裘家。"

霍桑淡淡地点点头，接嘴道："他承认了这点，也就够了。我的推想可算已经证实。"他说着旋转了身子，要走进里面去的样子。

汪银林却仍站住了不动。他带着怀疑意味的目光呆木木地瞧着霍桑，好像有什么难言之隐，一时不便启齿。霍桑有些诧异，也站住了斜过脸来。

他问道："银林兄，你有什么意思？"

汪银林吞吐着道："据许墨佣说，你的推想不但没有证实，却似乎已不成立了。"

我站在旁边，一瞧见霍桑眼光中难得表演的惊惶之色，便可窥见他心中的不安状态。因此，我也连带地有些惊愕。

霍桑问道："他怎样说？"

汪银林道："他说寿康虽已承认昨夜里到过裘家，却不曾进去，只在后门外站过一站罢了。"

这句话如果头住，事情真有些僵了。霍桑的虚冒，如果证明不实，他在法律上虽不致负责，但这事落在许墨佣眼中，他的名誉上的损失却已无从挽救。但霍桑仍保持着镇静，似还不觉得我所料的如此严重。

他说道："那梁寿康这样说吗？但单凭一句话，未免太觉空洞，怎可以轻信。"

汪银林道："他却说得凿凿有据的。他说他咋夜在光启路一个姓钱的朋友家里饮汤饼酒，散席时已十一点钟。他回厂以前，忽想到那里离他的舅舅家不远，打算便道去拜访。他走到后门口时，忽而一阵心泛，仿佛要呕吐的样子。他觉得他因多喝了几杯酒，肚子里不舒服，并且时候已晚，他便改变本意，不进去见他舅舅。他下石阶的时候，站立不稳，当真在泥潭里踏了一脚。据说这也是他因着有些醉意的缘故。他如果当真进去，总要按铃，里面总有铃响，仆役们也应当瞧见他的。他说这一点尽可向仆役们调查，以证明他说的话不虚。"

霍桑低垂了头，右手执着他的草帽，当扇子般地缓缓挥动，却不答话。我默念寿康的供词，可能性的确很大，我仍不能不替霍桑的名誉担忧。

霍桑默想了一会儿，突然抬起头来："好，我们到里面去谈。玲凤不是还在等我吗？"

汪银林道："伊等得好久了，好几次伊要回去，我们总留阻着。"

霍桑道："你们可曾向伊问过什么？"

"张巡官曾问过几句，但伊的答语，除了先前伊在家里所供的以外，并没有别的新的事实。"

"刚才你和许墨佣在电话中的谈话，伊可也知道了吗？"

汪探长摇摇头："这却没有，电话在办公室中，伊坐在外面客室里，听不到的。"

霍桑不再说话，首先向里面走去，汪银林却反跟在他的后面。我们走过了天井，便望见正中一间客室，排着一张西式的餐桌，桌上盖了一条不很洁净的台毯，两旁排列着几张西式有靠背的椅子，颜色也很黯淡。那袭玲凤就坐在餐桌的一边，右手支着头，面孔却朝着里面，似在那里瞧板壁贴着的总理遗像和"天下为公"的纸额。

霍桑走进张子新巡官的办公室中时，张巡官立起来迎接。霍桑和他寒暄了几句，便请他和裘玲凤进来。那办公室的空间很窄小，这时又在午时过后，天气闷热异常。我因此拣了一个近窗的座位，自顾自坐下。我自从清早出外，枵腹从公，此刻虽已过了午膳时分，却仍没有饥饿的感觉。因为我的精神完全贯注在这件疑案上，恨不得立刻查明这里面的真相，解释我胸中的疑团。因此我身体上的饥饿，竟像失了感觉。

一会儿，裘玲凤已跟着张巡官姗姗地走进来。霍桑很客气地向伊鞠了一个躬，请伊坐下。玲凤虽也照样答礼，但伊坐定以后，仍像先前那么低垂了头，显出一种又像畏惧又像冷淡的样子。霍桑和伊的座位距离最近，其次就轮到我。那汪银林和张子新却坐在办公室的北面窗口。这明明是霍桑授意的，使他们坐得远些，以便减少些伊的疑忌，说话时可以自由些。不过伊的话，他们也同样听得到的。

霍桑用一种很诚恳的声浪，向伊说道："裘小姐，我很抱歉，此刻累你到这里来，又使你等候了这许多时候。不过，我并无恶意，并且我如果能力所及，还打算设法成全你。这一点必须请你谅解才是。"

那玲凤仍穿着那件细夏布黑镶边的顾衫，背向着南窗，眼光却凝注在地板上面。伊略略把头抬了一抬，一双含愁的美目，向霍桑瞟了一眼，接着，伊仍恢复了伊的低头状态。

伊低声答道："霍先生，我很感激你的好意。我还不明白，你所说的'成全'，是指什么说的。"

霍桑几句开端的话，原是很含混的，不料这女子的口齿很老，并不吐露什么。因此，我料想霍桑在这一次谈话上，希望一定也不会怎样大。

霍桑顿了一顿，才道："你还不明白？据事实上推想，你对于这案子的嫌疑很重。裘小姐，你自己难道还不觉得吗？"

这句话似乎使伊的身子震了一震，但伊仍不抬头。

伊反诘道："我有嫌疑吗？什么嫌疑？"

霍桑向伊瞟了一眼，答道："我以为你是很聪明的，又受过教育，所以希望你能自动地开诚布公，那或许可以把你自己从嫌疑中解放出来。现在你既然不肯明言，我也不能不费些口舌了。裘小姐，据一般人推测，你实在有行凶的嫌疑。"

裘玲凤突地仰起头来。伊的执白手巾的右手，本来安放在伊的膝上，这时忽也举了起来，急急地按到伊的嘴上去。伊的瘦损的面颊，也变得灰白异常。伊向霍桑呆瞧了一下，方才答话：

"霍先生，这是不是笑话？我怎会谋害我的父亲？"

霍桑仍很安静地答道："这句话看来好似突兀，但说这句话的人，对于事实和动机，却是都有根据的。"

"什么根据呀？"

"从事实方面讲，你是第一个发觉这案子的人。根据当时的情形，你尽可以上楼去行施了凶谋，然后回下楼来，到房里去发声呼叫。因为那时候楼上只有那个瘫子，楼下的人都已睡着。你的卧室虽和你的外祖母毗连，但厢房中有长窗可以出入。你的行动只需秘密一些，就尽可以自由而不受阻碍。"

裘玲凤的头又低沉着，静默了一下，似在考虑什么相当的答辩。

伊强笑道："这真是想入非非了！我为什么要干这种可怕

的事？"

霍桑道："那也有根据的。据调查所得，你并不是他的亲生女儿。他和你的感情也不很好，并且他是一个纵欲无度的色鬼，你又曾给过他一张照片。"

伊的头抬起来了，身子突地一震，仿佛要立起来的样子，又好像没有气力。接着，伊忽乱摇着两手，用一种哽咽的声音，阻止霍桑的话：

"霍先生，你不要说了。这些话实在太可怕！我并没有干这一回事。老实说，我虽怨恨他，但实在没有这样的心思，更没有这样的胆力来干这可怕的事情。霍先生，你能相信我的话吗？"伊说到这里，语声中带着哭声，伊的眼圈一红，几乎要流出泪来。

霍桑便乘机表示他的同情，他作安慰声道："我可以相信你，并且也料想你干不出这种事来。不过在眼前这种情势之下，我虽有成全你的意思，却也觉得爱莫能助。"

伊似得到了一些希望，揉了揉眼睛，急忙道："你既然相信我，怎么不能给我洗刷一下？"

"我很抱歉。你想，你自己既然不愿意洗刷嫌疑，我怎能够代你洗刷呢？"

"霍先生，这句话什么意思？我怎么不愿自己洗刷？"

"你自身既处于嫌疑地位，却又把谎话骗人。我现在所以请你到这里来，原想给你一个洗刷的机会。但据张巡官告诉我，你又咬定牙关，绝对不肯说一句实话。在这种情势之下，你想我又用什么方法成全你呢？"

裘玲凤的下颔，又差不多接触了伊的胸口，伊的颤动的两手，似在用力拉扯伊手中的那块白巾。我以为霍桑这一种反逼的计划，也许有成功的希望了。可是我们静悄悄地等了一会儿，伊仍旧没有表示。

霍桑仍操着柔和的语调，说道："裘小姐，你总应明白，眼前这一种僵局，完全是你自己造成的。你为什么把谎话骗人而不肯实说呢？譬如你告诉我们，你从睡梦中听得了楼上的呼声，方才爬起来呼叫，实际上这句话你只能哄骗不懂人事的孩子。我们知道你舅舅的呼声，只像梦魇般的喘息，绝不能惊醒人家的睡梦。即使那声音能使你惊醒，你怎么会立即联想到楼上已发生了凶剧，因而就骇呼起来？这都是情理上讲不通的。况且你那时穿得整整齐齐，更不像是从睡梦中惊醒而仓促爬起来的。你想你所处的地位既很危险，发案以后，你又用谎话掩饰，又怎能禁人家怀疑你呢？"

玲凤的头虽仍低着，但我因和伊的距离不远，可以瞧见伊的额角上满缀着细细的汗珠。伊的白巾又按到了嘴上去。伊的隐隐隆起的胸口，也起伏得很急，可见伊精神上所受的刺激，这时已到了最紧张的高度。

霍桑继续说道："裘小姐，我已说过，我是有意成全你的。人家虽已拟定了你犯罪的推理，但因着我的反对，还不曾有过什么直接的行动。不过你此刻若想脱离这种危险的局势还来得及。你得利用这最后的机会，洗刷你自己的罪嫌。"

伊又顿了一顿，才道："我自己怎样洗刷呢？"

霍桑忙应道："你但须把经过的事实，开诚布公地说明白，那你就可以把你自己从嫌疑的罗网中解放出来了。"

伊又想了一想，忽作坚决声道："好，我也顾不得别的了！我来说明了吧！"

伊的供述

有好多人，都把"机巧"和"诈伪"，看作同一性质。因此，他们常批评当侦探的人，人格无论如何高尚，但在侦查的时候，到底免不掉"欺诈"行为。例如霍桑这一次和那女子谈话，口口声声说人家怀疑着伊，推测伊怎样怎样，他却对伊表示同情，相信伊并不如此。其实这完全是虚伪的。霍桑所说的人家，明明就是他自己。不过这不能说是霍桑的"诈伪"，却只能说是他的"机巧"。因为诈伪是用以行恶的，在法律上和道德上都有责任；机巧是用以克恶的，不但法律上没有责任，在伦理上也无所欠亏。所以霍桑平日的言行，虽处处光明磊落，但在探案时却又虚虚实实，兔起鹘落，不容易叫人捉摸。

那玲凤又经过了一度静默，开始说道："霍先生，我现在觉得我当真是错误了。不过这里面难言的隐痛，说出来不但伤害我寄父的名誉，连我自己也觉得十二分羞愧。所以我若非迫不得已，这种事我实在不愿出口。我先前所以说谎，你总可以原谅我吧？"

霍桑点了点头。我也仿佛受了暗示，又像引起了不自觉的同情，竟也不必要地同样点了点头。

裴玲凤又道："现在我不能不说了。我的寄父虽是抚养我长大的恩人，但我头在不能不说他的行为未免不端。他生平不知糟蹋了多少女子。现在他年纪虽老，童性还未减退，他所以不满意我，也就因为我在这一点上不满意他。我之所以至今容忍在他的家庭之内，就因为求学的缘故。我是一个孤零无依的人，现在已在师范二年级，若能再过两年，我得到了自立的技能，那我就打算脱离这黑暗的家庭。"

伊低沉了头。伊的语声从惊恐而变为凄楚，足以引起人们强烈的同情。

霍桑说道："莫非他也有过欺侮你的举动吗？"

伊答道："正是。他的确有过这个意念，我始终抗拒着，不过我又不敢公然和他决裂。这就是我所觉得最痛苦的。"

"那么，你怎么会有肖照赠给他呢？"

"不，那照片并不是我给他的，却是他自己抢去的。"

"但照片上你还写着'凤赠'的字样啊。"

"是的。这照片我本想寄给——"伊忽又把白巾在嘴上一按，又顿住了不说。

霍桑接嘴道："寄给另一个人吗？"

伊仍默然不答，伊的头低落得更厉害了。

霍桑又道："寄给谁呀？是不是寿康？"

伊又疑迟了一下，才鼓勇似的说道："不是。我本想寄给海峰哥哥的。"

"唉，你和海峰一定有好感了。"

伊又仰起头来，纠正道："这也不是。霍先生，你不要误会。我们也没有特别的情感。他曾向我讨过照片，我虽应允了，却一直没有照片给他。去年秋天我校里出版校刊，我摄了一张照，添印了一张，才打算寄给海峰，却不料在封寄的当儿，被我寄父抢去。所以这张照片实在没有什么关系，请先生不要误会才好。"

霍桑点了点头，仍瞧着伊的脸说道："那么，你和寿康的感情究竟怎么样？"

玲凤毫不犹豫地答道："我和他并没关系，更无感情可言。我知道他是一个没有人格的男子。他也曾一再诱惑我，我非常恨他，却又非常怕他，因此，我在表面上也不敢和他决绝。"

"为什么怕他？"

"他是我寄父唯一的亲信人。他有什么意思，我寄父总是言听计从的。我既然要在寄父家里生活，又怎敢去触犯他？"

"你可知道你寄父为什么如此信任寿康？"

玲凤惨白的面上似微微泛出一丝红色。伊带着冷涩的声音说道："我寄父糟蹋的女子，都是他做引线的。那后门上特别装设的电铃，也就为着这个缘故。有时他半夜里引进什么女子，就利用着那秘密的电铃。昨天夜里我也瞧见他鬼鬼祟祟地——"

霍桑的身子忽然情不自禁地挺直了。他的双目一闪，两条眉毛高高地挑起，嘴里也禁不住发出惊诧声来：

"你昨夜里也瞧见他的？他可是鬼鬼祟祟地进你寄父家里去？"

"不是，我瞧见他鬼鬼祟祟地从寄父家里出来。"

"唉，出来也好，那没有什么出进。"这时霍桑的语声充满了惊喜，"好，裘小姐，这回事你也须说得明白些。"

我觉得霍桑不但声调中充溢了热力，连他的平日深藏的感情也在他脸上流露出来。他的难得震撼的镇静的神态，也发生动摇了。他的目的分明要证明昨夜里梁寿康确曾进过裘家的屋子，所以不论伊瞧见他的进去或出来，都足以满足他的热望。因这一点，可见寿康刚才向许墨佣的供词，又属虚伪，而霍桑先前的料想却并无错误。好啦，霍桑的信用既然可以保全，我也仿佛放下了一副重担。

玲凤又坦白地说："霍先生，我索性说明了吧。昨夜的事情是这样的：晚饭以后，我自己写好一张暑期中补习的课程表，到了十点半相近，才熄灯安睡，但因着天气炎热，一时却睡不着。睡了一会儿，我忽听得外祖母呼叫赵妈。伊说伊听得楼梯上好像有人走动的声音，所以叫赵妈开了房门出去瞧瞧。一会儿，我又听得赵妈的回话，并无异状。但我外祖母似乎还不相信，自己开了门呼唤林生，却喊不应，伊才回到床上去。我便料想外祖母听得的脚步声音，谅来不虚，一定又有什么女子悄悄地上楼去了。不过这种事我外祖母是向来不知道的，我自然也不敢表示什么。

"我是睡在楼下的西厢房中的。我从窗中向对面楼窗上一望，灯光耀目，显见我寄父还没有睡。同时我又从窗中瞧见一个半身的人影，却并不是女子。因此，我觉得有些奇怪。我悄悄爬了起来，穿好了衣服，打算瞧一个清楚。我坐了一会儿，不见动静，但对面窗上的灯光，依旧亮着。自从三十号夜里出了那件事情，我心中实在有些害怕。那时我枯坐了一会儿，明知楼上有一个人，却不知是谁，又不知正干着什么事情。我的好奇心已动，我便悄悄地开了厢房中的长窗，走进天井里去。我仿佛觉得楼上有谈话声音，却又听不清楚。我那时不知不觉地进了客堂，走到了屏门背后的楼梯脚下，想上楼去窥探一下，楼上究竟是谁。因为我对于三天前的白色怪物，明知是人，也想不出是谁，故而很想瞧一个明白。那时我忘了危险，竟想轻轻走上楼去。我刚才走上了两级，猛听得楼梯头上有轻微的脚步声音。我吃了一惊，急忙退下，打算逃回自己的房间里去。可是我在离开梯脚的时候，明明见寿康站在楼梯的转折之处。

"我的举动委实是有些冒险的。当时我急急逃出了客堂，也顾不到自己是否已被寿康瞧见。我逃进了我的厢房以后，又

急忙把长窗关住。我虽知寿康在这样的深夜到来，一定不会有
什么正经事情，以为他还是干那无耻的勾当，但实在想不到他
竟会干这样的事情。"

伊说到这里，伊的神色和声音，都表示出伊的心中还有余
悸。伊当时的惊恐情状，便也可以想象得出。

霍桑闭了嘴唇，似乎努力控制着他的情感。他作安静声问
道："你想昨夜的事，就是寿康干的？"

玲凤道："也许是的，不过这话我还不敢确定。我只说他
对于这件事总有关系。"

"当你瞧见他时，有没有瞧清楚他的面貌？"

"瞧清楚的，一定是他。"

"我想那时候楼梯上不见得怎样光明，你能确信不会有误
会吗？"

"我相信没有误会。那时楼梯转折处的电灯虽没有开亮，
楼梯的下半部果然黑暗，但楼上中间里的电灯明明开着，所以
那楼梯转折地点，也有些亮光。况且我是从黑暗处向上瞧去，
所以我认得出是寿康无疑。"

"他穿什么衣服？"

"一件深色的长衫，头上戴一顶草帽。"

"你说你见他站在楼梯的转折之处，他有没有动作？"

"我只见他站着不动，好像他正向楼梯上望着。但那时候
我只有一瞥间，立即退回，当然不能够瞧得怎样仔细。"

"你回房以后，可曾再瞧见他？"

"没有。我吓得不敢出房。"

"那么，你刚才怎么说瞧见他出来的呢？"

裘玲凤略顿一顿，答道："当我打算上楼的当儿，那转折

处并没有人，不一会儿才听得上面的脚步声音。我回下来时，抬头一瞧，才见他站在那里。因此，我料想他是从楼上下来。你刚才问我曾否见他进去，我自然告诉你他出来了。"

"你可曾听见他出去时的开门声音？"

"也没有。"

霍桑点点头："好，你回到房中以后又怎么样？"

"我那时受惊之余，一时匿伏着不动。当然也睡不着。不多一会儿，我便听得楼上的怪声响。"

"怎样的怪声响？"

"起先，我寄父喊'哎哟'之声；接着，我又听得像有一只椅子倒在地上，又有重物倾倒的巨响。"

"你听了这些声音之后，有过什么动作？"

"我吓得兀自发抖。我曾低低地唤叫外祖母。伊已经睡着了，并没回音。我仍旧不敢出房去，不一会儿，我又听得楼上舅舅的呼声。我才知道已发生了什么事变，便不顾危险，大声呼叫起来。接着，我听得海峰哥哥已从对面的次间中出来，我才敢开了次间的门，向他报告。其实我那时也报告不出什么，但举着手向楼板指了几指，叫他上楼去瞧。那时林生也披了短衣起来。他们俩便一块儿赶上楼去。"

这动人的叙述，到这里已告一个段落，霍桑便缓缓地立起身来。他走到了北窗口汪银林和张子新的座处，便站住了和他们低声谈话。我也默默地考量霍桑和玲凤的一番问答。据玲凤所述的经过事实看，如果伊所说的不虚，那梁寿康的嫌疑，的确很重。他第一次在厂门口谎说昨夜不曾出厂；后来又供认只到过裘家的后门口，不曾进去；现在经玲凤的证明，分明他已两次说谎。他为什么一再说谎？那岂不是干了什么亏心事的明证？根据玲凤说的话，他当时确有行凶的可能。那么，这案子的凶手，果真就是他吗？

霍桑又回到南窗口来，把身子靠着椅背，站住了继续向玲凤问话："你说寿康和你寄父的感情素来很好，但近来他们俩可曾有过破裂的事情？"

伊沉吟了一下，答道："这个我不知道。他们在表面上并无这种事情。但内幕中究竟如何，我却无从知道。"

霍桑又道："还有一点，我知道在这件凶案发生以前，屋中曾闹过两次鬼怪。你对于这事有什么意见？"

"我绝对不相信有什么鬼怪。我早说过，一定有什么人在暗中作弄。"

"正是。你怀疑什么人呢？"

伊作迟疑声道："我没有成见。但今年春天那一次事情，我记得寿康恰巧住在楼下。"

霍桑点头道："不错。你可是疑心他吗？"

"不是，我的意思，当怪事发生的时候，屋中恰有外客留住，那未免凑巧。就是三十日那天晚上，我寄父的朋友伍先生，也同样住在楼下。"

"你对于这个姓伍的人有没有意见？"

"没有。这伍先生难得到南边来。他是一个商人，行为好像很正经。"

"除此以外，你可还有什么意见没有？"

"没有了。不过我有一个请求。我的这一番话，最好请先生守着秘密，至少不要说明这报告的来由。因为我实在是怕寿康的。"玲凤随即怯弱地立起身来。

"这个不成问题，你尽管放心。现在他再不能利用你寄父来压迫你了。"

霍桑在送玲凤出去以前，还附带问几句关于日晖和日升弟兄间的事情。据伊回答，也和霍桑从陆春芳嘴里探得的消息相同。那日晖是在去年六月患伤寒而死的。那时日晖本害着伤寒病，躺了两个多星期，忽然标金上起了风潮。他因着标金买卖上重大的损失，急了一急，病势立即变化，就丧了性命。至于往日里弟兄间的感情本来很好。伊又说日晖的品行比较端正，虽也鳏居已久，比较日升的纵情女色，却彼此大不相同。

玲凤既去，霍桑便和汪银林商量进行的步骤。

汪银林说道："据这女子所说，那梁寿康的犯罪事实已很明显。不过有一个先决问题，就是这女子的话，这一次是否可靠，仍不能不加以考虑。"

霍桑忽作坚决声道："这一层我可保证的。你岂不觉得刚才伊说话的声浪态度，和前一次完全不同？你们也许坐得远些，不能怎样仔细，但我的老友包朗，就坐在伊的近旁。我想他一定也能够给伊保证。"

我点头道："正是。伊前一次谈话的时候，兀自低垂了头，目光不敢和人家平视，并且答话简短，只恐怕露出破绽的样子。此刻我完全不见伊有这种可疑的态度。我相信伊的说话的确真实可靠。"

汪银林道："既然如此，那梁寿康已无可逃罪。如果他再不承认，但须叫伊来对质一下好了。"

霍桑却又皱着眉头，微微摇了摇头："这个结论，我以为还嫌过早。我们应得先向他彻底地究问一下，再定我们的结论不迟。"

张子新巡官插嘴道："那么，可要我打一个电话给许署长，叫他暂缓移解，以便先生们亲自去问供？"

霍桑点点头道："很好。你和他约定一个时间，三点钟我们准到他署里。现在我们忙了半天，对于五脏殿连一接二的警告，势不能再置之不理了。"

义务辩护

我们在餐馆中饱餐既毕，已经是两点半钟。我因着案子将近解决，精神既有所集中，胃纳因此大打折扣。霍桑的食量，也似比往日减少了些，只有汪银林一人，大吞大嚼，胃口特别健旺。他挨饿了两个钟头，胃中的需要既急，这时自然不得不加倍补充了。

那时餐馆中已经落市，食客很少。我们所坐的一间小室，靠近窗口，壁角里又放着一只电扇，安静凉爽，很便于我们谈话。我们谈话的题目，当然仍不出凶案的范围。汪银林坚持着梁寿康犯罪的成见，霍桑虽不反对，但也没有赞同的表示。他的意见，以为行凶的动机尚须侦查，而事实方面，还有那根火柴，也还不能关合。汪银林却认为都可解答，对于动机方面，以为寿康也许出于谋财，支票的冒领，就是一个明证。至于那根火柴，他认为也许人家偶然遗留，在凶案上并无关系。霍桑也不深辩，只承认这少年是这案子的中心人物，握着全案的秘键，如果他能吐实，这案子立刻可以破获。接着，我们就离了餐馆，一同往南区警署里去。

我们到署里的时候，许墨佣不在署里。据那个值日的叶警佐告诉我们，他因着西区里的报告，关于那个提款子的黑肤圆脸的矮胖子已有下落，所以亲自赶去调查，不久就可回署。我们如果不能等待，尽可先向梁寿康究问。霍桑问起这梁寿康到署以后，曾否有过别的供词。叶警佐回答没有，并说他的态度非常强硬，仿佛有恃无恐。霍桑和汪银林谈了几句，便定意把梁寿康先传进来问话。

那梁寿康的态度果然非常强硬。他走进署长的办公室时，两手插在柳条白法兰绒的裤袋中，斜侧着头，挺着胸膛，又沉着脸儿，显一种凛凛可畏的神气。我暗忖在这种情形之下，若希望他能吐露真相，那未免吃力。所以霍桑这一次谈话，有无结果，委实难言。他在霍桑对面的椅子上坐定，一双凶狞的目光，直射在霍桑的脸上，仿佛要将霍桑一口吞下肚子的样子。我暗想这少年刚才不知利害，曾想用武，看他此刻的态度，却仍有用武的可能，我倒不能不防。霍桑仍显得镇静如常。他的眼光中似乎绝不察觉寿康的凶狠神气，更不顾虑他再会动武。

霍桑摸出一支白金龙来，自顾自地缓缓吸着。汪银林也从一只皮匣中抽出了一支粗黑的雪茄，陪着霍桑吸烟。我受了这种诱惑，自然也不能例外。因着我们三个人连着进行着吸烟工作，反把那少年冷待下来。他的凶狠狠的神气，既不能得到我们的理会，失却它的作用，反有些英雄无用武之地的倾向。

浓密的烟雾，在办公室中弥漫着，却没有一个人说话。

我见梁寿康摸了摸他的光亮而向后梳的头发，又捻了捻鼻子，表示他心中正觉着抓摸不着的痛苦。再过一会儿，他当真耐不住了：

"霍先生，你叫我进来做什么？怎么一句话都不说？"

霍桑慢慢地弹去了些纸烟上的灰，略略抬了抬头，斜着眼角瞧他。

"我本是准备来听你的话的，不是来说话的。"他说完了又垂下了眼光吸烟。

梁寿康婉和了些语声，答道："你要我说什么？我已和许署长说过了。昨夜里我只在舅舅家的后门口站过一站，别的都不知道。假使你一定要诬陷我的话，那也只能听你的便。"

霍桑又缓声说道："这究竟是我诬陷你，还是你喜欢说假话呢？"

"不错，我起先当真说过几句不实在的话。但我所以说谎，就因昨夜里恰巧发生了舅父的凶案，我怕自己牵连进去的缘故。"

霍桑冷笑了一声，又横着目光瞧在他脸上：

"你这句话非常玄妙。你自己说，你说谎想要避免牵连，但实际上你明明在招致牵连。"

"正是，我也明白了这个错误。所以我现在说的，完全是实话了。"

这少年当真是狡猾异常。他的话仍明明完全虚假，他却说完全实在。我瞧他说话时的面色态度，丝毫没有不自在的表示，可见他说谎的能力，确已到了火候纯青的程度。

霍桑仍冷冷地说道："你的话完全实在吗？还是完全不实在呢？"

那少年道："我说是实在的，信不信由你。"

"你除了这句话以外，能不能再换几句说说？"

"我没有别的话可说。"

"没有别的话？还是你不愿意说？"

"你说我不愿，就算不愿好啦。"

"譬如有人以杀人罪对你提起控诉，你也不愿把真相说明而给你自己辩白吗？"

梁寿康生辣的口才，这时忽顿挫了一下，他低了低头，似在思索什么有效的答辩。

他反问道："你打算控诉我吗？我也早准备好律师了。"他停了一停，继续道："不过你要把杀人罪加在人家身上，你也须注意着证据。否则，你单凭着一句话，一般人也许会因着惧怕罪名而屈服盲从，但法庭上的法官，谅来不至于因着大侦探的口谕，而随便改变法律的条文吧？"

霍桑点了点头，唇角上露出一丝笑容：

"多谢你的指示。不过我对于法律条文，也曾约略研究过一下。譬如有了物证和人证，那么，即使你有着三个五个律师，在提出控诉的时候，法官也不至于完全不理睬吧？"

梁寿康突地抬起头，目光在霍桑的脸上闪了一闪，似要从霍桑脸上辨别这句话的虚实。霍桑仍安静如常，除了一圈圈的烟雾缓缓从嘴里吐出以外，面色上并无表示。

梁寿康带着有诧异意味的声浪，问道："什么？你难道有了物证人证？"

霍桑仍淡淡地说道："小朋友，你还算聪明！"

"奇怪！你有什么物证？什么人证呀？"

霍桑把半截烟尾从口中取下，夹在他右手的指缝之中。他一边皱眉，一边仍缓缓答话：

"天气闷热得如此，你的律师又不在旁边，我觉得我的根据此刻还没说明的必要。"

霍桑又恢复了静默的态度。那少年却似乎静默不住，他的傲慢和冷淡的态度，此刻也已起了变动。他的身子在牵动，眼睛中露出异光，神气上也有一种惊诧的表示。我知道这种表示，就是对霍桑所说的人证和物证的反应。

他勉强带着笑容，说道："你的话怪有趣，我倒很愿意听听你说的人证物证，究竟是指什么人和指什么东西呀？"

霍桑仍瞧着地板，答道："我想还是不说的好。你既然抱定主意，又准备着律师，我们还是到了法庭上再说不迟。"

霍桑一再不说，越发增加这少年的内心的不安。他的情虚的表示，更觉不能掩饰。

他催促道："你不妨随便说说。我们如果没有必要，又何必一定要法庭相见呢？"他的话声不但已没有强硬意味，却已带着些恳求的因素。

霍桑把烟尾丢了，曲起右腿，两只手抱住了他的右膝。

他点头道："那也好，我不妨随便说说，你也不妨随便听听。我也不希望你会承认。譬如我说你昨夜到了裘家，在后门的门铃上按了一下。不多一会儿，你舅舅便下楼来开门。你跟着他到了楼上，耽搁了半个钟头。那时你坐在你舅舅书桌旁边的沙发上，还吸过两支纸烟。这些事实，在你看来，不是要说绝对没有的吗？"

霍桑说时，眼光凝注在寿康的脸上。寿康的眼睑忽很急速地眨动了几下。

他强笑道："这些话非常有趣，比小说还有兴味。"

霍桑又不经意地继续说道："正是。你就当小说听好了，那烟灰也曾经验过，是一种舶来的公使牌。这种烟价格很贵，在现在的潮流之下，除了一般奴性深入骨髓的所谓时髦人以外，吸这烟的人，已经不多，所以侦查起来，也比较容易。不过你一定又是不承认的。即使我立刻在你身上的烟匣中搜出了同样牌子的纸烟，你也一定还要说偶然相同。对不对？"

寿康一听这话，他的右手忽机械似的举了起来，在他的外裰袋的外面摸了一摸。接着，他又急急放下了手，又把目光低垂下来，却不答话。

我暗忖这少年的狡猾，究竟还不能算已到极峰。他明明已陷进了霍桑的机槛。因为我知道霍桑的话，又完全是一种虚冒。他何曾把那纸烟灰验过？当时我也不知他怎样会瞧到这少年衣袋中藏着公使牌纸烟，事后他曾和我说明，却又不值一笑——原来他在寿康卧室中搜索衣鞋的当儿，曾瞧见有半罐余存的纸烟。

霍桑又自顾自地说道："后来，当你从你舅父家中出来时，你的举动更有趣了。你走到楼梯的转折之处，停顿了一下。你出后门时，虽然非常慌张，却绝不曾发生什么声响。我又不能不佩服你举动的敏捷。"

霍桑说话的时候，外貌上虽是非常轻意随便，其实他的眼光不时在那少年脸上偷窥，可以证明他的精神上正十二分紧张。

梁寿康控制着他的声浪，答道："霍先生，佩服的话，我应当向你说的。你能构造出这样一段故事，不能不说你脑力高明。"

霍桑忙接嘴道："对不起。我却不能掠人之美。这故事并不是我构造的，却是另一个人说出来的。你总记得我曾说过还有人证啊。"

"那么，什么人说的？"

"有一个眼见的证人说的。"

梁寿康的脸色变异了，两只手好像没处安放，拘挛似的牵了一牵，忽紧紧地握拢：

"眼见的？"

"正是。那人还有别的话，说到你在楼上怎样动作和怎样行凶——"

"什么？说我行凶？"

"是啊。你不是也不承认吗？我想我说的都是些空话。你如果知趣，倒不如自己说说，免得有许多隔膜。不过我并不是强迫你，说不说你尽不妨自己考虑。"

梁寿康的头又低了下去。他的手仍紧握着拳头，不过不是想用武，却表示他心中的焦急和踌躇不决。汪银林也像我一般，始终处在旁观的地位，不曾参加过一句。这时候，他却似找到了发表的机会，开始加入谈话。

他作劝告声道："我想你还是老实说明了吧。你的行为已查得明明白白。现在你虽逞着利嘴，想要掩饰逃罪，实际上无非使你自己陷落得更深一些。你不如索性开诚布公地说明了，倒还有减轻你的罪责的希望。"

梁寿康的心思果真有些活动了。他咬了一会儿嘴唇，一度抬起头来，像要披诚实说的样子，但他到底犹豫不决，没有这个勇气。我也觉得牙痒痒地忍耐不住，也想打几下边鼓，使他急速剖白，以便我们可以明了这案子的真相。不料这时候忽起了一个岔子，我的边鼓终于没有打成。

那许墨佣署长忽气喘流汗地赶进来。他一见我们，略略招呼了几句，便旋转身去，怒睁着双目，向梁寿康吆喝："好家伙，你干的好事！我险些上你的当！"接着他一边抹着额汗，一边向霍桑点头："霍先生，你的眼光果真厉害。他真是凶手，动机就在谋财！这案子已完全没有疑惑了！"

霍桑立起身来，先静静地向许墨佣瞧了一会儿，又回头向梁寿康瞧了一眼。接着，他忽又鞠躬似的弯了弯腰：

"署长，我很抱歉。你说这案子已没有疑惑，我却愚蠢得很，此刻反而有些疑惑起来了。"

许墨佣呆了一呆，反问道："这句话什么意思？"

霍桑道："刚才我请你拘捕他时，确曾说过，他有行凶的嫌疑。现在我对于这句话，却自己怀疑起来了。"

"你怀疑什么？"

"我观察这位梁先生的神色态度，觉得我先前的见解，也许错误。他不像是案中的真凶。"

许墨佣作诧异声道："奇怪！你莫非故意和我开玩笑？我起先不曾疑他，你却说他行凶；现在我已侦查明白，给你证实了你的推理，你偏偏又给他翻供。不过我已得到了确切的证人，此刻已拘在外面。那证人已完全供明，恕我不能和你表同情了。"

我也暗暗诧异，霍桑又怎么故持异议？我瞧瞧寿康，脸上的血色褪尽，一双圆睁的眼睛，也换上了另一套光彩。他瞧瞧霍桑，又瞧瞧署长，似想分辩，一时又不知怎样开口。

霍桑向许墨佣道："你说那拘到的证人，不是那个到银行里去提款子的人吗？"

许墨佣道："正是。这人叫孔联奎，就是福华纱厂里的推销员。"

梁寿康忽而立起来，两肩一耸，脸上顿时罩了一层灰色，仿佛他在盛热之际，给人浇了一身冷水。他的嘴张了一张，像要呼叫，却没有声音叫出来。

霍桑反似没有瞧见他这变异的状态，仍自顾自地向许墨佣问话。

他道："那孔联奎怎样说呢？"

许墨佣道："他已完全供认，提款的事是他干的，但完全是出于这寿康的指使，他只处于被动地位。"

霍桑点了点头，似正要找别的问句，汪银林忽禁不住地插嘴：

"我还有些不明白。这究竟是怎样一回事？"

许墨佣道："今天清早，那孔联奎还没有起床，寿康忽赶到他家里去，拿着那张一万五千元的支票，叫他到信丰银行里去提取现款。那时还只五点三刻光景，距离银行的办公时间还早。但寿康连续地催迫，好像急不可待的样子。孔联奎当时觉得寿康既然代替他舅舅提取款子，为什么再转叫别人去提？并且他急迫的状态，也不能不使人怀疑。不过孔联奎和他同事，情不可却，他又一再央求，情势上不容不允。他到银行里的时候，还只八点三刻。等了一会儿，银行的职员到了，他就第一个进去兑现。那支票的兑取，并无留难。孔联奎取了钞票出来，走到银行门外，这梁寿康已在门外守候。于是联奎就立即将钞票移交，寿康还给他一张十元的钞票，当作酬报。以后他们就彼此分手了。"

汪银林连连点头，表示出充分领悟的样子。接着他回过他的肥胖的脸，瞧瞧寿康。寿康却垂头丧气地站着，仿佛一个死囚已到了刑场，准备一死，完全放弃了求生逃罪的希望。

汪银林道："如此看来，这少年的犯罪行为，已丝毫没有疑惑，我们的侦查工作，也可以告　个段落了。"

许墨佣附和道："原是啊，霍先生，你的意思怎样？你如果再有什么怀疑，我不妨把那孔联奎传呼进来，叫他当面对质一下。"

霍桑缓缓答道："你如果说他冒领款子的处分已经成立，我完全赞同。不过你若说造成这凶案的，也就是他，那我仍不能放弃我的怀疑。"

许墨佣作不耐声道："你说行凶的不是他吗？难道这一万五千元的巨款，你以为还不能做他行凶的动机吗？"

霍桑道："你说的动机太显明了。这案子的动机，一定比这个还深秘得多。并且从事实方面着想，他也不像是行凶的真凶。"

许墨佣似因着霍桑的辩护，处处反对他的见解，又不禁动了肝火。我见他额角上的青筋又暴露了，须角也翘了起来，分明又待发作。这时出我意料地，我看见梁寿康的胸腔一挺，忽而抢声高呼：

"霍先生，你的话真对！我实在不曾行凶。那个谋杀我舅舅的，就是那个白衣怪物！"

这怪物是谁

梁寿康的突如其来的供认，在当时果然使大家吃了一惊，但经过了一度的思索，便觉得这句话只能供一时的惊异罢了，一经细嚼，又觉得真实的可能性很小。就我的主观而论，他的话明明像托词卸罪，又像是因着霍桑的暗示引出来的。霍桑既自动地给他辩护，他也自然乐得乘顺水船了。这怀疑的态度，许墨佣似比汪银林更明显。他旋转去向梁寿康细细一瞧，发出一阵冷笑。

他道："你真聪敏！你说那凶手是一个白衣怪物？哈哈，既然是怪物，当然是无影无踪，不可捉摸的。对不对？"他说完了话，又跟着一阵冷笑。

梁寿康忽声色俱厉地答道："真的。我知道因着我先前说谎，此刻你们不会信我。不过我可以宣誓，我的确瞧见那个怪物。我舅舅一定是被那怪物谋死的！"

霍桑不等许墨佣再说，便抢着接嘴。他向梁寿康道："你不必过虑。只要你说实话，不必怕人不会相信，更不必怕不能减轻你的处分。"他又瞧着许墨佣和汪银林二人说："我们大家坐下来。署长，你再耐一下子。无论你的见解怎样，姑且听听他的故事再说。"

于是一分钟后，我们四个人都勉强坐下来，只有梁寿康依旧站着。再过一会儿，他的离奇的故事便开场了。

他道："我错误了，现在已后悔莫及。不过我的错误，并没有犯罪意味，动机完全出于怕被牵连的缘故。我对于我舅父的凶案，实在丝毫没有关系。所以在这一点上，我依旧是理直气壮的。"

许墨佣把左手挥了一挥："天气这么热，谁耐听你的这些鬼话！"

霍桑又说道："你但把经过的事实说明好啦。"

梁寿康点点头，说道："昨夜十点钟后，我从光启路钱家饮了汤饼酒回厂。我舅父忽打电话来，叫我当夜到他家去商量一件要事。他还叫我行动上秘密些。因此，我换了一件深色的纺绸长衫，重新从厂中出来，赶到乔家栅舅父家去。那时已十一点钟。我按了按门铃，果真是舅舅亲自下来开门的。到了楼上，他和我细细谈话——现在我也顾不得别的，不妨老实说吧。他告诉我，我的表兄海峰已从北平回来，曾和舅舅商量，要到法国去研究美术。这一笔留学的费用很大，我舅父不肯担任，但他又不便向表兄说明。他的银行的存款，还有一万六千多元，深恐被表兄知道了不能推辞，所以叫我去代他把款子提

出。如果表兄知道了，他可以推托在公债上蚀去的。我对他这
个请求，自然义不容辞。当下他签好了支票交给我，我们又谈
了几句，我照样悄悄地出来。不料那怪事就在这时发生了！"

梁寿康顿住了不说。他的目光凝定着，面颊上的血色也顿
时褪尽，仿佛他的脑海中已幻出一种恐怖。汪银林似一心一意
地倾听着。许墨佣却皱着双眉，显得他十分不耐。霍桑瞧着那
少年的脸，也似全神贯注的样子。

他问道："怎样的怪事？快说下去。"

梁寿康道："我下楼时，我舅父本来陪我下去关门的。我
走在前面，舅父跟在后面。我们刚才走出他的房门，踏进客堂
楼的中间，忽觉一阵午夜的凉风从南窗里进来。我见舅父的身
子一缩，身上似乎着了冷。他本来很保重身子的，那时他身上
穿一身云纱衫裤，确很单薄。他站住了，附着我耳朵说了一
句：'你先走，我去披一件衣裳。'他回房去，我依旧前进。我
穿过了中间，在楼梯头上略站一站，还不见我舅父出房。这时
我心中忽然起了一种莫名其妙的恐怖。我虽然并无所见，不过
当我一步步走下楼梯的时候，身体上忽感受一种阴森森的寒
气。中间里电灯本来亮着，上半部的楼梯照得很亮。因此，我
走到楼梯的转折所在，便站住了，打算等舅舅一块儿走。那时
我回头一瞧，还不见舅父下楼。正在这时，我旋转了身子向楼
梯上一望——哎哟！我……我瞧见了那可怕的怪物！"

他的话又顿住了。他的面部白得可怕，他的股部抵住书桌
的边，他的失血的嘴唇也微微颤着。

室中完全静寂。大家都敛神倾听，没有一个人发话。沉寂
中我但听得窗外群蝇在闷热的空气中嗡嗡歌唱。

一会儿，梁寿康颤声继续："这景象真可怕极了！不论那

怪物是人是鬼，在那个当儿，有那种景状突然接触我的眼睛，我实在再忍受不住。我当时不曾发声骇呼，不能不算我还有定力。我不再犹豫，立刻奔下了那下半部楼梯，急忙忙从后门逃出。我走到凝和路口，立即雇了车子回厂。以后的事情，我完全不知道了。"

大家又静了一会儿。我们四个人似乎都抱着礼让态度，不愿抢先开口。过了一会儿，这静默终被霍桑打破。

他问梁寿康道："你瞧见的那个怪物，究竟是什么形状？"

梁寿康道："一个浑身白色的人形，瞧去似乎很高大！"

"这人形是男是女？穿什么衣服？"

"这个难说。我但觉那怪物仿佛穿一件长袍，自肩部到脚踵，完全白色。"

"你曾否瞧见这怪物的面部？"

"这也没有清楚。我但觉他的面部也完全雪白，只有两个黑色的眼洞。但我那时实在不敢细瞧。"

霍桑低头沉吟了一下，又道："那怪物在什么地点？"

寿康道："在楼梯头上的那扇小门口里。"

这一句话一进我的耳朵，忽似有一种什么东西触动了我一下，但我来不及发话，霍桑已继续发问：

"可是那扇通紫珊卧室的小门吗？"

"正是。"

"在门口的外面，或是里面？"

"在里面。"

"那怪物有没有动作？譬如走进门里去呢？还是从门里出来？"

梁寿康又伸手在他头上摸了一摸，答道："这个我也不能说。但那怪物既然面向着楼梯，似乎从里面出来。"

"你不曾见那怪物有什么动作吗？"

"我没有瞧清楚。因为我一瞥之间，大吃一惊，便不敢再瞧。接着，我就下了楼梯，从后门里逃出来了。"

这时梁寿康又顿住了。我觉得他这一番话，从他的声音和状态上推测，可以保证不再是虚伪。因此，我的意识中立刻成立了一种推理。我又瞧霍桑和汪银林的神情，分明也都已接受了这少年的故事。只有那许墨佣一人，仍抱着冷淡和怀疑的态度。

他冷冷地瞧着寿康道："你的故事怪动人。不过你要人家完全相信，还须精细地补充一下。你既然瞧见了那怪物，怎么不立刻报告警署？并且案发后的早晨，海峰曾打电话给你，你依旧守着秘密，却反悄悄地叫人去提款。直到汪先生到厂中来见你，你还是假作痴呆。这种矛盾的事实，你难道想骗过我吗？"

梁寿康连连点头道："我承认的。这实在是我的错误。一则，我觉得这件事情非常诡秘可怕，我既怕牵连，自然不敢自动声张。二则，我自己一时糊涂，打算把舅舅交托我的款子暂时保管，然后再见机行事。所以我更不便把这事情宣露出来。不过我对于这笔款子，也不是存心吞没。我已把这款子改存了东华银行，仍旧用着升记的名义，便可表明我的心迹。至于这件凶案，我委实丝毫没有关系。请你不要误会才好。"

许墨佣仍冷笑道："你说得好冠冕啊。我不能不佩服你的口才。"他又旋转头来，瞧着霍桑："霍先生，你的意思怎样？"

霍桑在手表上瞧了一瞧，又把腰肢挺了一挺。

他答道："我觉得他的故事确有考虑的价值。"

许墨佣道："你莫非以为他的话果真实在？行凶的真是什么白色怪物？"

霍桑皱着眉头，淡淡地答了一句："也许如此。"

许墨佣催促着道："那么，你能否说得更切实些？那白色怪物是谁？"

霍桑缓缓摇头道："抱歉得很。这问题我此刻还不能回答。"他说完了便立起身来，准备动身的样子。

许墨佣也跟着站起来，一边答道："好，我现在把这少年移送法院里去。不过你在答复我的问句以前，仍不能不承认他是这案中的凶手。"

霍桑不再答话，拿了草帽，便招呼汪银林和我二人，一同从警署里出来。

我们出了警署，走到街角上的一棵树底下。霍桑忽站住了和汪银林说话：

"银林兄，我觉得这案子此刻已归结到一个单纯的方向。我们但须循着这个方向进行，就可揭破这疑案的秘幕了。"

汪银林道："你说的方向指哪一点？"

"自然是那白色怪物了。"

"那么，你可已知道这怪物是谁？"

"我现在还不能说。不过我们的目标既从复杂而化为单纯，只需加以证头，便不难水落石出。你现在且耐一耐，我一有端倪，立刻会通知你的。"

五分钟以后，我们已和汪银林分别。霍桑声言忙了半天，有些疲劳，下午的热度又高，打算回寓去休息一会儿。我自然也跟了同去。

我自从一清早接了他的电话，赶到裘家，我的精神便被这件案子吸住。我找不到单独和霍桑在一块儿的机会，所以虽有许多疑问和见解，都没法和他商量。现在我跟他回去，自然可以满足我的希望。不但如此，梁寿康最后的供述，又引起了我一种猜想，更觉有向霍桑质疑的必要。当我们俩的黄包车一前一后向爱文路行进时，我的脑思也活动得像车轮一般厉害。霍桑既然说过，我们的目标此刻已集中在白衣怪物身上，只需揭破了这怪物的真相，全案的症结便可立刻解决。那么，这怪物是谁？因着裘日升未死前的报告，这怪物已发现过两次，霍桑早假定是屋中的人。这屋中除了死者以外，共有六个人。照眼前的情形论，那裘玲凤既已除外，裘海峰以前远在北方，可见也不能列入嫌疑，实际上只有四人还待侦查。这四个人，就是那死者的岳母吴老太和伊的儿子吴紫珊，此外还有那老仆方林生和女仆赵妈。这四个人中，究竟谁的嫌疑最重，我自然不能不侧重于那个患风病的吴紫珊了。

我们到了爱文路霍桑的寓所，霍桑先把他的那件府绸外褂卸了下来，又到楼上浴室里去洗了一回澡，换了一件细夏布的衬衫，方才回下楼来。他到靠窗口的那只藤椅上坐下。我也洗了脸，饮了一杯冰水，靠着那只柔软的圈手椅子伸了一伸腿。

这时已五点过了，太阳的威力，略略杀减了些。有时有风从前窗里进来，身体上凉爽得多。我们彼此吸着了一支烟，谈话就此开场，但先发话的还是霍桑。

他带笑道："包朗，我觉得你仿佛怀着满肚皮的心事，没处发泄，是不是？"

我点头道："对啊。你应得说我怀着满肚皮的疑团要向你质问。"

"那也好。不过我怕此刻还不能满足你的欲望。"

"你既说你的目标已集中在那白衣怪的身上，这人是谁？你究竟有了把握没有？"

"我实在还没有确知。不过我可以说定，那个作弄的怪物，就是裘家屋子里的五个人中的一人。"

"五个人？莫非那玲凤依旧在内？"

"不，玲凤已可以除外。但除了玲凤以外，不是还有三个主人和两个仆人吗？"

"三个主人？"

"是啊，那吴老太，那吴紫珊，还有那裘海峰——"

"什么？裘海峰也在其内？"

"自然，当案发时他不是也住在屋子里的吗？"

"虽然，但我须问你一句，那裘日升在卧房中所瞧见的白衣的怪物，和昨夜梁寿康在楼梯头上瞧见的怪物，你想是一人还是二人？"

"我想是一人。"

"那么，这里面有冲突点了。裘海峰昨天才到。裘日升却在三十日晚上曾瞧见那个怪物。这一点你怎想不到？"

"自然想到的。我不曾告诉你，我已打过电报到北平去吗？我们假使不能确切证明他离开北平的日期，又怎能保得他不早几天回来，在暗中作祟呢？"

我又辩道："那么，在今年清明节以后，裘家里也同样有过一次怪事，你难道想也会是裘海峰吗？"

霍桑道："如果是他，也同样有可能性的。他尽可以悄悄地告了假回来啊。"

"我却总觉得有些牵强，你想他如果蓄意要谋害他的叔父，在三十日夜里，既已进了裘日升的卧室，怎么不就乘机下手，却又无影无踪地退了出来？即使说他那时因着什么阻碍，来不及动手，不得已而退出，但他又怎样进出的呢？还有一点，他的计划既然还没有成就，怎么不索性在暗中进行，却反在公然露面以后再进行他的阴谋？从这种种上推想，你想可说得通吗？"

霍桑用力吸了一口烟，眉毛间顿时紧蹙起来。他顿了一顿，方才答话："我也觉得这里面的确有几点解释不通，我现在也不能解释。不过在事实证明以前，我还不能把他从嫌疑人中排除出去。"

我同意道："好，那么除了海峰以外，你觉得其余四个人中，哪一个嫌疑较重？"

霍桑寻思道："这四个人中，那死者的岳母吴老太和女仆赵妈，老仆方林生三个人，关系似乎轻些，因为我此刻还找不到相当的动机。至于那吴紫珊——唉，包朗，你对这个人不是已有什么意见吗？好，我先听你说说。"

我的见解

在这个时候我的面容上不无表示，霍桑既已瞧破，我就也不再推辞地先行发表。

我道："是的，我觉得这个人最可疑。从事实上推想，前后三次，他都有假装那怪物的可能。因为他的房间和死者的卧室只隔一间中间，楼上也只有他们两个人。据寿康说，昨天夜里他瞧见的怪物，又是从他卧室中的小门里出来的，更是显而易见——"

霍桑忽接口道："且慢，你的假定果然可能，不过还有一个先决问题。你总知道他是患风病的，从去年患病以后，已在床上躺了七八个月了。"

我忙应道："不错。其实这也许就是他的狡猾之处——我敢说他现在一定能够行走的！"

"当真？你这句话有什么凭据？"

"你不记得今天早晨我们向他问完了话退出来的时候，他有过要坐起来送客的举动吗？我曾见他把两手在榻上一撑，上身便坐了起来。这不是他的不经意的动作吗？我当时就怀疑，这样的动作，哪里像患什么瘫病？况且他的面色和肌肉，也都不像患什么重病。难道你反而不觉得这一点吗？"

霍桑的眼光瞧着纸烟上的缕缕青烟。他沉吟了一下，方才答话："我当然也感到的，而且我对于你的假定也很同意。不过你也须注意到一点，他究竟在床上躺了八个月的工夫，你若说他出于假装，那却不是容易办到的啊。"

我答道："不错，像你这样好动不耐静的主观看来，这种长时间的忍耐功夫，固然觉得难能办到，但世界上尽多有耐性的阴谋人物。我记得读过一篇笔记，可以做这件事的印证：

"北平有一个富翁，雇得了一个跛足仆人，经过了一年半的时间，已很得主人的宠信。有一天，他忽而健步如常，足病竟痊愈。他的主人见了，自然要惊异。那仆人便告诉他，有一个茅山道士给他画了一道符，烧了一炷香，他的石脚顿时立直，他只花了四角香金。那主人因着眼见这仆人健步如常的铁证，不由得他不相信。于是他吩咐把那道士找来，倾谈之下，那道士自言还能化银成金。那主人一时动了贪心，受了这道士的诱惑，立刻提出了好几千现银，请那道士点化成金。结果，金子没有化成，银子却被那道士和仆人悄悄地满载而去。原来这完全是一种骗局。你想，那人为了数千元的目的，竟扮了一年半的跛子。在你看来，当然也要说办不到了啊。"

霍桑带着微笑答道："世界上意想不到的奇事，原是说不尽的。那么，你想吴紫珊的风瘫，也是一种翻戏勾当吗？"

我摇头道："这也许未必如此。他起初的患病，或许是真的，但后来他的风病逐渐好了，手足已能活动，他忽而发生了阴谋，便想利用着他的病态，掩饰人家的耳目。所以人家虽没有见过他立起来行走，但据我料想，他眼前一定是能够起床行动的。"

我立起来走到衣架面前，从我卸下的那件白纱布外褂袋中，摸出两支先前藏在袋中的火柴。

我问霍桑道："你不是很注意这件案子中的两根火柴吗？"

霍桑似不明白我说话的含意，他向我呆瞧着不答。

我又道："你自己说，因着两根火柴，才假定那前后两次的怪物是出于一个人的乔装，是不是？"

霍桑点头道："正是，我已仔细瞧过，这两根火柴确是同一牌子。你手中执着的火柴哪里来的？莫非是同一牌子？"

我道："不是，这火柴是我在吴紫珊房中私下取出来的，那火柴匣子却是飞轮牌。但我们知道他家里吸烟的人，只有吴紫珊和他的母亲二人。我既然觉得他说话时的状态可疑，又瞧见了桌子上的火柴，自然不能不起疑。现在我姑且试一试再说。"

我走到那只排成折角形的书桌面前，取了那火柴匣子，把我手中的一支火柴轻轻擦着。那火柴烧着以后，着火很迟，柴梗烧到一半，火柴头便跌落在地，不一会儿，木梗也化成白灰。我连续又烧了一根，结果和第一根相同。

霍桑说道："这火柴明明是另一个牌子，并不与裘日升带来的一支，和我在尸体旁边拾起来的一支相同。"

我重又回到安乐椅上，答道："这固然不是一个牌子，但他在实施阴谋的当儿，尽可另用一种火柴，事后却藏过了。除此以外，我还觉得他说话时吞吞吐吐，那种恐怖状态，也似未免过甚，很像是出于做作。"

霍桑忽皱眉道："这倒难说，他说到怪物的时候，那种恐怖状态，却不像是装得出来的。"

我道："那也许是他想到了他行凶时所感受的景状，因此便引起恐怖。还有一点，他是极力主张有鬼怪的。裘日升两次去请海玄法师，都是出于他的提议。这又可以证明他明知裘日升的精神不健全，便想利用着裘日升的迷信心理，来掩饰他的阴谋。"

霍桑深思了半晌，又从藤椅上坐起身来，把烟尾丢入灰盆。他道："那么，你想他有什么动机？"

"这个更明显了。当你从他的房间里辞出的当儿，不是还问过他床上为什么放着《证券一览》一类的书吗？从这点上，我们可以知道裘日升的投资，他是参与机密的，或是有什么款子进出，只有他一个人知道。所以只要把裘日升谋死，他便可从中吞没。这不是很可能的动机吗？"

霍桑微微点一点头，取了地板上的一把蒲扇，立起来走到窗口。他一只手把蒲扇摇着，一只手撑住窗框上面，眼睛却瞧着窗外，似在那里欣赏那落日的晚霞。我知道我所说的见解，已得到他充分的承认，我心中自禁不住暗暗欢喜。不多一会儿，霍桑果真旋转身来，发表他的意见。

他道："你的推理确有值得证明的价值。你如果有兴，今夜里不妨就试一下子。"

我很起劲地答道："我自然高兴的。但你想怎样着手？"

霍桑道："这个很容易。这里面的关键，就在吴紫珊能否起立行走。若使他果然能够行走，我们就有进一步注意他的必要。否则，他的嫌疑也就可以免除。我早已想到了一个简易的测验方法，如果别方面没有着落，原也打算要试一试的。现在你不妨就提前实施这简易的方法，就是——"

我禁不住插口道："不是用假火烧的老把戏吗？"

霍桑微笑道："对啊，你也想到了吗？我觉得那个陪伴紫珊的木匠阿毛，很可以利用。你不妨设法和他说通，叫他下来，你却悄悄地到紫珊房里去伏着。约定一个时间，叫他在楼下大声喊火，引起屋中人的惊呼。那时候紫珊如果真能起床，他要逃命，他的真相一定再瞒不过你了。"

我突地站了起来，不觉鼓掌笑道："这计划恰和我的意思相合。你想今夜可以动手吗？"

霍桑又沉思了一下，答道："最好今夜就去。不过我们先须探听一下，如果裘日升的棺材还没有出门，屋中人多声杂，这计划还不便实施。"他瞧一瞧表，又道："现在我们暂且搁一下，我打算先吃些东西，再到中华电影院去瞧瞧那本《舞女血》，使我们的脑子疏散一会儿。等电影完了，我们打一个电话到裘家去问问，再定进止不迟。"

那《舞女血》的剧情，虽很紧凑，演员的表情也恰到好处，但我因着那案子的挂牵，欣赏力便发生影响。霍桑却养成了一种习惯，工作时全神贯注，娱乐时却也能把工作完全抛弃。这习惯我也很想模仿，却终究不能养成。

我们从中华电影院出来时已九点过了。我们回到寓里，我先打了一个电话。接电话的就是海峰，据说因着天热的缘故，裘日升尸体当日殓好,他的灵柩也已送到了河北殡舍里去。那老仆方林生在法院里经过了一度侦查,也已放了出来。我打完了电话,正要和霍桑商量一个进行的办法,忽见霍桑正披阅一张电报。我走近一看,知道是北平钟探长的回电。

他向我说道:"那海峰在六月三十日那天,还在学校里参加毕业礼和接受文凭。他是在七月一日从北平动身的,昨天到上海,日期上果真合符。"

我道:"怎样?他的嫌疑应当免除了。同时吴紫珊的嫌疑却因此越见得有可能性了。"

霍桑摸着他的额角,答道:"好,你就从这条路进行吧。这一着我想你一个人总担任得下,如果需要助力,你也不妨随时通知。我打算在寓里休息一会儿,今夜里不再出去。"

我在离霍桑寓所以前,先打一个电话给我的佩芹。接着我又向霍桑借了一件黑绸的长衫和一双树胶底的鞋子,以免我行动时动人耳目。装束完毕,我又向他要了一支手枪,以备万一发生什么意外,不致束手无策。

我坐车子到了乔家栅口,便下车走到小弄口阿毛的木作门口。那时我已打定主意,进行的步骤也早已胸有成竹。那时已交十点三刻,因着天热,木作里有两个学徒,还在门口乘凉。

我走上前去,问道:"阿毛在家吗?"

一个学徒答道:"你找我师父吗?他在裘家里陪夜。"

"好,你去叫他出来,我有生意做成他。"

那学徒向我打量了一会儿,果然信以为真。他点一点头,便奔进小弄里去。

我索性走到木作里面,在一条板凳上坐下。不到五分钟工夫,那木匠阿毛已跟了那学徒进来。阿毛一瞧见我,他的丑黑的脸上顿时显出一种惊异状来。我不等他开口，先立起身来在他肩上拍了一拍。

我说道："阿毛，我家里的披屋坍坏了，要你去修理一下。不过这屋子里闷得很，我们外面去谈。"

那木匠有些踌躇的样子，站住了不走，只向我呆瞧。我觉得这件事既须秘密，当然不能当着这两个学徒谈话。我一把拉着他的手向外就走。走到乔家栅口，我觉得他的身子越拉越重，便知他要开始抵抗了。

他吞吐着问道："先生，你拉我往哪里去？你不是早晨和署长先生一块儿来的侦探吗？"

我忙阻止他道："正是。轻声些，不要乱嚷。"

这时我们已到了凝和路上，路上行人虽已不多，但我还怕他高声坏事。我觉得这个人有些不容易应付，若用贿买的方法，一定不能成功。我为迅速起见，觉得不能不用些权变。我见那路角上有一个警士站着，站住了谈话又不方便。

我低声道："你小心些。我有几句重要的话和你谈，你好好地跟我走。"

他觉得我语言中含着命令的意味，便不再抵抗。

我一边走，一边向他说道："你总知道这一件杀人的命案，关系很大。你当然是没有关系的，不过你若不听我的话给我办一件事，那我却不能不把你牵连进去了。"

那阿毛听了这句威吓，旋转头来瞧我，脸上有些惊恐。他连忙点点头，果真屈服了。其实我这几句违心的权变话，还不算怎样厉害。他的屈服，一定是误认我是公务员的缘故。唉！公务员对于平民的威势，可见一斑，封建的余毒几时才能完全消灭呀。

他战战兢兢地答道："先生，你要我干什么事？我一定照办。不过你须明白，这件事我是完全不知道的。"

我婉和了些语气，说道："我知道的。我叫你办的事，非常容易。现在我有一句话问你，裘家里的人此刻都已睡了没有？"

阿毛道："楼下的小姐、太太和那侄少爷，都已睡了，只有林生还在前面天井里乘凉。他也正要进房去睡了。"

我道："好，你现在回裘家里去，告诉紫珊，只说有一个雇主有些修理工作，要你去讲一讲价钱，至多一个钟头，你就可回去陪他。你下楼时可把楼梯对面的小门开开，出来时再同样和林生说明，你只说就要回去，叫他不必把后门闩上，以便你随时可以进去。你懂得我的话吗？"

"我懂了。但我出来以后又怎么样呢？"

"你先进去照我的话办，我在小弄口等你，以后的办法，我可以再告诉你。现在你就回去吧。你须小心，只能照我教你说的话说，不要自讨苦吃。"

阿毛答应了，便回乔家栅去。我也远远地跟在他背后，进了小弄，便站住了等他。五分钟后，他已出来了。

他低声报告我道："先生，我已照你的话说了。"

我道："紫珊怎么说？"

"他起先不肯放我，后来因我必要出来，他叫我快些回去。"

"林生也答应吗？"

"我也对他说过，他已允许我不闩后门。我出来时，他也跟着我回到后面披屋里去睡了。"

"那后门现在是不是开着？"

"正是。不过我出来时，是把后门拉上的。"

我点点头道："很好。你现在不妨到凝和路乔家浜去兜两个圈子，然后你走到后门口来，放声喊火。"

阿毛惊讶道："什么？你要我喊火？"

我忙道："正是，你不必多问，但照我的话办。如果发生什么事情，都由我负责。"

阿毛似乎不敢再抗，又呆瞧着不答。

我继续道："你喊火的时候，不妨把后门撞开些，只需把里面的人惊醒以后，有人接应了你，你便可急急退出。以后的事便不和你相干。"

阿毛道："里面的人怎样接应我？"

"半夜里有人喊火，里面的人惊醒以后，一定也会跟着喊火的。你只需一听不论谁何的唤声，你的事情便完毕了。你懂得我的话吗？"

阿毛点了点头。我又向他叮咛了一句，方才和他分别。接着我就向那小弄底的唯一的后门走去。

出乎意料的发现

裘家的那扇后门，本是旧式的板门，外面用铅皮包着，门外面有一个小小的铁环，里面却有两个木闩。这门的式样，我在早晨已瞧得清清楚楚。这时我到门口，先把耳朵凑着铅皮上听了一听，里面果真已寂静无声。我知道屋中人都已睡了，只有老仆林生方才回房，也许还不会睡着。但我既穿着深色的长衫，足上又穿着树胶底的鞋子，只需行动上轻松一些，谅来也不至于惊动这个老人。

我先用手指扣住了后门上的铁环，略略用力把门向里面推开。那门并不很紧，不多一会儿，门已脱离了门框，推开了一寸光景。我又重新凑着耳朵听听，毫无声息。我索性把门推开了几寸。那门榫非常滑润，一些响声也没有。我向里面瞧瞧，黑漆漆地不见一丝灯光。

我放大了胆，把门撞开了一尺光景，便缓缓地挨了进去。我觉得里面的情景依旧没有变动，就站住了身子，把后门轻轻关上。

这是一间灶披间。从灶间出去，穿过一个小天井，便可踏进正屋上楼。不过穿过天井的当儿，瞧得见林生的卧房，假使他还没有睡，房门开着，那就未免坏事。

我轻轻走到灶间门口，先探头向天井里一望，也同样墨黑。我索性把身子凑出些去，林生的房中也已不见灯光，分明他也已睡了。我不再顾忌了，跨出了灶间的门口，偻着身子，一步一步地穿过天井。这时我忽吃了一个虚惊。我的胶皮底的鞋子不留意踏在那倾水的阴沟附近，足底一滑，几乎跌倒，幸亏我的手在墙上扶着，没有发生什么声音。不多一会儿，我已走进正屋，摸着了楼梯的栏杆，便像逃出了难关一般。

我的脚在梯上跨了三级，那楼梯上忽然发生一种低微的咯吱声音，同时又有一声咳嗽，冲破了这黑暗的静境。这又使我吃惊不小。我不知道那咳嗽声从什么地方发出。从方向推测，好像是从吴老太的卧屋里来的。还好，那咳嗽声并不继续，我也不再犹豫，就放开脚步，一级一级地走到了楼梯的转折之处。我在转折处又站了一站，回头一瞧，下面依旧黑漆无光，也没有任何声响；再仰面一望，果然见楼梯头对面的那扇通吴紫珊卧室的小门开着一半，室中隐隐露出灯光。我明知楼上只有吴紫珊一人躺着，只需悄悄地掩进房去，便可静待事机的发展，再用不到顾忌什么。所以我经过上半部楼梯的时候，速度比经过下半部增加了许多。不过我到了梯头，先向中间里一望，不觉又凛了一凛。

我已经记过，那中间憩坐室和楼梯之间，隔着一层板壁，这板壁上也有一扇薄薄的板门，却始终开着。我从这门口里向憩坐室中一望，墨黑而沉寂。但那南窗分明开着。夜风一阵阵吹在脸上，我不觉打了一个寒噤。我一想到早晨裘日升僵卧在地板上的惨状，不由得产生一种无谓的恐怖。

自然，这恐怖是无意识的，当然不致影响我的计划。我旋转了身子，就向着那半开的小门里进去，先在门口站一站，探头瞧瞧里面的灯光。有一盏电灯挂在吴紫珊的床前，但光力不强，这倒恰巧合我的希望。我见吴紫珊照样躺在那只小铁床上，头底下的枕头垫得很高，还有"索悉索悉"的声音，显见他还没有睡着——似乎他还在披阅报纸或翻弄什么文件。他的床上本张着一顶白洋纱的帐子，我从暗处望去，可以隐约瞧见他的轮廓，他若隔着帐子望我，却一定是瞧不见的。

我很谨慎地把小门轻轻关上，果然毫无声音。接着，我瞧见他的床背后有一口箱子，箱的一旁仿佛有一只矮柜。我定意就在这柜上暂坐一会儿，静候我计划的实施。可是当我一步一步走近那箱子的时候，虽然十二分小心，却不料嗒的一声，那箱子竟因着地板的轻轻震动而响起来了！

"谁？阿毛？"

这是紫珊的惊问声音。我急忙把身子蹲下，连呼吸都忍住了。他如果发觉了我，呼喊起来，那不但我的计划前功尽弃，并且他以后有所防范，我们的疑团就再没有解决的希望。但假使他因此起床找寻，那却反而成全了我的愿望，我也不妨将错就错。

　　吴紫珊问了一声，便不再发话，我也就蹲着不动。那矮柜虽和我距离不到三尺，但我已没有勇气坐到矮柜上去。我觉得这屋子的确老了，地板虽然不破，但处处松动，举步时偶不小心，便会像老年病人一般发出诉苦声来。

　　那吴紫珊静默了一会儿，似在敛神倾听。接着，他忽又咳了一声嗽，又好像一个人在惊疑不定的当儿，借此自壮其胆。我仍静伏着不动，眼光瞧在他的榻上。这时我忽见那白洋纱的帐子簌簌地震动，仿佛他在坐起来了！

　　"他当真会下床来吗？"我心中起了这一句疑问，我的右手便自然而然地伸进衣袋里去，握住了霍桑借给我的那支手枪。

　　紫珊当真坐起了！不过他只直僵僵地坐着，还没有下床的动作。他似乎又静听了一会儿，嘴里忽低低地咕哝着：

　　"奇怪！我听错了吗？"

　　我从帐子后面瞧见他的身子向床前偻着，似在向桌子上摸索什么。接着，我又听得擦火柴的声音。他开始吸烟了。我知道他的疑团已经消释，我的防范也可以减少些紧张。那室中的空气不很流通，略略有些闷热。我一边抹着汗液，一边计算阿毛木匠的行动。我叫他向凝和路和乔家浜兜两个圈子，从时间上推算，大约需十五或二十分钟。我和他分别以后，到此刻也足有十分钟光景。料想五或十分钟以后，我的计划就可以顺利地实现。

　　据心理学家的实验，人们在短时间中估量时间，往往会比实际的时间长些。譬如我们和一个朋友约会，那朋友如果迟到了三五分钟，我们心理上的感觉，往往会把三五分钟估量作十或二十分钟之久。这个理论我们已实验过好几次，当我蹲在紫珊床后的当儿，也感觉得这数分钟的时间竟特别久长。

　　我又打算事成后的脱身方法。那阿毛喊呼以后，屋中人势必立即响应。那时吴紫珊听得了发火，如果立起来逃命，我就不妨露出真相，上前去阻止他的行动和揭破他的阴谋。万一我的推理错误，他听得了警报，只在床上挣扎，实在不能起身。那时我又怎么样呢？从事实上料想，这虚假的火警，至多只可维持一两分钟工夫，不久便要被人证实。那时楼下的人发觉了误会，谅来总要上楼来报告和安慰他的。我只能在他的床下或那箱子背后暂躲一躲，避过报告人的目光，等到他们下楼，我再设法悄悄地退出。

　　当我默自忖度的当儿，我的耳朵中忽又听得吴紫珊的惊问声音：

　　"谁呀？是不是阿毛？"

　　我暗暗地惊讶。我的身子既然丝毫不曾动过，他怎么又有这个问句？一刹那间，吴紫珊的较高的惊恐声浪又刺动我的耳朵："谁？外面谁呀？"他不是自己心虚吗？或是他的神经错乱了吧？不，不。这事情当真有些奇怪了！原来我因他的问话，我的听觉也同时注意到外面。我果真听得有一种吱嘎吱嘎的声音，仿佛那中间的憩坐室中有什么人在地板上轻轻走动！

　　自然，我是不相信超乎物理现象的所谓鬼怪的。但那吱嘎声音却明明是物理现象的一种。如果没有人走动，又怎么会有声音？那么，谁在中间里走动？楼下的人都已睡了，对面死者的卧室中也空着没人。何况在这时候，谁又会走到这可怕的中间里去？

　　这时我和吴紫珊抱着同一的倾向，全神贯注地向外面倾听。外面又似乎沉寂了。但我的疑团仍不能解释，因为那吱嘎的声音，不但我一个人听得，吴紫珊分明也同样听得的。这声音一定不会凭空发生。我很想到中间里去瞧一个明白，但事实上却不可能。我构成了一种解释，会不会我上楼的时候，被人暗中瞧见，此刻那人就悄悄跟上来窥探？或是那阿毛怀疑我有什么恶意，故而也私下上楼来探视？

唉！那外室中的地板上吱嘎吱嘎的声音又很清楚地发生了！接着，又引动了吴紫珊的惊呼：

"外面什么人呀？"

他的呼声不但减低了，还充满了明显的恐怖意味。我受了他的声浪的暗示，浑身的肌肉突然紧张，身上的汗毛也不自觉地竖了起来。再过一会儿，我又听得吴紫珊的喘呼：

"谁？——谁？——谁在开门？"

我的眼光也瞧到了那扇通中间的西式房门，门钮果在那里缓缓旋动，一眨眼间，那扇西式的房门竟也慢慢地在动了！

我觉得吴紫珊的呼吸很急，那帐子又连续地簌簌震动。其实我自己的心的跳动，这时也失了常态，我虽极力镇持，却终于无效。

房门推开了……一寸……二寸……三寸……四寸！室中却依旧静悄悄地——静得使人窒息！一会儿，那房门已开到了半尺以上！

吴紫珊已没有呼声，帐子的震动已扩展了范围，连带地引动了床的震动。我仍伏着不动，忍住了我的鼻息。我的左手撑在地板上面，右手仍紧紧握住了衣袋中的枪柄。

房门已开了一尺多了，似乎有人正在挨身而进；再隔一会儿，我的眼光已接触了一种可怕的怪物！

一个浑身白色的人形，直挺挺地站在门口！那真是可怕！

我猛觉得吴紫珊的床，突然大震一震，仿佛他已倒在床上。他嘴里却在断断续续地颤呼：

"日晖……你……你……！"

我一时竟也不能动弹。我的眼睛明明瞧见有一个白色的怪物，站在房门口，不声不响。那怪物的身上似被一件长袍围裹着，脸上又灰白可怕，两个黑洞般的眼圈，一个高耸鼻子，鼻子下面似还有些短须。

正在这时，有一种隐隐的惊呼声音，突然送进我的耳朵：

"火啊！——火啊！——火啊！——"

这呼声的余音还没有终止，早已引起了楼下的响应声音。同时，我又听得吴紫珊也在惨呼着："哎哟！哎哟！"

我更瞧那门口的怪物，也已起了变动。他已旋转了身子，好像准备退出房门。

我奋一奋勇气，拔出了手枪，向着房门口发了一弹。

唉！可惜得很！我的枪已来不及了，那白衣人早已不见！

这时我脑中唯一的意念，就是立刻追踪出去，捉住了那怪物再说。可是我因着蹲伏了好久，我的左腿有些麻木，一时竟站立不直。我虽用足气力，但那条腿竟不听命令。等到我扶着墙壁整到房门口时，已不见那怪物的影踪。

中间里仍旧沉黑无灯，但因吴紫珊卧室门的推开，约略透露些灯光，照见对面日升卧室的门关着。那怪物不致逃在里面吧？我仍不放心，一手执着手枪，一直走到日升的卧室门口。我握着门钮旋了一旋，那房门锁着。我料想那怪物一定来不及逃进房去，除了逃下楼去，绝没有第二条路。

在这紧张的时机，自然再不能犹豫耽搁。我的麻木的腿已恢复了原状，我便放开脚步，向板壁门口奔去。我早晨来勘验

的时候，曾瞧见楼梯头上有一盏电灯，那电灯机钮就装在板壁尽端的柱上。我为谨慎起见，先伸手摸着了电灯机钮，把电灯开了。楼梯附近绝无异状。那只半桌和小榻，还像早晨时所见一般；还有那扇通紫珊卧房的小门，也依旧关着，那就是我刚才进去时轻轻关上的。

我开始下楼了，走下了三级，我的眼光忽接触一种白色东西，我急忙止步。在那楼梯的第六级上，有一团白色的东西，好像是一个包裹。我再跨下两步，俯着身子把那白色的东西拿了起来。

唉！那是一条白布的单被。

我才明白刚才那怪物穿的不是长袍，却就是这条单被。我把那团卷的单被展开，又发现了另一种东西。

那是一个可怕的面具！

这面具是用一种厚韧的棉纸做的，纸面上画着两个眼圈和两条眉毛，嘴唇上涂着红色，上唇上还画着短须。因着这个东西的发现，我已明白了这怪物的诡计，同时我又觉悟我已进了他的圈套。

他为什么把这东西丢在楼梯上面？岂不是要借此阻止我的追踪，以便他可以脱身？现在我不是已中了他的计吗？

我把这两种东西挟在左腋下面，右手执了手枪，从楼梯上急奔下来。

当我在楼上迟疑的当儿，楼下早起了一阵惊乱声音，等到我奔到梯下，那楼梯脚对面的通次间的小门已经开了，龙钟的赵妈正在门口探头张望，嘴里哎哟哎哟地喘着。我回头向客堂中一瞧，忽见电灯突然扳亮，那裘海峰正站在西次间的门口，扶着玲凤，似在竭力安慰伊。

他作急促声道："妹妹，不要害怕。这屋子里并没有火。你听，外面的呼喊声也已经停啦。"

玲凤举着右手向楼板上指着："我……我还……我还听得枪声！"

海峰答道："是的，让我上楼去瞧瞧，但你别害怕。唉——"这时他已抬头见我："唉——包先生，你……你怎么也在这里？"

我接口道："你可曾见什么人进客堂里来？"

裘海峰摇了摇头，似一时莫名其妙。我不再究问，便向右转弯，踏进那一方后面的天井。

我一进灶间的门，在门口上开了电灯，才见后门也已开了。我记得我进来时曾把后门关上，可见那怪物已从后门里逃走了。

我再不能虚费一秒钟的时间了。可是我跨出了后门，向小弄里一瞧，却也不见一个人影。弄口有一盏路灯，灯光虽不甚强，但弄中如果有人伏匿，一定逃不掉我的目光。我追到弄口，向两面一望，也不见人影。我又向凝和路奔去，那守岗的警士还在转弯角上。我走到警士面前，说明了我的任务，便问他有没有人从乔家栅出来，他回答没瞧见。

我略一踌躇，重新回到小弄里去，但走到小弄口时，我见那木作里的阿毛，正开了门悄悄地在那里探望。

我走近他问道："你可曾见有什么人从后门里出来？"

他摇了摇头道："没有啊。我喊了几声，便逃进来伏着，此刻才敢开门。"

那怪物当真从外面来的吗？但这人竟又能利用着虚掩的后门，岂不太觉凑巧？我回到裘家后门口时，裘海峰正从后门里出来，手中执着一个电筒。

他问我道："包先生，你追什么人呀？有没有火？"

我摇头道："没有人，也没有火。"我挥一挥手，教他一同进去。

我们进门以后，我随手把后门闩上，借着裘海峰的电筒，先在灶间里一瞧，毫无异状。灶间隔壁有一个柴间，堆满了木柴，也绝没有藏身之处。柴间的靠西隔壁，就是林生的卧室，卧室中依旧没有灯光。

我问道："林生呢？他难道还睡着不成？"

海峰也作惊异声道："奇了！他怎么还睡得着？"

我早已提着电筒，走到林生的卧室门口。室门开着。我用电筒一照，床上却已空无所有。

我作醒悟声道："唉！就是他吗？他一定已逃走了！"

这时吴老太扶着玲凤走到天井里来，我便把左腋下的单被叫伊辨认，但把那面具藏过。那老妇人瞧了一会儿，似辨认不出，旁边的玲凤忽代替伊答话。

伊道："婆婆，你瞧，这单被的角上有一个补洞。这不是你送给林生的吗？"

老妇连连点头道："正是，这是林生的东西。"

我已完全明白，便不再多说。

我向裘海峰道："现在我已明白，你叔父的被害，就出于那白色怪物的阴谋。现在怪物逃了，别的话明天说吧。不过楼上的紫珊先生也许受惊太过了。你快上去安慰他一会儿，别的已没有问题了。"

我说完了，不再耽搁，就走进灶间，又开了后门出来。

我回到爱文路霍桑寓所时已经十二点了。我虽料想霍桑也许早已安睡，但我今夜的工作既已揭破了全案的疑团，消息如此重要，再不能延搁到明天。我在霍桑寓前下车的当儿，望见楼窗上还有灯光，显见他还没有睡。我在门上按了一会儿铃，便见霍桑的影子在窗口上映了出来，接着，霍桑亲自下楼开门。他一瞧见我，便耐不住地发问：

"包朗，怎么样？你的推理证实了没有？"

"没有，我的推理失败了，那吴紫珊并没下床。但这案子已经破获了！"

"什么？破获了？"

"是啊，我已知道了那怪物的真相……现在你且把门关好，我们到楼上去谈。"

三分钟后，我们已到了楼上。我是个心急不过的人，不等霍桑发问，便把经过的事实完全告诉了他。霍桑对于这个消息，分明也出他的意料，但似乎还有些半信半疑。他深思了半晌，仍不能解释他的疑惑。

他自言自语地说："那怪物竟是方林生？奇怪，奇怪！"

我道："他干这回事，在事实上完全可能，今夜又被我亲自揭破。还有什么疑惑？"

霍桑背负着手，在室中踱着，一边缓缓地答道："我却想不出他有什么动机。"

我又道："这个很容易明白。我想他一定逃不远，只需把他捉住，动机问题便可立刻解决。"

霍桑仍低了头，不住地踱来踱去，并不回答。

我又道："霍桑，你为什么还疑惑不定？我想眼前最紧要的一着，你应得打电话到总署里去，叫汪银林通知各区，赶紧把方林生截住，不使他远扬才好。"

霍桑似乎没有听得，他的脚步反加了些速度，我正待二次请求，他忽站住了回头作答。

他道："包朗，这电话就烦劳你下楼去打一打吧——且慢！你不是说已拿到了那怪物的面具吗？请给我瞧瞧。"

我从衣袋中摸出了那个纸质的面具交给了他，就下楼去打电话。说句老实话，我委实有些失望。我自以为今夜我已揭破了案中的秘密，霍桑听了这个消息，也许要手舞足蹈地快乐，我也可听到几句称赏的说话。不料结果竟出我意料。这消息不但不使他兴奋，反使他增加些疑团，但瞧他那种皱眉苦思的状态，便可见他心中正感着犹豫不决的痛苦。

我的电话接通以后，知道汪银林还在署中，不曾回去。可是我和他的谈话一经开始，又使我吃了一惊。因为我请求他派人往车站或轮船埠去截阻那老仆方林生，他的答话竟又出我意料。

汪银林答道："好，但这个命令我在五分钟前已经通知各区里了。"

我惊讶道："什么？你也早打算要拘捕方林生吗？"

"正是。"

"你因着什么捕他？"

"他就是那个白色怪物啊。"

我自以为费了一番心力，又碰到一个机会，方才查明方林生的真相，好似也不很容易。可是汪银林怎么也已知道？莫非裘家里已有人去报告他？但我把这一点问他，他又否认。

他道："不是，裘家里还没有报告过。我是从小梅嘴里探明白的。"

我道："你找着了那小使女吗？"

"正是，早晨我听得那王荐头说，小梅已回浦东乡下去，后来我就打发人到浦东去找寻，直到半小时前，这探伙才把小梅带到署里。因此，我特地回来问供，方才明白。"

"小梅怎样说？"

"伊说今年春天那第一次发现怪物的当儿，伊听得了主人的叫唤，从睡梦中惊醒，看见那白色怪物正从楼梯上逃下去。伊的卧室就在楼梯头上，所以伊才能瞧破那怪物的秘密。那怪物下楼的时候，正在把身上的白袍除下，伊才认得就是林生。不过伊当时怕有危险，不敢声张出来。"

汪银林又告诉我他得到了小使女的口供，立即派人到裘家去拘捕林生，才知那老头儿已经逃走，因此，他就通知各区追缉。

两种供词

这个意外消息，更证实了我的推想，我预料也一定可以解除霍桑的疑团。可是我上楼报告了霍桑以后，霍桑的疑团依旧不见消释。他正靠着书桌的边努力吸烟，听了我的报告，略略寻思了一下，忽点了点头。接着，他又发出几句似乎不相干的问句。

他道："包朗，你对于这个面具曾否加以研究？"

我摇头道："没有啊。你以为这东西也值得研究吗？"

"是的。你来瞧瞧，这面具是什么做的？"

"我瞧过了，那是一种坚韧的棉料纸。"

"对，你再瞧瞧那面具上的颜色。"

我走到桌子面前，偻着身子，在那平摊在电灯下面的面具上细细地瞧了一瞧。

我答道："那黑的是墨，嘴唇上的颜色，却像是水彩画的洋红。"

霍桑连连点头道："不错，不错。但你若再仔细些瞧，还可以瞧见那眉毛和短须中间，还夹着些木炭和颜色，并非完全是墨。你瞧，这两条不都是木炭线条吗？"

我还没有回答，心中正怀疑着霍桑在这面具上下这样精细的研究功夫，不知又有什么用意。霍桑的问句忽又急急地接续。

他又问我道："包朗，还有一句话问你。你还记得梁寿康供述的话吗？他不是告诉我们当他从裘日升房里出来下楼的时候，那中间里的电灯还亮着吗？"

我点头道："他当真这样说的。但你有什么意见？"

霍桑的眼睛张大，精神上非常紧张，似乎因着过度的紧张，他的听觉也失了常度。他并不答话，但丢了余烟，自顾自地发问：

"他不是还说当他走到楼梯的转折之处，站住了向楼梯头上一望，方才瞧见那白色怪物吗？你再想想假使中间的电灯不亮，他会不会瞧见那个怪物？"

"当然瞧不见的。"

"还有呢。那裘玲凤不是也同样说过，伊也因着楼上中间的电灯亮着，方才瞧见那个站在楼梯转折处的是梁寿康吗？"

我作不耐声道："是的，我记得伊也这样说过。但你这些话没头没脑，究竟有什么意思？"

霍桑仿佛依旧没有听得。他的呼吸也似乎加了些速度，他把两手紧紧交握着。他的眼光在我脸上闪了一闪，又连续问着：

"既然如此，在案发的当儿，楼上中间里的电灯本是亮着，那已没有疑问了。那么，那怪物为什么还要利用火柴？并且在发案以后，中间里的电灯怎么又会熄灭？"

他的话又像问我，又像问他自己。我觉得他的语音已失了常度，仿佛他的神经已发生了错乱。我不知怎样回答他，只靠着书桌呆呆地瞧他。

霍桑又带着颤动的声音，说道："包朗，你怎么不回答我？你难道也像我先前一般地解释不出吗？好……好……我来告诉你！

"你总知道，电灯亮着的时候，那怪物实施他的阴谋，原是用不到什么火柴的。他一定在事成之后，才擦着火柴，丢在地上；接着他又熄灭了中间的电灯，方才下楼。你想，他为什么多此一举？什么？你还不明白？那明明是他利用火柴来故布疑阵，目的要人家相信三天前发现的怪物和昨天晚上的怪物，属于一个人啊！"

我不期然而然地答道："那么，你以为昨天行凶的怪物和前两次发现的怪物，不是一人，却是两个人吗？"

霍桑忽走近我的身边，举起右手，在我的右肩上猛力一拍。他大声说道："好包朗！你真比我聪敏得多！在已往的十六个小时之中，我的脑子发昏，竟已受了他的愚啦！"

霍桑的声浪已完全失了常态！他的左手叉在腰间，右手却高高下下地活动不息。他的呼吸急促得厉害，他的额角上汗珠粒粒，有几条青筋都暴露出来，他的眼睛中又射出可怕的异光。

他又大声道："包朗，快拿你的手枪，帮助我去捕捉怪物！"

他说着，便穿上皮鞋，顺手取了那件府绸短褂，急急穿在身上。他的急促的动作，明明告诉我他已失却了他的镇静的定力。

我惊讶道："捕怪物吗？哪里去捕？"

"乔家栅裘家里去。"

"那人是谁？"

"裘海峰！"

"是他？不是方林生？"

"都是的，前两次是林生，昨夜里是海峰！"

"今夜里我所瞧见的又是谁？"

"那当然也是海峰。"

"奇怪！怎么逃走的反是林生？"

"这何用诧异？他是个忠心的旧仆，目的在代小主人卸罪。现在副怪物逃走了，正怪物却不能再使他漏网。我们快走，如果耽搁下去，说不定会有其他变动。"

正在这时，一阵铃声冲破了紧张静寂的空气。

我道："什么人的电话呀？"

霍桑已走出房门到了梯边，因着这深夜中突如其来的电话铃声，竟使他扶住了扶梯栏杆怔了一怔。接着，他扶着栏杆直冲下去，我也急急跟在他的后面。

那电话竟是裘海峰打来的。这不但出我意料，连霍桑都呆住了。

他握着听筒，颤声问道："你要我到你那边去吗？有什么事？唉，万分紧急吗？好，好，我立刻就到。"

霍桑把电话挂断了后，又打一个电话到飞龙汽车公司里去雇一辆车子。

我问道："你既说他是正凶，怎么此刻他又会打电话来？"

霍桑瞪着眼睛，在灯光中闪着，他的牙齿也在咬他的嘴唇。

他作惊惶声道："我很害怕！……我很害怕！……"

我道："你怕什么？"

霍桑顿一顿足，答道："我怕另有什么意外的岔子……"

他立即旋转身去，向着梯后的一间小室高呼："施桂，你起来关门，我们要出去。"他拉了我一同奔向前门。他开了门首先出去，站在阶沿上等汽车。

一会儿汽车来了。我们便急急上车，立即向目的地进行。这时马路上车辆绝迹，夜风阵阵地吹在身上，凉快无比。空中却繁星密布，预示明天一定又是晴朗。

我禁不住问道："你想你刚才的推理会变动不会？"

霍桑作简语道："我但愿不会变动。"

"那么，你从哪一点上知道海峰是这案的正凶？"

"你岂不知道在那些嫌疑人中，他有最充分的动机？现在事实也证明了，那个你所发现的面具，就是我唯一的引线。那假面具的棉料纸，画嘴唇的水彩画洋红，还有打草稿用的木炭，不都是画家的用品吗？你总不会忘记裘海峰是北平美专的毕业生啊！"

我顿了一顿，又道："你说的动机，可是指他有承袭遗产的资格吗？"

"不，还有……还有更深秘的动机。"

"喔！那是什么？"

"你已经仔细瞧过那面具了。那面具的画工固然不是外行，但制作得非常简单，套在脸上，却不能说酷肖什么生人。可是裘日升已告诉我们，他所见的怪物，就是他的死掉的哥哥。今夜你又说吴紫珊一见这怪物，也喊着日晖的名字。那么，这面具当真像日晖吗？不，不会，我敢说一定不是。世界上不会有这样丑怖的人。这两人所以认作日晖，一定完全是心理作祟罢了！但是为什么呢？莫非在日晖生前，这两个人曾有过亏对他的阴谋吗？再进一步推想，大概这阴谋不幸被海峰查明了！"

"如此说来，海峰的阴谋，目的在给他父亲复仇，是不是？"

霍桑点了点头，不再答话。他不住地向车侧瞭望，似乎恨不得立刻就到裘家。

我又问道："如果你的推理不差，此刻半夜三更，他为什么又打电话叫你？"

霍桑紧皱着眉毛，好似又提起了他的心事。他作简单语道："我怕……我怕又发生了第二件命案！"

我吃惊道："什么？你想他会自杀？"

霍桑摇头道："不是。你岂不知道那吴紫珊的性命也在他掌握中吗？——这里已不是凝和路了吗？好，到了，到了，我们快下车！"

我们的汽车还没有停稳，霍桑早已开了车门跳下车去。我也急急跟着。一会儿霍桑已进了乔家栅的小弄。我先在弄口的木作里问了一句，知道那木匠阿毛还陪在裘家里。

裘家的后门仍旧虚掩着。霍桑踏上石阶，把后门一推，应手而开。里面灶间中的电灯亮着。我们穿过天井，踏进正屋，见客堂中的电灯也完全开亮，有一个便衣警探陪着那弯背的赵妈，坐在客堂里面。

那探伙见了我们，便站起来说："他们都在楼上。"

霍桑一言不发地赶上楼去。楼梯的转折处的电灯这时也同样开亮。我见霍桑上梯的时候，一步两级，显得十二分紧张。

我们上了楼，先向中间一望，情景已和早晨瞧见的不同了。电灯都已明亮，那吴老太已坐在一边，双手掩住了脸，似在暗暗饮泣。伊的外孙女玲凤扶在一旁，又似在竭力地慰劝伊，但她们的声音都很低。那楼梯对面通吴紫珊卧处的小门也开着一半，里面有琐细的语声透露出来。霍桑先推开了小门走进去，我也跟了进去。我一踏进紫珊的卧室，虽是旧地重临，可是只有几个钟头的间隔，景象已和先前大不相同了！

吴紫珊的床面前挤满了人，除了木匠阿毛和裘海峰以外，还有三分区的巡官张子新和我们的老友汪银林，都排队似的站在床前。吴紫珊依旧静静地躺在床上，但已全身躺平，静得有些异样。他身上仍旧盖了一层薄薄的单被，面色灰白，好像比早晨时瘦了许多，两目也闭拢了。莫非霍桑的料想又不幸而中？紫珊也步了日升的后尘？他的床边上还坐着一个身穿西装年龄在四十以外的医生，床前的桌上放着医生用的一只皮包。那医生正握住了紫珊的右手，一边瞧着手表，一边在察验紫珊的脉息的跳动。

汪银林和张子新虽在谈话，声浪却低得几乎听不出。汪银林一见我们，便招呼了一声。我才知道他因着张巡官的电话报告，也刚才赶到。

我从现象上推测，霍桑的料想又显然是应验了。这吴紫珊不是也遭了裘海峰的谋害了吗？但我瞧瞧站在床前的裘海峰，神气非常镇静，脸上也没有一星子惊恐的表示。

海峰向霍桑点了点头，便走过来向霍桑低声说话：

"霍先生，我本想请你来做一个证人，可是时间急促，等不及你，所以我又打电话请张巡官来。不过张先生到时，也来不及作证，现在只有那阿毛是唯一的证人了。"

霍桑问道："你要我做什么样的证人？"

海峰从袋中摸出一张纸来，又向床上的紫珊指了一指。

他答道："我想请你们证实他的犯罪的供词。现在我已完全写在这里。"

我又暗暗惊异。吴紫珊有什么供词？莫非这案中的凶手到底是他？

霍桑还没有答话，那坐在床边的西医的察验工作已经完毕，便放下了听诊器，站起来向海峰报告。

医生道："他因受着什么刺激，心脏已起了变征，现在已非常危险。"

海峰道："可还有挽救的希望没有？"

医生摇头道："我完全没把握。"

"那么，他还有没有会说话的可能？"

"这也难说。我现在不妨给他注射一针强心剂，也许可以延长些时间。"

那医生开了皮包，准备他的注射器具。我们几个人都保守着静默，瞧医生打针。约莫五分钟后，医生的手续又告完毕。我忽见吴紫珊的眼睛缓缓张开，可是只有一刹那工夫，他又很痛苦似的皱了皱眉，他的眼睛又合拢了。那医生收拾了皮包准备辞出，裘海峰做一个手势叫阿毛陪送下去。这时吴老太太扶着玲凤走到房门口来，海峰连忙阻止。他向玲凤道："妹妹，你陪外祖母下楼去吧。医生已给舅舅注射了一针，现在让他睡一会儿再说。"

玲凤点点头，果真劝着紫珊的母亲走下楼去。裘海峰移进了几把椅子，围在吴紫珊的床边，请我们四个人——汪银林、张子新、霍桑和我——坐下。一会儿阿毛又回上楼来，仍呆木木地坐在铁床横端的一张临时安排的板榻上。裘海峰展开了那张刚才摸出来的纸，开始他的报告。

他指着我说道："包先生，刚才你到这儿来的举动，阿毛已完全告诉我了。我在你出去以后，就上楼来瞧他。"他腾出一只手指着紫珊："他见了我的面，忽而流着眼泪，向我招手。我走近他时，他忽自动地向我供述。诸位先生，你们谅来还没有知道这内幕中的秘密。我父亲的死固然是因着营业的失败，但失败的事实，却完全是我叔父和他的阴谋所造成的。所以他的供述原是我求之不得的。他刚才既然自愿揭发，我为证实起见，便想请你们两位来做证人。可是他等待不得，先自向我说明了，我只得用纸笔录了下来。这一张就是，现在我来念给诸位听吧。"

他停了一停，举起了那张写满狂草的纸，一句句朗诵出来。

海峰念道："海峰，我真对不起你——我知道我已活不成了，用不着再顾忌什么。唉，我干过一件亏心的事，心里一直很难过！现在我索性向你说明了，我到了阴间，也许可以减轻些罪孽。海峰，你父亲委实是死在我和日升手中的！去年六月中时，标金的风潮很大，忽而高涨，忽而低落，一天之隔，往往会有五六十两之差，真是骇人听闻……

"去年六月二十七日那天，金潮突然高涨，比前几天涨上四五十两，竟近八百两关。那时你日升叔父做的空头，数目共一千四百条，计算损失，竟亏六万多两。他已站不住了，破产还不够。但你父亲却托经纪人韩源福做的多头，也有一千五百条之多。两个人一赢一亏，恰正相反。日升穷极无聊，忽然发生了一个偷天换日的计策。那时你父亲恰在病后，还不能出门，日升就悄悄地贿通了那个名叫韩源福的经纪人，叫他把金潮的消息颠倒一下——暴涨变为暴落。唉！该死！那时候我也参与他的计谋，并且给他想过一个方法。当十天以前，金潮恰巧曾暴落过一次……从七百四十七两破进了七百两关。我因此拣出了十七日的那张旧新闻报，把新闻中小号字的十七的'十'字，改为'二十'字，就改成了二十七；又把当天报纸上边的日期裁剪下来，沿着板边的黑线粘贴在旧报上面。这金融新闻本来只有半张，我们就把这改造的半张，照样附在二十七那天的报中，打算先用这假造的消息试他一试。你父亲大概因着病后的缘故，神思不振，果真没有瞧出改写和剪贴的破绽。他一得这个消息，大吃一惊，连忙打电话向经纪人韩源福询问。韩源福是早经约通了的，自然同样报告他假造的消息。于是你父亲在一急之下，当夜就死。"

裘海峰念完以后，抬起头来瞧着我们，似要继续发表他的意见。我忽见床上的紫珊，突然地又张开眼睛来，强制着点了点头，似乎他的知觉还没有完全丧失，他听得这念出来的供词，而且表示承认的样子。

裘海峰忙喊道："唉，他也在那里承认了——我的记录大概没有错误。"他突然旋转头去："阿毛，刚才吴先生的话，你是亲耳听得的，现在我念出来的，和他所说的可相同吗？"

我们的眼光都回转去瞧那坐在铁床一端板榻上的黑脸木匠，那木匠果真连连点着头。

海峰继续道："好啦，这供词谅必可以成立。其实这里面还有一个间接的证人，如果必要，我也可以找他来做证。那人就是陆春芳。刚才据紫珊告诉我，这个倒换的阴谋，当时只有三个人知道，就是我叔父和吴紫珊，还有那经纪人韩源福。韩源福在这件事上曾得到五千元的报酬。但在去年十一月里，他先已病死。那陆春芳当时虽没有参与，但事后他似曾从韩源福口中探得了一些真相，所以他至今时常向我叔父借贷，我叔父总不敢拒绝他。这样一种秘密的阴谋，我想尽方法无从查明，此刻却无意中完全揭露。我怕这里面真有天意。唉，我父亲可说是被他们害死的，他的冤抑今天也可以大白了！"

我和霍桑听了这一段诡秘的故事，相互地瞧瞧，又点了点头。因为他的推理既已证实，又解释了几个疑点，自然非常满意。但汪银林和张子新却面面相觑，还有些莫名其妙。

汪银林说道："这一种阴谋，我们起初完全不曾想到，现在虽已明白了些，但对于眼前的疑案还没有解释啊。"

霍桑接嘴道："银林兄，你不是要知道裘日升被害的事实和那白衣怪物的经过吗？这完全是这位海峰先生的计划，他自己也就是这一幕惨剧中的主角。你再忍耐一下，他自然要告诉我们的。"

裘海峰向霍桑点了点头，唇角上似乎微微露出些笑容，接着他首先立起身来。

他说道："我早知道的，这件事一定瞒不过霍先生的眼光，就是包朗先生，在两小时前也已瞧破了我的真相。现在我们不如到外面憩坐室去，我还可以把当时的情景，实演给诸位瞧瞧。"

我们四个人各自带着椅子，走到中间里去，只剩那木匠阿毛依旧陪在紫珊的床端。裘海峰在我们坐定以后，很简洁地讲述他的复仇的经过。

他父亲的被害是在去年八月的末旬。他那时也在北平研究美术。他得了凶耗回南来时，才知他父亲的死原因在营业的失败，所以死状和药方都很合理。他当时本毫无怀疑，绝对想不到他叔父会有什么阴谋。不过那老仆方林生本是他父亲的旧仆，并且是扶养海峰长大的。据林生说，老主人死后，那日升和紫珊二人时常窃窃私语，有一种鬼鬼祟祟的状态。这状态海峰当时也略有感觉，因而引起了些疑窦。

等到海峰年假回南，他的疑窦越发滋长了。那时日升已迁到城中，并且已停止了标金买卖。他觉得紫珊既已患了风病，日升也露出一种疑神疑鬼的异态，他还听得日升曾有过请道士捉鬼禳解的举动。有一天饭后，日升在楼下书房中小眠，忽而突然惊醒，嘴里乱呼日晖的名字。那时海峰恰在旁边，他又见日升醒后，神色上非常惊恐，接着又急急地回上楼去，仿佛怕海峰究问的样子。海峰才大起疑心，料想他父亲的死，也许出于日升的毒害，可是在医药方面并无破绽，他仍猜想不出毒害的方式，一时又没法查明。

本年春假的当儿，海峰跟着同学到南边来旅行写生。他已拟定了一种计划，曾私下和老仆林生会面过，叫他办一件事。他曾接得玲凤的来信，知道伊有一张照片，本要寄给他的，却被日升抢了去，藏在镜台抽屉里面。所以他叫林生悄悄地把这照片取出。林生也一口答应。当时他曾给林生设计，以免破露的危险。他给林生一个日升房门上的钥匙——这钥匙是海峰早先置备的，以便在夜深人静的当儿，开了日升的房门进去取照。同时海峰还给他一个面具，又叫他在动手时身上披一条单被，万一被日升发觉，日升既然很迷信，一定会把他当作鬼物，而不致当场破露。其实海峰的真正目的，原想借此试探日升的心理，不过他还不敢和林生说明，深恐他偶一不慎，漏出了消息，反而坏事。

七月三日，海峰从北平回上海来。据林生报告他，他试过三次——实际上第一次第二次两次，只可算一次——都没有成功。因为林生胆小，他第一次赤足上楼以后便即逃下来。他恐怕破露了受罪，所以定意要找一个有外客留宿的机会，才敢下手。过了三天，在四月十七日的夜里，林生乘寿康的留宿，戴了面具，披了单被，又第二次冒险上楼。可是他还没有开动房门，便又被日升发觉惊呼。他又失败了。第三次直到六月三十日的晚上，林生觉得小主人就要南回，他奉命办的事却还没有交代，因而乘着那姓伍的北方朋友住着，便再冒险上楼。这一次他已走进日升的房去，但他在镜台前开抽屉的时候，抽屉锁着，他一时没法开锁，又不能如愿。正在这时，日升忽然醒了！林生急忙逃出，照样锁好了门，幸而他手足敏捷，仍旧不曾露面。

以后的事情，都是海峰亲身经历的，我索性把他说的话直接记录在下面。

裘海峰道："我听了林生的报告，我的推理已经证实，因为但瞧我叔父每一次的惊惶不宁，便可证明他确有什么亏心的秘密。因此，我就打算亲自实施一下，以便发觉我父亲被害的真相。

"老实说，我的目的只在测探他的秘密，以便使他受法律的制裁，给我父亲雪冤，我并不要直接谋害他的性命。所以我向林生索回了那面具和钥匙，又向他借了一条单被，照样扮了鬼物上楼。我知道林生第一次进他房里去时，曾留过一根火柴，我索性向林生借了同样的火柴，以备我万一失败，可故意留一个迹象，使人家信作前后的事出于一人。这样，我既置身事外，还可以再找别的机会实施我的侦查。"

他略顿一顿，回头向霍桑瞧了一眼，霍桑也向他微微一笑。

霍桑道："这个疑阵你布置得再巧妙没有，我的眼光也被你迷住了十六个钟头。不过你画面具的时候太粗心了些，连打草稿的木炭线条都没有拂去，使人一望而知是画家的手笔。"

　　裘海峰瞧着霍桑点点头，表示他的佩服。他继续道："昨天夜里——唉，现在天快亮了，今天已是七月五日——我应得说前天夜里了。前天夜里在十点钟时，我回房安睡，看见叔父在上楼以前打过一个电话。他上楼后灯光始终亮着，我当然不便下手。到了十一点钟光景，我听得楼上声响，仿佛他下楼去开门。我曾偷偷地瞧视，瞧见有一个人跟他上楼，那就是我的表弟寿康。我暗忖寿康为什么有这种诡秘态度？他们似乎要秘密商量什么。不会就关系我的事情吗？莫非我叔父谋死了我父亲不算，还要加害于我？因此，我很想上楼去窃听他们的谈话，可是事实上有些阻碍，我不能立刻上楼。起先那赵妈和吴老太太先后开房门出来呼叫林生，我因此假装咳嗽。后来我又听得我的寄妹的厢房里又不时有声音透出。过了一会儿，我觉得楼下静了些，才趁个空儿，冒险走上楼去。

　　"我上楼的时候，已近十一点半。我本想走到中间里去偷听他们谈些什么，可是我上了楼梯，便觉得叔父卧室中脚步声响，好像他们的谈话已终，寿康就要走出来了。我因见楼梯对面的小门略略开着，又知道紫珊患风病躺在床上，绝不致破坏我的计划。我就推开了小门，打算暂避一避。隔了一会儿，寿康果然从中间里出来，蹑着足尖走下楼去。那时叔父还没有出房。我心急不耐，便定意乘他不备，迫着他吐露真情。我等寿康走下楼梯的时候，便从小门里出来，跨进这中间里来。我刚走到这中间的中央，靠近这一只方桌的旁边，我叔父忽已从房里出来。"

　　裘海峰忽立起身来，先走到方桌旁边，用手指示他当时站立的地位。

　　他继续道："我在这里站住了以后，始终不曾动过。我叔

父一瞧见我的模样，那种惊恐的模样，我真不能描写。他果真
把我当作我的父亲！一会儿，他先倒退一步，嘴里除了'哎
哟哎哟'的惊呼以外，还喊着'哥哥'。我早已准备好了一句
'你怎么谋死我的？从实说来'的问句，以便强迫他供认他的
阴谋。不料我的问句还没有出口，他忽而取起靠壁的那只椅子
向我丢掷过来。但那椅子没有掷中我的身子，他自己却晃了几
晃，接着他惨呼一声，便跌倒在地上了。"

　　裘海峰的身子仍站立在方桌边，并不移动，他的右手指着
地板，似指示裘日升当时倒地的所在。我们四个人都敛神静
听，没有一个人打岔，直到海峰的说话停顿了一会儿，汪银林
方才接口。

　　汪银林冷冷地问道："你说他是自己跌倒的吗？"

　　海峰作坚决声道："正是，我的手指始终不曾触动过他。"

　　我附和道："这句话可以相信。昨天法院里的检验官，也
假定他因着心脏病突发而死，他面部上的血，也一定是他倒地
时磕破了牙齿和鼻子流出来的。"

　　霍桑虽没有说话，但微微点了点头。

　　汪银林又问道："以后怎么样呢？"

　　海峰道："那时我觉得我的计划已无从实施，隔室中紫珊
又开始呼喊，我为安全起见，自然就急急下楼。但我在下楼以
前，故意擦一支火柴丢在地上，又把中间的电灯熄了，方才退
下。我下楼以后，仍悄悄地闪进我的房里去，把面具、火柴和
单被等物藏过，接着便回到客堂中来，因为这时玲凤妹也在伊
卧室中喊起来了。"

　　汪银林又向霍桑瞧瞧，霍桑仍靠着椅背，静默无言，似表
示对于海峰的说话完全接受，没有辩驳的必要。

我又问道："那么，今夜里……昨夜里的举动，你又有什么作用？"

海峰答道："我仍想贯彻我侦查的计划。我早知道我父亲被害的阴谋，吴紫珊一定是参与的。去年年底的当儿，我也曾探听过他的口气，每逢我提到我父亲的事，他脸上终显出一种不自在的神气，急忙用别的话岔开。所以这一次我叔父既已受了天诛，我若要查明这阴谋的真相，自然不能不从他身上着想。

"昨夜里我本想乘机实行，但因着阿毛陪睡在他的房中，又觉不便。后来我听得阿毛到前天井来告诉林生，他要出去一会儿。我觉得机会到了，便打算如法炮制。但我不料包先生另有计划，竟也悄悄地伏在他的房中。我进房以后，紫珊果然也把我当作我的父亲。我还没有开口，忽听得楼下喊火的声音。我觉得事情坏了，我的计划又不幸失败，便急忙退出。那时我幸亏快些，否则，包先生的一粒子弹也许早已打中我了。"他说时又瞧着我微微苦笑。

我也笑道："你的动作的确敏捷。后来你把面具、单被丢在梯上，是不是就想阻迟我的追赶，成全你卸罪的企图？"

他点头道："正是。我下楼以后，一时慌张得不知所措，恰巧见林生从房间里出来，我便教他赶紧逃走，还想借此脱卸我的干系。所以林生在这件事上，完全没有关系，他只是受了我的驱使，被动地做一名配角。这件事在法律上如果有什么处分，应由我一个人承受。"

汪银林问道"那么，你叫林生逃往哪里去？"

裴海峰道："那时我毫无主意，只叫他快走。他是空手逃出去的。"

汪银林点头道："既然如此，他一定走不远，不久终可以归案。无论如何，结案时他总要到场。"

霍桑立起身来打了个呵欠。他说道："好了，这案子可算已经结束。银林兄，这案子的法律部分，请你负责进行吧。那吴紫珊的供词，我们大家都可以做证。海峰的口供，我也认为切合事实。他既没有行凶的企图，自然也不应负什么责任。如果必要，我也可以到庭证明的。"

他旋转头来，瞧着那始终处于旁听地位的张子新说话：

"巡官，你回区的时候，最好就通知一声许墨佣署长。你告诉他梁寿康的杀人罪到底不能成立，但吞款罪却也不能抵赖。至于这案子迅速破获，如果有什么功绩可记，那么，我的那部分可以完全让给他。"

我和霍桑离了裘家回到爱文路寓所的时候，东方已在微微发白，大地上一片空蒙，好像裹笼着一层灰色的轻縠。天空中疏稀的残星还在闪闪地递送临去的秋波。三三两两的乌鸦已冲破了薄薄的雾气，开始寻觅它们的早餐。一阵阵晓风吹在脸上，似乎超越了凉爽的限度，不觉有些瑟缩的意思。我们俩虽一夜未睡，但因案子满意结束，精神上仍饱满如常。

霍桑拍拍我的肩背，向我说道："包朗，这件案子的确是十二分复杂的，现在在这短时间中竟能完全结束，实在不能不归功于你。因为你带回来的面具，实给我开了一条捷径，否则，我循着轨道进行，说不定还要多费些时间。现在你对于全案的关节，大体总已明白了吧？不过我知道你心中还存着一个疑点，你虽不问我，我也要向你说明白的。"

我笑道："这倒是难得的事！往日你虽不故意卖关节，却总要我再三请问，你方才肯说。今天你竟如此慷慨！不过我自己回想，觉得这一回事我已经毫无隔膜了啊。"

霍桑摇头道："不，你太健忘啦！昨天早晨你接我电话的时候，你不曾责备我吗？你说我保证裘日升不致有性命危险，但实际上他到底丧了性命。我当时的确不能回答，现在我可以告诉你了。我对于他到底不曾食言。他屋中的人们，的确没有人要谋害他的性命。包朗，你总也明白。他起初为了钱，便不顾同胞的手足，间接地谋死他的哥哥。他的手段虽狠毒，但他的心底终会留下一个暗影。所以此刻他的死，完全是受了他的良心的制裁。你现在可以相信，'多行不义必自毙'，不仅是一句宗教性的古话，有时却也合科学——心理——的理论。对不对？这一点我当然不能负责保证的啊。"

两天以后，吴紫珊也终于因心脏病死了。那老仆方林生也被捕归案。但这案子的诉讼，却延搁到三个星期以后方才结束。裘海峰和梁寿康都判了徒刑。不过裘海峰因着霍桑的出庭，得到了缓刑的准许。到了八月中旬，裘海峰放洋往法国巴黎去留学。那时他曾向霍桑辞行，并告诉霍桑，他的异姓的妹妹王玲凤，也跟着他一块儿去。

楼头人面

手枪声

我们从十八路电车上跳下来，绕过了转角，霍桑立定了向前瞧一瞧，便遥指着那一排并列的西式房屋。

他说："包朗，这大概就是倪金寿所说的朝东洋房了。"

我应道："他既然对你说白杨路的朝东洋房，当然就是这一所。"我们继续进行。我又说："那边好像有十多幢同式的洋房。金寿可曾说明门牌？"

霍桑道："说过的，可惜电话的声浪有些模糊，我没有听清楚。不过张家既然出了这样一件凶案，倪金寿又在那里等我们，我们决不致走错人家。"

时候是夏季，学校将近放暑假。融融的晓日斜挂在天空中，给予人热炙的威胁，幸而风还没有绝迹。人家的门户还大半关闭着，并没有特殊的纷扰的现象。我正在运用目光，辨别哪一宅屋子是出凶案的人家，忽然看见那一排洋房面前的树荫底下走出一个人来。那人穿一件宽人的玄色香云拷长衫，头上戴一顶龙须草草帽，压低到眉毛上，像是一个探伙。他抢前几步，把帽子一把抓在手里，向我们点头招呼。

他说："霍先生，包先生，我等了好久哩。"

霍桑点点头："金寿兄还没有走？"

那人答道："没有。他在等你。"

我举手指一指："那边树荫下有铜牌的一个门口可就是张友恩家？"

探伙答道："不是。张家是钉铜牌的贴隔壁的一个门口。"

我说："为什么不派一个守门的警士？"

探伙道："有一个在那里，不过派在屋子里面，免得惹行路人的眼。倪探长怕你们两位没有寻处，所以叫我在这里等。"

霍桑又点一点头。我也不再多说。我们走到那铜牌的门前。牌上标着"鸥客寄庐"四个隶书，门牌是四〇四号。那左隔壁四〇三号才是张友恩家。张家的左隔壁四〇二号也有一块小木牌，是一个叫冯超的律师。

我们一走进张家的两扇盘花铁门，果然有一个穿黄制服的警士站在门里面。同时有一个十六七岁穿白条纹布衫裤的小使女从里面走出来，向我们招呼。

伊说："包探先生跟太太在客堂里谈话。请进来。"

小使女回身向客堂里走，显然是引导我们。霍桑跟着伊进去。我也随在后面。

客堂里的家具相当富丽，是西式的，但壁上的字画都是旧式。倪金寿和一位半老妇人坐着谈话。那妇人穿一件淡蓝色铁机纺短衫，没有系裙，裤子是白纺绸的。伊的脸上的每一条皱纹中好像都填满了悲哀。倪金寿挺起了他的瘦长的身子，整一整他的一件黑绸长衫，正要向我们招呼寒暄，那坐着的老妇忽夺口先说。

伊哽咽地说："唉！先生，我的心肝儿子死得好凄惨啊！总要费你的心给他申冤！他的爸还在北平，这里只剩我母子俩。为着我儿子在徐汇中学读书，我才陪在这里。谁知道他读书没有读成，先送了命，而且死得又这样惨！"

伊的语声很酸楚，眼眶里在流出泪水。伊说话的对象显然是倪金寿。霍桑无言可答，但点了点头。倪金寿完成了几句简短的套语，便开始建议。

他说："霍先生，包先生，尸首在楼上，我们先上去看一看。"

霍桑应道："好。请你引导。"

这一所两层楼洋房前后有两进。前进靠马路，是死者张友恩的房间；后进是死者母亲——那个诉苦的老妇的卧室。我们先走进死者的卧室。卧室中沉寂无声，有个小探伙默默地陪在尸旁。尸身横在一张靠窗的写字桌后面的旋螺椅背后，另外有一只椅子翻倒在尸旁。尸身上穿一身白帆布的西装，足上白麂皮的皮鞋，白纺绸的衬衫上染了一大块血迹。死者的面孔瘦长而白皙，发膏也抹得很匀整，年纪在二十左右。他的左腕上戴一只高价的金手表，右手无名指上有一只钻戒，生前似乎是一个喜欢修饰的翩翩少年。这时候他的四肢挺硬，两眼开张，惨白的嘴唇也没有合拢，露着两排牙齿，形状相当可怕。

霍桑先俯身瞧了一瞧，低声问倪金寿："你已经验过一次？"

倪金寿答道："是。他明明是给枪打死的。我只在他的身上搜索了一下，尸体还没有移动过。"

霍桑将死者的衬衫扯开些，看那致命的伤痕。衬衫上有些黑灰。伤口在胸口的左面，背心的右部也有一洞，似乎枪弹从左胸射入时，微微偏右，就从右背上穿出。

我说："这伤痕倒像是自杀的。"我的声音很低，本是向霍桑发的，不料已被倪金寿听得。

他微笑着说："包先生，那里还有几种迹象，似乎和你的见解相反。"

霍桑也抬起头来："包朗，你老是这样性急！一瞥之间，你怎么就能够下这样的断语？"

一个软钉子！我有些鲁莽吗？是的。可是我并不甘心。

我冷冷地说："那么这是一件谋杀案了。金寿兄，你总有了充分的证据吧？"

倪金寿道："证据充分不充分，我不敢说，但关于这案子发生的情形，我已经约略知道，可以告诉你。"

霍桑把死者的手腕微微屈动了一下，瞧瞧他腕上的金表；又在他身体的下部仔细察验了一会儿，便抬起身来。

他附和道："好，金寿兄，请你把发案时的情形说一说。"他摸出三支白金龙来，把两支分赠我和倪金寿，一支自己点着。

倪金寿一边点烟，一边说："这案子发生的时间，就在今天早晨一点半钟。"

我问道："这是根据死者手表上所指的时间说的吗？"

霍桑向我做一个眼色，仿佛叫我不要多嘴，我只做看不见。

倪金寿道："是的。这是一个证据。手表停在一点三十二分，似乎因着他中枪跌倒，受了剧烈的震动震停的。此外还有一种证据更确实些。我们警署里有个巡长叫顾荣林。他在今天午夜下班时，从警署回家，走过这里。那时候大约一点半钟左右。他经过这一排屋子的时候，忽听得砰的一声。声音从这楼上传出去，使他吓了一跳。他觉得那是枪声，急忙仰起头来一瞧。他看见这里一排洋房中都黑沉沉地不见灯光，只有这靠大树一家的楼上，电灯还是亮着。

"荣林正在向楼窗上瞭望，忽然看见一个男子悄悄地开了窗，伸出头去，掩掩缩缩地向马路上窥探。荣林觉得不妙，急急把身子一闪，准备躲进树底下去，以免危险。这时候他忽又听得关窗的声音，同时电灯也完全熄灭了。荣林重新从树底下走出来，再向上面一瞧，楼窗上已是黑漆漆的没有一丝光亮。他觉得事情有些蹊跷。可是他一个人手无寸铁，又在深夜，冒昧地上去，不但自身危险，也许反而会误事机。因此他急忙反身向昌明路奔去，打算找一个岗位上的警士一同进去。他奔到转角上，碰见一个骑自行车的巡逻警士。他叫住了那巡逻，向他说明了情由，便一同回到这里。

"这时候这窗中的电灯已经重新亮着，楼上又有人声。荣林便和那巡逻的上前叩门。不料前面的铁门只是虚掩着，并没下锁，第二重屋门也一样。所以他们便一脚上楼，等到踏进了这房，看见这死尸像现在一样地躺在地上。死者的老母和一个小使女都伏在尸旁哭。这就是发案时的最初情形。"

另一个男子

倪金寿的故事告一个段落，把纸烟送进嘴里去。霍桑沉着目光在思索。我也暂时沉默地吸烟。那小探伙张大了眼睛在看他的上司。

霍桑弹去些烟灰，问道："那时候他们俩可曾见这房子里有什么别的男子？"

倪金寿道："没有。当时荣林也曾问过。据说这里的男子，除了死者友恩以外，只有一个老仆叫寿庆。寿庆年纪已经六十四，耳朵又是聋的。他虽睡在楼下，但是楼上出了这样的命案，他还是糊涂地不觉得。直到荣林上楼之后，要查问前门怎样开的，才下去把他叫醒。"

霍桑沉吟地说："这样说，这屋中本来只有两个男子：那时候一个已死，一个还是睡着。那么顾荣林先前在楼窗口上看见的男子，分明是另一个人。这第三个男子又是谁？"

倪金寿道："这就是一个重要的疑问。顾荣林料想那人定是杀人的凶手。那人开枪把友恩打倒以后，才开窗向外面窥探，随即把电灯熄灭了。可是荣林和那巡逻警士在楼上楼下搜索了一会儿，丝毫没有踪影。接着那巡逻警士就急急地退出乘着自行车向北追去。"

"有结果没有？"

"没有。他绕了几个圈子，路上没有形迹可疑的人。他打了一个电话给警署，我一得消息，就赶到这里来。"

"你到这里时，距离发案时约有多少时候？"

"我到时恰交两点一刻，约莫距离发枪时三刻钟光景。"

"你到了之后，怎么办？"

"荣林还等着。我听他说了一遍，就先验一验尸首，随即着手搜索。在这房门后面，我搜得一支手枪，大概凶手因着事情泄露了，防人查问，就把枪丢在房门背后，不敢带出去。我又发现一粒子弹，陷在那边墙上。我才知道这个少年果真是给枪弹贯穿打死的。"

霍桑的目光跟着倪金寿的手指，移到写字桌上面的墙上去。我也随着瞧去，果然看见墙上的砖泥碎缺一块，显然是新近受弹的痕迹。

霍桑道："这枪弹你验过吗？是不是两相符合？"

倪金寿走到那守尸的少年探伙那边，把他手中拿着的一个纸包取过来。

他答道："手枪和子弹都在这里。请你瞧一瞧。"

霍桑丢了烟尾，很谨慎地把纸包打开，取了手枪和子弹，走到窗口去，用放大镜仔细察验。

他皱眉说："枪柄是刻花的，找不出指印。"

他又回过头来："子弹的大小和枪的口径果然是合符的。但是这弹壳中可以容九颗子弹，射去了一弹，还应当存八颗。此刻只剩了七粒，似乎那人曾发射过两枪。你可曾发现那第二个子弹？"

倪金寿摇头道："没有。我已经四面找过，找不到第二粒子弹。据荣林和死者的母亲说，他们都只听得一次枪声，似乎那人在这房里只发了一枪。"

霍桑掀一掀眉，问道："他母亲也听得发枪的声音？"

倪金寿道："是。那老妇不但听得枪声，还听得伊的儿子叫喊的声音。伊说伊在睡梦中听得伊的儿子叫伊，伊含糊答应着。接着伊清醒些，又听得伊的儿子高声喊道：'鸿生……鸿生！……你好！……'喊声才刚停，枪声便发作，可是只有砰的一响。"

霍桑的眼珠转一转："伊可也听得打架声音？"

"这倒没有。我也问过伊。"

"唔，以后怎么样？"

倪金寿揉熄了残烟，说："伊知道有变端，急忙唤醒了小使女芳儿，一同开了房门，走到伊的儿子的前房里来。房门也开着，房中的电灯完全熄灭。等到伊扳亮了电灯，看见伊的儿子友恩已经死了。伊慌得没有办法，只有放声号哭，直到顾荣林和巡逻到来。"

霍桑重新点着了一支烟，低垂着头，默默地深思。我把烟尾丢在床前的一只痰盂中，开始运用我的理智。案情确像是谋杀，我先前的断语确有些早熟。我对于倪金寿的答辩也未免失态。

一会儿霍桑仰面说："照这情形看，似乎这张友恩是被一个唤作'鸿生'的人杀死的。那人也许就是顾荣林所看见的在窗口上的人。我们目前的课题，就要找寻这一个人。"

倪金寿忙应道："对，可是这课题不容易下笔。我觉得没有办法，才来烦劳你们俩。"

霍桑说："这假定的凶手不是叫'鸿生'吗？这也不能说毫无头绪啊。"

"是。可是难题就在没有人知道这个鸿生。"

"他的母亲也不知道？"

"不。我问过伊。伊说伊不知道友恩有什么叫鸿生的朋友。"

"那两个仆人呢？"

"也不知道。"

霍桑皱紧了眉："奇怪。你可曾问顾荣林，他能不能辨认那窗口上的人？"

"他在惊惶中没有看清楚，只记得那人的头发很长，上身穿白色的西装衬衫。"

霍桑把背靠住了窗框，踌躇着道："事情真有些棘手。不过那人的去踪虽这样敏捷，他怎样进来，总得有人知道啊。"

倪金寿摇头道："不知道。困难点就在那人的来去无踪，没有一个人知道。我曾向那老头儿寿庆问过。他说他临睡时把前面铁条门和屋子门都亲手锁好。后来荣林他们进来，门都虚掩着。"

"寿庆什么时候睡的？"

"他说他睡时大约在十一点光景。"

"在他睡的以前，可有什么人来见他的主人？"

"他说在十一点不到，他的小主人才回来，吩咐他锁好了门去睡。他才下了锁去睡，并没有什么人来。我也问过那老妇和小使女。她们睡得更早，在发案前也不听得什么声音。"

霍桑道："如此，这个人和死者必是相识。那人进屋的时候，谅来是友恩自己下去开的。我刚才看见屋子门上的锁没有坏啊。"

倪金寿表示赞成："是。我也已经把门验过，门没有坏。铁门上的锁也开着不坏，锁仍旧挂在钮孔上，它的钥匙也照样挂在楼梯脚下的墙壁上。寿庆每夜锁门后总是挂在那里的。"

霍桑点头道："那么死者自己开门的理由可以确定了。"

金寿说："是，霍先生，你说得对，门一定是友恩自己开的。进一步，我们可以推想那人深夜访问，友恩竟能开门招接，可见彼此一定很熟悉。"

我又插一句："既然如此，就算这屋子里的人不知道鸿生是谁，但要侦查他，似乎还算不得难事。"

霍桑点点头，又问道："金寿兄，你可曾发现其他可以帮助侦查的证迹？"

倪金寿一边点头，一边伸手向衣袋中一摸，取出一块白巾包折的东西，双手送交霍桑。

照片的卜落

白巾包中的东西在案情上当真很重要。那是一张女子的照片和一封信。照片上的女子穿学生装，年龄好像还不到双十，上身穿一件白色小花的短衫，下面系一条黑色的短裙，朴素而端庄。伊有两条秀眉，一双慧眼，配着细长的鼻子，非常美丽。照片边上有两行毛笔细楷，写着"友哥惠存——妹霞持赠"八个字。

倪金寿说："照片是藏在死者身上的。我从他的西装的胸口袋中取出来。他的母亲已经瞧过，可是不认识。"他又指一指那封信："这封信是我从字纸篓中拣出来的，似乎也有些关系。"

霍桑将信笺展开来。那是死者的父亲从北平寄发的家书，书法很劲道，日期是三天前。

那信的大略是：

> ……近来我因为和人家的政见参差，有一班人衔恨我。我既不愿甘心屈从，一时又不便下台，只得随时防卫，静待时机。你在沪读书，也应处处小心，交际上更宜注意，免得我两地悬念。……

倪金寿等霍桑读完，问道："霍先生，你对于这两件东西有什么见解？"

霍桑想了一想，答道："照现势论，好似这两种东西都可能和凶案有关系。但这两件东西的本身不像有连锁的关节。"

倪金寿点头道："对。但你看这两种东西，哪一种和凶案的关系更接近些？"

"这是很显明的。照片当然更切近些。"

"是，我也这样想。因为信中的话，虽含着警诫的意味，但假使果真有什么仇人，因父亲的怨仇要在儿子身上报复，也只能暗中行刺，友恩断不会亲自去招待进来。"

我插口道："这倒难说。暗算的人也许先借交际做引线，然后乘机行刺，那自然比贸贸然狙击更妥当。信上明明有'交际上更宜注意'的话啊。"

倪金寿回头来向我瞧瞧，辩道："不过看死者在深夜中还能招接，显见彼此相识已久，绝不是初交。信中所说的结怨，似乎还是近来的事。包先生，你的意见似乎有些讲不通。"

我笑一笑，答道："金寿兄，你把死者的深夜纳客当作是旧交而不是新交的根据呢？可是据我看，死者所以招纳那人，也许有被动的可能，不一定是相好的旧交。"

"唔？怎样被动？"

"譬如那人预先和死者有什么成约，诱以利害，使死者有不得不开的趋势——"

霍桑忽向我们俩摇摇手："好了，别空辩。……金寿兄，你的意思怎么样？"

倪金寿说："照我看，这一件凶案中似乎牵涉一个名叫'霞'的女子，那凶手也必和这个女子有关系。也许就因为三角关系，那人和友恩势不两立，便在深夜中到这里来行凶。凶谋完成了，他就乘顾荣林回去报警的当儿，把手枪丢在门背后，悄悄地逃走。从我们所知道的事实推想，这凶手也许就叫鸿生。眼前最困难的，就是要找寻这个叫鸿生的人，一时无从着手，因为这屋子里没有一个人知道这鸿生。"

霍桑凝想了一下，说："家中人虽不知道，但朋友们也许有知道的。友恩既然在徐汇中学读书，那里总有同学们可以查问。"

倪金寿似乎给提醒了，嘻一嘻："对。我就从这一条路进行。"

"你找到他以后，听他说些什么，我们再商量办法。"

倪金寿答应了，就将手枪等物收拾好。他准备先回警局去接洽一下，以便检察官来后，将尸身运往验尸所去，然后他再到徐家汇去调查。霍桑又和他谈了几句，倪金寿便走了。我们也一同下楼来。

我们和张友恩的母亲略略谈一谈，才知友恩的父亲一向在交通部中办事，手里很有些积蓄。友恩是他们的独生子，从小娇养惯了。霍桑问到友恩平日有没有和女子来往的事，老妇回答不知道，只说他平日在外面的时候不少，挥霍相当大。我们离开张家之前，又向小使女芳儿和寿庆老头儿问话，他们所答的和倪金寿先前转述的没有两样。我觉得寿庆实在是一个颠顶不灵的人，故而连放枪的声音都不曾惊醒他。不过芳儿说到友恩的脾气，隐约间吐露不满，友恩像是个任性使气的"少爷"。

我们从张家出来后，顺道到警署中去会了一会顾荣林，所说的也没有出入。我们便回寓所进过时的早餐。因为我们一清早得到了倪金寿的电话，匆匆赶得去，肚子还是空着的。霍桑的早餐本来量不小，这一天他好似满腹心事，竟改了常态，只吃了两个鸡蛋，便离座而起。

我问道："怎么？你不吃粥？"

他摇摇头："够了。两个鸡蛋，在营养方面说，足够维持人体二十四小时的消耗，多吃只有填塞和扩大胃的功用，实际是浪费。"

他说完了，便先走进办公室去。我自顾吃粥，并不留阻他。我们两个人对于膳食的态度常常有相反的表现，而且是有交替性的。有时候案情的疑秘困住了我的脑筋，影响我的胃纳，可是霍桑往往会不受影响。这一次倒了一个个儿。我觉得张友恩的案子是比较平淡无奇的，不料霍桑却重视得减损了他的早餐。他还说出一番大道理。那显然是诡辩，目的在掩护他的变态。

我回进办公室时，他衔着一支烟，背负着两手，低了头不住地在室中踱着，好似有万千思绪困住了他的脑球，一时无从整理。

我含笑说："霍桑，你刚才的话，不是沾染了莎菲斯派的臭味吗？"

霍桑拿下了烟，住了步，答道："什么意思？"

"你明明因为这件张友恩的事减少了你的早餐，可是你告诉我一篇节食的大道理！"

"唔，我不是诡辩。我的话是有学理根据的。我本来吃得太多。"他顿一顿，又说，"是的，我也用不着瞒你，这一件案子也的确困我的脑筋！"他的眉尖间的线纹加深些。

我说："你指什么？我看这案子也不见得十二分棘手啊。"

霍桑忽然回头来瞧我。他带着忧郁的容色，坐到藤椅上去，呆滞地吐吸了几口烟。

他问道："包朗，你不知道这案中的情节有矛盾吗？唉，这矛盾正使我索解不得！"

我问道："什么矛盾？你究竟指哪一点？"

铃铃铃！……电话机上的铃声阻止了霍桑的答复。他仍坐着，好像在推索某一个难题。

他说："包朗，你去听听。大概倪金寿有什么信息了。"

我答应着去接，果真是倪金寿的报告。金寿说，他从徐汇中学方面，查不出鸿生是谁，比较有关系的一点，就是死者有一个交好的同学叫严公声，也许可以知道友恩的情况。严公声住在学士路十九号。金寿就到那里去向邻居和仆人们探访，才知严公声当天就要结婚，新娘名唤陈碧霞。他从状貌服装上查得新娘就是那照片中的女子。倪金寿觉得这个发现有重大关系，就进去和严公声会面。他起初一口回绝，声言并不和张友恩相识；后来他又说他们不过是泛泛的同学，并不知友恩的底细。倪金寿益发怀疑，就把那女子的照片取出来作证。公声不禁突然变色，再不能够抵赖。金寿进一步问他为什么把张友恩打死，他仍矢口不认。倪金寿又在他书室中的地板上搜出一粒枪弹，竟和第一次在张家发现的同式。公声起先也支吾，后来忽说这一粒子弹是一个不知谁何的人打进去的。但据倪金寿的见解，那在尸屋中搜得的手枪定是严公声的。也许他偶一失手，落枪于地，子弹就着在地板上面；把弹仓中缺少的一弹作证，恰巧符合。此外还有一证，公声是穿西服的。他在这天的清早，特地往学士路转角的一家理发铺里去剪发。金寿又去看过那理发师，据说公声的头发本来很长，今天却修得很短。因此种种，倪金寿就指他为嫌疑凶手，已将他拘入警署中去。

我把这一番报告详细地转告霍桑。霍桑很惊异。他思索了一会儿，他的眉峰忽然开展些。

他自言自语地说："唉，叫严公声？……女的叫陈碧霞！唔，这发现很侥幸！很迅速！"他突地立起来："包朗，有些眉目了。现在我还得去探索一下。你在这里等好消息吧。"

约莫一个钟头以后，还没有信息。我一个人感到无聊，我的思潮便禁不住乘机活动。

就情势看，这案子的收束之期似乎已近。可惜的是严公声以新郎的资格，忽一变而成凶手。洞房的风趣未尝，却先领略铁窗的滋味，真是最煞风景的事。无论案情昭著，他的凶罪已将成立，即使事属冤枉，但他们的婚期既然定在今天，半天工夫，也断不能够平反。我虽替严公声和陈碧霞惋惜，可是心有余而力不足，只有付之一叹。

一个故事

午刻过了，我正想一个人先进午膳，霍桑忽然满头大汗地闯进来。

他卸下了国产白哗叽的短褂，便问："包朗，可有什么人来过？"

我摇头道："没有啊。你希望哪一个人来？"

"我已约定两个人。等一会儿你就会看见。"

"你约他们来做什么？可就为着这一件案子？"

"是。我要等他们来结束。"

我惊喜道："什么！你已准备结束这案子？难道你已经——"

霍桑摇摇手："正是。你姑且耐一下子，别催着我解释。"他坐到藤椅上，伸直了两腿，用白巾抹抹额角和脖颈。他又高声叫道："施桂，你叫苏妈把我们的两双新的漆皮皮鞋擦擦亮，我们晚上要穿。"

这吩咐有些不伦不类，我感到莫名其妙。他却安闲地开始吸烟。

我问道："霍桑，这究竟怎么　回事？你又卖关了——"

来一个打岔。施桂引进一个人来，就是我们的老友倪金寿。

倪金寿先说："霍先生，刚才失迎。但你留字条约我来，可是有什么新的发现？"

霍桑劈口应道："是！不单是新发现，我已经把全案的真相都查明白了！"

倪金寿欢喜地说:"那好极!开审起来,不怕那凶手狡辩了。霍先生,我很感激。"

霍桑似乎没有听得,忽而自言自语:"唉!可惜还缺少一个人,否则我的结束谈话就可以开始了。"他皱一皱眉,取出表来瞧一瞧:"他不会不来吧?……好,我不如先说起来,等他来继续加入,免得耽误金寿兄的工夫。"

静一静。纸烟的烟雾又开始氤氲。我仍是满腹疑团,想不出结束的方式是怎样。

霍桑说:"金寿兄,张友恩的致死的情由,你说你早已知道,不用我再说了吧。"

倪金寿道:"是。照现在的情势,内幕已经很明显。严公声和张友恩势必同恋着陈碧霞,碧霞到底被公声所得,友恩是失败了。不过因为碧霞的一张照片落在友恩手中,所以在结婚之前,公声企图将肖照取回。他连夜向友恩交涉,不料友恩不答应,事情就弄僵。但瞧友恩把照片藏在身上,就是一个明证。当时公声因为坚索不得,彼此决裂了,所以公声就把他打死。"

霍桑一边吐吸着烟,一边斜侧着头听着,可是他的脸上却表示一种淡漠的神色。

他说:"唔,这样的假定看来好似很近情,可惜事实上并不如此。"

倪金寿惊异道:"喔?可是我料错了?难道公声的行凶另外还有别的情由?"

"你不是料错。你弄错了前提。我刚才说的是指友恩怎样死的。你答复这一句就行。"

倪金寿呆一呆。他用疑惑的眼光瞧着霍桑,似要从霍桑的神色中窥测他的语气。我也觉得霍桑的语气近乎模棱含糊。

他道："霍先生，你可是说除了公声以外，另外还有别的凶手？"

霍桑也注视在他的脸上，重复地答道："别的凶手？"

倪金寿疑迟道："是啊，就是那家信中说的警诫友恩的话——"

霍桑忙止住他道："不是。那家信上的话若使细读一遍，便可知和凶案没有关系。他父亲所以说结怨于人的话，不过借以引证，使友恩有所警诫，应当明哲保身，不可在交际上结怨；并不是说他有某一个仇人将要到上海来加害友恩。你若从这一条路上去着想，不免要走入更远的歧途上去了。"

"这是包先生提起过的，我本来不曾走这一条路。但你既然说我的第一层见解不对，我又没有别的成见，自然就想到这歧路上去。那么你的见解究竟怎么样？可是说公声当真不是行凶的人？"

"他不但不是凶手，而且还是一个被害的人！"

"奇怪！那么，谁是凶手？"

"张友恩！"

倪金寿怔一怔，说不出话。我也不期然而然地放下了纸烟。

霍桑又道："难道你已经忘掉了包朗兄说的话？"

倪金寿突地回过目光向我瞧一瞧。他更加诧异了，眼睛在交替霎着。我也像坠入了五里雾中。

霍桑笑道："包朗，你真健忘！你自己的话也记不起来吗？你不曾说过友恩是自杀的吗？"

这句话才使我恍然醒悟。当初我一见尸身上枪弹贯穿之状，骤然间确曾说过他是自杀。但是后来因种种抵触的疑迹不能解释，这自杀的见解我也不得不放弃了。

霍桑继续道:"你当时因为创口的证迹,料他自杀,这见解本是正确的。不过你发表得太急,没有把前后的情节斟酌一下,一切可疑冲突之处,也不曾经过考虑而找到相当的解释,故而你虽有超越的眼光,到后来却终于被疑雾所蒙。这是最可惜的。以后你应得注意这一点。"

霍桑的语气是含着些教诲的意味的,但我仍非常愉快。因为我自从帮助霍桑探案以来,有时虽也谈言微中,但我的观察推论究竟不及霍桑的精辟独到。这一次我一言料中,连大名鼎鼎的倪金寿也没有想到,我实在不能不感到高兴。我瞧瞧倪金寿,他的颜色从惊异而变成沉静,他的眼睛仍瞧在霍桑的面上,分明还是半信半疑。

倪金寿说:"这结果实在是出我意料的。霍先生,现在你对于这案中的一切矛盾费解之点总已有了合理的解释了吧?"

霍桑仍很安闲,点着了另一支烟,点头道:"是的,现在我先讲一个故事,如果有什么疑点,不妨等讲完后再说。"

倪金寿道:"很好。"

霍桑连连吐吸了几口烟,方始说:"金寿兄,这故事的前半段,你方才已经说明,的确不错。张友恩和严公声同时和陈碧霞发生了恋爱,彼此从同学而变成情敌。情场搏斗的结果,严胜而张败,你说的也相合。至于胜败的缘由,一个是爱情纯洁,事事出于真诚;另一个却把色欲做了前提,把金钱做了后盾。久而久之,真相一露,陈碧霞自然就舍此就彼了。"

故事的性质又跳不出三角圈,不过内幕的变幻,我相信方式是不同的。霍桑停一停,吐了一口烟。他向倪金寿瞧一瞧,继续说下去:

"张友恩失败了,自然不甘服。你知道一个娇养的独生子，家庭的溺爱造成了他的任性使气的性格，后果的危险是必然的。俗语说的'种瓜得瓜，种豆得豆'，真有着论理的基点。到了昨天晚上，他便决定了行凶的计划，准备把公声打死，破坏他们的美满婚姻。他悄悄地走到严家门外，望见书室的窗开着，公声正坐在摇椅上沉沉思想。友恩就隔着垣墙发了一枪。不料公声的摇椅是活动不定的。枪弹落了空，便陷进了地板里去。当时公声吃惊走出去，友恩早已逃走了。公声虽没有瞧见发枪的是谁，但料想起来，除了情敌，他并没别的怨家。可是他因为婚期就在明天，不愿意好事多磨，发生什么意外风波，所以他就把这回事隐秘了，不曾报告警局。这是他的失着。友恩是骄纵惯了的。一个骄纵惯了的少年，坐惯了顺水船，教育又太少，理智当然不健全，所以一碰到挫折，便会倒行逆施地乱干，连性命都不顾。他行凶不成，越发加上了一重怨恨，回家之后，左思右想，一百个不如意，就决定了自杀的主意。可是他并不是白死，他企图贯彻他的报复计划，嫁祸于公声。例如椅子的倾倒，前门的虚掩，和临死时高唤公声的名字，都是他准备的计策，使人家信他为公声所谋杀。并且他发枪以后，还努力地把枪掷远，更可见他的复仇心的深刻和设计的周至。"

"你可是说公声和鸿生，声音太相近，友恩的母亲听错的？"我乘霍桑略顿一顿的机会补一句。

霍桑点点头："是，'公'和'鸿'声母虽不同，韵母是一样的。张夫人在迷糊中听错了，当然很自然。"

倪金寿也开口了："霍先生，故事很动听。但这是你的设想吗？还是有根据的？"

霍桑笑着说："金寿兄，你想没想丢掉了根据，那会成什么？"

"唔？"

"我告诉你。我的设想当然都是从事实和证据上观察而得的。我得到了你的报告，就觉得严公声没有杀死张友恩的必要。你想他在情战上既然得胜了，婚期又在下一天，为什么还要冒险杀人？若说为了他的意中人的一张照片落在情敌手中，竟不惜行凶，情理上委实太牵强。因为女子的照片在秘密不能公开时也许有些价值，这件事情势可不同。两个男子公开地同时恋一个女子，这女子自然没有向对方守秘的必要。因此在碧霞方面既没有名誉的损害，在友恩方面也没有借照片要挟或其他作用的可能。那么公声为什么竟值得拼死行凶地取回这照片呢？

"你的报告又说你在他的书室中搜得一粒枪弹。我就到警局里去找你，想把子弹比一比。你恰巧不在。我便直接见公声。我把利害的关系指示他以后，他就把一切情节开诚地告诉我。我又到公声家的门外去检验，果然看见短墙上面有很显著的迹象，分明有人在那里倚靠过的。因此我便确信行凶的是友恩，不是公声；手枪也是友恩之物更不必说。此外还有一个基本的佐证，就是死者左手执枪，伤处虽在左胸，枪口却已偏右，故而子弹从右背穿出。这显然是自杀之像。而且你总也注意到衬衫上的黑灰明明是枪弹凑近发射的现象。这一点当然就是包朗兄的最初见解的根据，我不必再说了。"

霍桑的分析和举证，简直"口若悬河，头头是道"。一个起初认为不可解释的疑团，此刻大半已有了着落。自然，我只有心领神会地佩服。但倪金寿低了头，似乎在细细地咀嚼，还有些不完全融彻的样子。

他说："霍先生，你理解的固然很近情。不过若说友恩的死，公声完全没有关系，我还不敢相信。不然，我起先问他，他为什么抵赖不承认，直到见了肖照，方才哑口无言？"

霍桑道："这是容易明白的。他因着婚期就在目前，怕多口舌，故而抱着省事主义。其实处世的准则，要懂得'无事不可生事，有事不可怕事'。公声就因怕事反而多事。现在他正后悔不及哩。"

倪金寿沉默地吸了一会儿烟，又说："我还有些不明白，友恩既然是自杀的，那时候他的房中当然只有他一个人。他倒地了，室中怎么还有第二个人替他熄灯？因为顾荣林听得枪声以后，明明看见楼窗口里有一个长发的人探望，灯光随即熄灭。这个人又是谁？"

问话很有力，而且也是在我的嘴边的。要是没有合理的解释，霍桑所讲的故事会变成一个美丽的皂泡。霍桑突然立起身来，弹去了些烟灰，用白巾抹一抹脖颈，连连点头。

他叹口气说："金寿兄，你这一问很有意思。这委实是全案中最伤人脑筋的一点。当初我根据弹灰和伤势，假定他是自杀；又从死者的母亲听得叫声而不听得争斗声，又假定椅子的翻倒是故设的疑迹；还有前门上的锁没有坏而仍旧挂着，也不像是有外人进去。可是事实上有个人在窗口探望，接着又熄灯！这是一个无可解释的矛盾点，我左思右想，再也解释不出。后来我从公声家回来时，经过西门路的一排同样式制的洋房。忽然触发了一个猜想，就重新赶到白杨路去证实。金寿兄，现在我可以告诉你了。我确实知道友恩自杀之前已经把电灯熄灭，并不是有第二个人替他熄灯的。"

倪金寿张大了口眼："果真？霍先生，你有证据？"

霍桑嘻一嘻，点点头："自然。"

"那么顾荣林所看见的难道是一种幻象？"

霍桑还来不及答复，室门忽而推开。霍桑旋转身去，向着室门口深深鞠了一个躬。

他说："江先生，你来得真凑巧！请进来。"

十八只蹄子

门口立着一个穿棕色派力司西装的少年，长身玉立，仪表很秀美，丰盛的黑发剪成平顶式。我细瞧他的面貌，并不相识。

霍桑说："金寿兄，包朗兄，我来介绍。这位江鸥客先生是国民书馆的特约撰稿员。此刻他特地赶来给我们解释一个重要的疑点……江先生，请坐。"

来客向我们俩鞠了一个躬，坐下来。他摸出白巾来抹汗，那白巾回进袋里去时，换出了一把小小的折扇，扇上还有国粹的书画。我听了江鸥客的名字，脑室中仿佛还有些印象，可是一时记不起在哪里闻名过。

霍桑说："江先生，对不起，请你把你刚才你说过的故事重新说一遍。我这两位朋友正急于要听呢。"

江鸥客把折扇挥动着，点点头："很好。昨晚上我因为编写《公民卫生新篇》，睡时不觉迟了些。约莫一点半钟，我猛听得一声枪响，不禁大吃一惊。因为白杨路上本有政治活动的人们匿居，不时有暗杀案发生。那时候我正凝神写稿，以为枪声在我家门前发作，故而悄悄地开窗张望。我果然看见一个人站在门前，好像正抬头向着我的窗口。那人一看见我。就避到树底下去。我怕他误会我，急急关上窗，又把电灯熄灭了，以免无妄之灾。一会儿，我又听得隔壁张友恩家的哭声，料想有什么人已被政治活动的人们打死。我——"

倪金寿忽然直跳起来："唉！你就是张友恩的隔壁邻居？"

江鸥客把上半身微微偻一偻，算是承认的表示。我瞧着他暗暗诧异。谁想得到这个误会？

倪金寿又说："那么顾荣林所看见的是你家的窗，不是友恩的窗？后来他重新回来到原处，望见了窗上有灯，便也不再分辨，因此才造成一个大错！是吗？"

霍桑又嘻一嘻，代来客答道："是的，金寿兄，你说得不错。"

我也像迷梦初醒，才记得我们清晨往张家去的时候，确曾看见贴隔壁四〇四门上有一块"鸥客寄庐"的铜牌。

江鸥客又说："这误会的情由，我本来没有知道，直到方才霍桑先生来找我，说明了缘故，我才明白。他又叫我来证明一下，以便解脱一个人的嫌疑。这是我所义不容辞的。倪先生，现在你总可以明白了吧？"

倪金寿拱拱手："多谢你，替我们了结了一件疑案。"他又皱皱眉："荣林太糊涂！竟弄出这样的误会！"

霍桑丢了残烟，摇摇手："这也怪不得他。你想那里一共有同样构造的洋房十二幢。这两家恰巧在中央。顾荣林在深夜仓皇的当儿，当然不会看门牌。他大概只把那一棵大树做记号，哪里还能够辨别清楚？其实不但荣林，就是你我处在这样的境地，恐怕也保不住一定不误会吧？"

倪金寿连连点着头，答道："唔，是的，也许如此。"

霍桑道："金寿兄，你回去之后，快把严公声放掉了，别让他错过吉期。法庭上如果需要质证，我可以负责担保。"

倪金寿和江鸥客先后地辞出以后，我们俩方始吃延迟的午饭。霍桑含着笑容瞧我：

"包朗，恭喜你！你的观察力有进步了！——喂，你别吃得太多，留些肚子给晚上装。我告诉你，今天夜里我要替人家做一回媒人呢！"

我问道："做媒人？你替谁作伐？"

"就是严公声和陈碧霞。"

"唔？他们俩还要你做媒？"

"我当然不是做旧式媒人。但这一回事若没有我从中撮合，他们俩的婚险些结不成。所以我查明之后，顺便往西门路陈碧霞家去安慰伊。伊真是说不出的感激，把我看作比'媒人'还恭敬。伊约我事情成功了，今晚上一定要往他们家去吃喜酒。"

我立起来，也恭恭敬敬地向霍桑鞠一个躬："我也恭喜你！怪不得你刚才这样子起劲，忙着叫苏妈擦皮鞋。原来你准备吃十八只蹄子呢！"

霍桑笑道："十八只蹄子？这么多？"

"是，这是旧式媒人的特别享受！"

"唔，要是真有十八只，少不得要分给你九只。你用不着撅酸！"

催 眠 术

扇子哲学

这里是我的日记中的一节最简短而又最有趣的探案记录——不，简直是霍桑别开生面的医案记录。记录的年月距离我此刻叙述时也已经很远了。时候是初夏，天气已渐渐地热起来。那天早上忽然下着非丝非雾的蒙蒙细雨，天空中塞满了厚厚的湿云，瞧上去阴沉沉的。郁热的空气渗透了潮湿，也像屋子里的家具那么起了霉，越觉闷腻烦躁。自然，这样的天气会影响到人们的心理和身体。

我觉得懒怠得惮于动笔，坐在霍桑办公室的藤椅上，披阅那送进来不久的报纸，借此排除我的因天气而引起的无聊。霍桑穿着细白万载夏布衬衫，山东府绸的西装裤，足上却套着一双玄缎的拖鞋，躺在沿窗口藤椅上。他的左手中执着一支白金龙纸烟，慢慢地吐吸着，右手中握着一柄一面任伯年的花鸟一面杨伯润的行书的折扇，不住地迅速挥动。那纸烟上的屈曲的烟雾给扇子扇着，化成一缕缕袅娜的白纹，被卷送到窗口外去。

霍桑的办公室中虽也装着电扇，霍桑却怪癖地关着不用。他在闷热的当儿，宁可摇着那把古董折扇取凉，好似不愿节省他的手腕的劳力。我看见了他那种不怕烦劳的举动，曾用调笑的口吻向他诘问过：

"霍桑，你也太讲究经济了！省了几个钱电费，却在这个闷热的时候，不怕麻烦地挥着扇子。你未免辜负了物质文明！"

不料这调笑的反应是一串严肃的滔滔宏论。霍桑忽坐直了身子，把口中的纸烟取下，张大了双目瞧我。他用折扇指着我，词正色严地回答。

他说："包朗，你说得对，我真是天生着平民骨头，不会像一般有闲阶级地善于享受物质文明！但你总知道我们国家的一切落后的病根，就病在一般人'太'会享受，和'只'会享受！"

不但他的面色和声调都有些认真，并且已近乎着恼了。我倒有些不安，脸上的笑容也不得不在不自然状态下收敛了。我一时不知道用什么话解除这小小的僵局。

他接续着说："我不用电扇而用扇子的缘故，难道真是为着节省几个电费？扇子的效用要通过了手腕的摇动才会产生，而且风的急缓也可凭手腕的控制。你须知人类的身和心是应当有适度地运用的。过分劳碌固然要疲乏，但过分舒服也一样会养成身和心的惰性。这惰性就会影响他或伊的意志。人们在空闲无事的当儿，心理和肢体都容易呈现懒态。我这几天正闲得不耐，怎么敢连这小小的手腕的活动也放弃了呢？"他的声浪越高，状态上也越见兴奋。

我企图打开这僵局，又勉强带笑说："霍桑，你这一篇高论，我可以给它取个名——扇子哲学。"

他好像不听得，顿了一顿，吸了两口烟，又继续说："包朗，你岂不知我国一切事业的落后和那种不劳而获和少劳多获的心理的随处表现，根本原因就在国人体格的太孱弱？孱弱的来由虽不止一个，但一个因素就因为一般领导阶级太会和太喜欢安享！想一想，一个人对于一切事只会开口而不会动手，会酿成怎样的结果？"

唔，霍桑居然小题大做了。他的议论头头是道，我当然无可答辩，我在这样的天气，可没有这一股劲。我因懒得开口，只微笑着点了点头，把报纸做了我和霍桑之间的屏障。大约经过了半个小时，我忽觉得我的头脑有些发胀刺痛，就把报纸抛下了，头仰靠在藤椅背上，望着窗外人行道上梧桐枝上的新绿。霍桑似乎看见我静默无言，自己觉得有些不好意思。

他丢了纸烟，含笑向我说："包朗，你不是觉得头痛吗？空气太沉闷了，你何必在报纸上用功？"

我答道："我不是用功看报，不过消遣时光罢了。"

"消遣的方法也多得很，何必一定要看报？我问你，你那所写的《孤女劫》续稿现在已经写好了多少？"

"只写好了六章。但那上集已经出版了一个星期，我还不知道它的销路怎么样。"

霍桑的右手仍握着折扇挥动着，笑道："我想那书的销路不会坏的。不过你写这篇东西，着笔过分沉痛，描写那女子慧珠的惨状似乎太嫌形容尽致。这虽是你的个性，不过读者们的反应也许要感到怅怅不欢。"

我坐直了身子，含笑说："我不过把情节略略加些渲染，并没有违离事实。文字的布局是不厌曲折的。书中人的境遇越描写得悲惨，到了后来的圆满也就越见得愉快。你说对不对？"

霍桑也笑道："你用修辞的眼光来解释这篇作品，我固然无可非议，不过——"

似乎为寻仇而来

这时忽有一个打岔。霍桑还没有说完，那老仆施桂忽匆匆走进来，报告外面有客。霍桑立刻坐起来，折拢了扇子，搁在藤椅的靠手上，把那张名片接过去瞧。

他自言自语地说："孙晋禄……公大庄经理。……这是谁？我不认得他。"

我说："大约又是来求教你的。让他进来再说。"

霍桑点了点头。施桂就退出去领那客人。

来客的年龄有四十左右，脸形带方，五官的位置很端正，身材也很魁梧。他身上穿着一件白纺绸的长衫，头上也戴着龙须草草帽，足上是白色的丝袜和黑色的纱鞋。他的装束相当富丽，一望便知是一个有产阶级。那人走进了办公室，直挺挺地站住，并不除去草帽。他用满含惊恐的目光兀自炯炯地向我们两人呆望。一会儿，他忽提高了声浪，气咻咻地突然发问：

"哪一位是霍桑？"

霍桑已立起身来，看见了来客的神气，略略有些惊讶，但这天他的耐心特别好，仍不丧失他的款客的礼貌。

他弯了弯腰，答道："我就是。孙先生，有什么见教？"

施桂已移过一把藤椅给来客，又取了一杯汽水递过去。可是那来客好似来寻仇作难，并不是来求教的。他接了玻璃杯，并不即饮，身子也不坐下，依旧突出了眼珠，瞧着霍桑发呆，又像在发怒：

"对！对了！这件事非你不办！你得替我找回我的侄女……"

　　来客的态度显然已经失常，似乎神经有些错乱。他的语气非常坚决，仿佛有霍桑非答应不可的样子。他的手一挥动，杯子里的汽水泼出了一些。霍桑点了点头，一边引手作势，请他坐下，一边把电扇开动。电风扇就呼呼地扇着。那来客坐下了，喝了几口汽水，方才除去他头上的草帽。他的额角上的汗珠渐渐地减少，态度上也比较宁静了些。霍桑也回到他的藤椅上去。

　　他问道："孙先生，可是令侄女失踪了？"

　　"是……是的！"

　　"什么时候不见的？"

　　"今天早上。"

　　"几点钟？"

　　"离此刻约有两个钟头。"

　　"那么当然还走不远，追寻还来得及——"

　　"走不远？还来得及追寻？嘿嘿！我很愿如此——"

　　"唔？你的话什么意思？"

　　"什么意思？我看伊已经逃到了虚无渺茫的境界去！"

　　孙晋禄说话的确太突兀。霍桑瞧瞧来客，又用眼睃着我。我向他呆瞧着，表示我无能为力。

　　霍桑接着说："孙先生，我猜度你的意思，似乎你对于你侄女的失踪早已知道了底细，故而在你看来，认为不容易追寻。可不是吗？"

　　"不，不！这回事的内幕我完全不知道。不过你……你……你总知道底细！"

　　自然，这一句话越发不近情理。但霍桑仍很镇静，并不见得怎样惊异，分明他已明白了来客的失了常度的精神状态，故而处处加以宽容的谅解。他的沉静的眼光兀自凝注在孙晋禄的脸上：

"奇怪，我怎么会知道底细？"

"我侄女的失踪，你可算是个主使人！……你一定知道底细！"

来客愈说愈奇的言语，不但使霍桑蹙紧了眉毛，有些忍耐不住，连我也不觉骇异莫名。

我插嘴说："孙先生，你的话怎么不伦不类？我们和令侄女并没见过半面，你怎么信口乱说？"

他横过眼光瞧我，眼光是近乎凶狠狠的：

"对，你也有份！你是不是叫包朗？……你们非把国贞找回来不可！"

我有些着恼。这个人说疯不疯，说话态度却又这样蛮而无理，我倒从未碰到过。但霍桑依旧不动肝火。

他把折扇折拢了一半，向对方挥一挥，说："孙先生，你得仔细些说明白，不能随便冤枉人家——"

孙晋禄插口道："我不是冤枉你们。须知我的国贞失去的不是伊的肉体，却是伊的灵魂！原因就是你们两个！"

倒串戏

霍桑的忍耐的表现是可惊的。他点了点头，似乎已有些领悟。我还有些莫名其妙。我暗想这人大约受了过分的刺激，精神恍惚，才会发出这种怪诞不伦的态度和语句。

霍桑嘻了一嘻，又开口道："令侄女大概是丧失了神志，是不是？"

"是。"

"那应该赶紧去请医生才是啊。"

"医生早已请过，没有用。"

"唔，医生既然没有办法，你到这里来做什么？"

"你得给我想法子！"

"我不会医病，怎么能给你效力？"

"曹医生说，这病是因你而起的，所以要医治这病，也非你不可！"

话还是近乎不伦。假使我不是深悉霍桑的品性和行为的人，也许要误会有什么女子正向霍桑双恋或单恋着。但这来客的奇突的答话仍不曾使霍桑怎样惊骇，却只觉得有趣。他缓缓点着了一支白金龙纸烟，又张开了折扇，合成了眼缝瞧那来客。

他婉声问道："这又是什么意思？我真是莫名其妙。但你说的这个曹医生是谁？"

孙晋禄仍自顾自地说："这实在是你害人！曹医生是内科大方家，我家里有病，一向请教他。他说病的祸根就是那本《霍桑探案》。他简直没有办法。所以医治的责任，只有由你负责。"

霍桑把眼光移瞅着我，仿佛暗示说："包朗，你惹出祸殃来了！"

我也觉得很惊怪。这个人既不像是故意来和我们开玩笑，那么世间的奇事竟怎么会奇到这样地步？

我向来客说："真的？这真是奇闻！"

那孙晋禄似答非答地点了点头，狞视着我，并不说话。霍桑把纸烟塞在嘴里，缓缓吸了几口，然后才继续向来客发话：

"那么请你把这件事说得详细些。令侄女今年几岁了？"

"国贞今年十八岁，在上海女子师范里读书，今年就要毕业。"

"伊的病态怎么样？"

"伊平日喜欢看言情小说，现在却在看你们的《霍桑探案》。这本书就惹了大祸。"

我插口道："那本书叫什么名字？"

"叫《孤女劫》。伊已经读过好几遍。今天早上又翻阅那本书，看完以后，忽然捧着脸，呜呜咽咽地哭起来，接着便有些疯疯癫癫，嘴里还喃喃地自言自语：'慧珠可怜！慧珠可怜！'"

这对于我是一种新的经验。我想不到这本《孤女劫》竟会如此作祟！

霍桑又问道："伊现在怎么样？"

孙晋禄道："我得到了我的内人的报告，赶回家去，看见国贞那种哭笑无端的状态，怎不吃惊？因为禁止既然不听，叫伊又不答应，连冷热的感觉都没有，我才知伊已经患了失魂病。可是经过了曹医生的诊断，据说这不是药物可以治疗的！短时间更没有希望。后来我查明了伊的病源出于你们俩的那本小说，自然就赶到这里来。"

来客用呆木的眼光灼灼地凝视霍桑，好像要等一个满意的答复，要不然他准会拼命。霍桑用力吸了几口烟，把烟尾丢下，眼睛瞧着折扇上的花鸟，低头沉吟着。我觉得很窘，一时想不出怎样打破这个僵局。我的头部胀痛得更加厉害了。一会儿，霍桑忽而折拢了扇子站起来：

"好吧，孙先生，我虽不是医生，但你既然要我去看看，我跟你去走一趟也不妨。"

孙晋禄才改了面容，拍手欢喜道："好极！好极！我相信只要你一去，立刻可以寻回我的国贞！"

孙晋禄的转忧为喜的变态充分暴露出带有神经性。可是这是实逼处此，也不能苛责他。霍桑偻着身子，已在换他的皮鞋。

他抬头答道："这还难说。不过我若有方法想，一定尽我的力。"他换好了皮鞋，起身在一只衣钩上拿下了雨衣，披在身上，又取了雨帽，回身对我说话："包朗，我不知道你的一支笔竟会有这样的力量。可是我却受了你的累！……现在你既然头痛，不如让我一个人去看看。你姑且躺一躺吧。"

霍桑跟着孙晋禄走出去。我独自留在寓里。我当然没法安睡，点着了一支纸烟，默默地忖度。世界之大，真是无奇不有。因读小说而致患精神病的事，当然只是小说中的想象，现在竟然变成事实。因此我又联想到社会上的那些意志未定的少年们，常会因熟读了神怪小说而入山修道；又因着所谓热情的肉的作品的流行，那六〇六一类的药品广告便也一天天地扩充篇幅。这种事实的确是值得弄笔杆的人郑重注意的。

我又想到霍桑对于这件事是否能够成功解决，也觉没有把握。我虽然深知霍桑的为人，他的智慧和干才都是超出常人的，但他究竟不是万能的"超人"。一个素人侦探一旦倒串了医生，自然也不敢决定他一定能够成功。现在他已应允了前去，成功了固然是一件快事，但万一失败，我又怎么样对得住他？我辘辘地思前想后，越想越觉烦恼。

电扇虽仍呼呼地扇着，我还觉得热不可耐，仿佛身上有什么痒处，搔既不能，不搔又不能安宁。这样挨过了两个小时，我才见霍桑独自兴冲冲地回来。

"谈疗"

霍桑走进了办公室，先和我点一点头，就把雨衣雨帽和短褂一起卸下。当他挂衣的时候，顺手把电扇关了。他又脱去了皮鞋，换上拖鞋，又把藤椅上的折扇取起来。他的神色宁谧而庄肃，不过额角上缀着汗珠，略略有些疲惫。我揣摩不出他的成和败。

我耐不住问道："怎么样？"

他用白巾抹抹汗，摸出烟盒来，作简语道："完了。"

我不禁跳起身来："什么？那女子死了？"

"不是。别误会。我说这件事已经完全解决了。"

"真的吗？"

"谁和你说笑话？现在那孙国贞已经恢复了神志，服了些药，正安眠着呢。"

我的心定了一定，急促的呼吸也调节了些。因为我估量霍桑的声浪和神气绝不是无聊的慰藉：

"霍桑，你一来一回只费了两个钟头，竟这样快？"

"实际的医治，我只费了五六分钟。"

"奇怪！你用什么方法医好伊的？"

"简单得很。"

"简单得怎样程度？"

"我只把这匣子给伊瞧一瞧，又向伊说了几句话，伊就豁然苏醒了。"他举起他的那只镀镍的纸烟盒给我瞧一瞧。

"奇怪！你学会了魔术？"

"不是魔术，实在是一种医术。"

"什么医术？你难道学会辰州符咒不成？几句话竟能够医

病？"我真觉得不能相信。

霍桑又挥着折扇，答道："辰州符是一种江湖的骗术。我的医法是有科学根据的。"

"喔？竟会有这般能力？……霍桑，快告诉我，究竟是怎么一回事？"

霍桑把身子躺到藤椅上，一边吸着烟，一边摇着折扇微笑着，说："包朗，你也太不体谅人了。这样的天气，我为了你的事奔走了一阵，也相当疲乏。你怎么不能耐性些？"

我抱歉说："唉，对不起。你的医术实在太神速，简直近乎神秘。我委实不能相信，所以耐不住。"略顿一顿，我终于按捺不住："霍桑，你到底用什么方法医好伊的？"

他吐出一口烟，简单地说："我采用的方法叫作 Talking Cure。"

"唔？"

"那是一种医术的名称，译名叫作'谈疗'，又叫作'净化治疗' Cathartic Treatment，发明的人是一个奥国医生勃洛尔 Breuer。"

我还是觉得牙痒痒的："霍桑，我并不是要查究你的学理的根据。你但将治疗的经过简单地说一说就行。"

霍桑点点头："那也可以。不过你不能太心急，让我慢慢地告诉你。"

他把两腿伸了一伸，将纸烟送到嘴边，闭了眼睛吸烟。我没有话说，只得强制着等候。他缓缓地扇了一会儿，才张开眼来，慢条斯理地开始他的叙述：

"包朗，我今天的动作已经超出了我的工作的范围。这是我生平的第一遭。那女子孙国贞患着一种轻性的精神病，要医治当然是医生的事，我本来负担不了。可是祸是你闯的，我既然应允了，自然不能不权且充一充医生。

"我到了孙家，先和晋禄的夫人谈了一会儿，查明了那女子的得病的过程。伊住在偏西的楼上，嘴里仍在念着'慧珠可怜''慧珠可怜'。我就拣选了楼下一间宽敞的房间，叫他们赶速整理清洁，然后叫人将伊领下楼来。那时室中的窗户完全洞开，却保守着极度的静寂，禁止任何人进去或窥视。

"那女子到了楼下的室中，坐在一张有背的藤椅上。我先吩咐给伊喝一杯冰水，又用手巾包着冰放在伊的额上。大约过了五分钟，才将冰拿去。那时室中的仆人完全走出来。我才突然踱进去。

"那国贞蓦地看见了一个陌生人，立刻抬头敛神地瞧着我。伊生得很美，不过瘦弱些。我就缓步走过去，摸出我的名片来给伊。伊瞧了名片，瞪着双目瞧我，不声也不动。我也定神凝视着伊，一边又摸出我的这一只镀镍发光的烟盒来，放在距离伊的眼睛一尺光景的地位，让伊注视着。这样子过一两分钟，伊的眼皮有些垂落，渐渐入于睡眠状态。"

"怎么？你施用催眠术？"

"是，'谈疗'本是催眠治疗的一种，我以前曾实施过一次。这一次更是顺利异常。我不曾用什么命令或暗示，伊竟自动地入眠，所以效果的迅速也出乎我的意料。接着我就说出几句有力的说话，我的治疗便完全奏效了。"

"怪事！你说的哪几句话？"

"我低声向伊说：'国贞，我是霍桑，现在来给你解决你的难题。你不是忧虑着慧珠的结局吗？'伊点点头。我又说：'我告诉你，慧珠的结局是终于圆满的，就是你和你表兄可瑾的婚约也可以圆满。你的伯伯已经应许了。你现在应当快乐哩！'我说完了这几句话，那女子噢了一声，眼眶中有些泪珠，头也低下了。我就用暗示催醒伊。伊张开眼睛向我呆瞧了一下，便用手按住了脸。原来伊已经感觉到羞愧。伊的知觉已经恢复过来了。"

良医与良媒

这像是一幕喜剧，它的经过我固然明白了，但我仍不能不感到惊异。

我接口说："霍桑，你真了不得！你这几句话竟能唤回那女子的知觉，真有些不可思议！"

霍桑答道："这是有学理根据的，并非不可思议。你总知道精神病大半起因于被遗忘或被压抑的悲痛经验。如果医生能使病人在催眠状态中，唤起他或伊的经验，疏解或消释病人的痛苦，病就会消灭。这已成为精神病的有效的治疗方法。"

"那么伊和伊的表兄婚约的事，你又怎样知道的？"

"那是我问了晋禄的夫人得知的。我想到这女子的患病，虽因着可怜慧珠的境遇太凄惨，触动了伊的情感，因而影响伊的精神，可是我料想这只是一种诱因，其中一定另有一个主因。换句话说，假使伊没有同样的境遇，即使引起同情，也未必见得会这样子深切。

"我把这一点问起晋禄的妻子，才知道国贞的父母都已过世，依靠伊的伯父——晋禄——生活，情况真有些像《孤女劫》中的慧珠。晋禄有个表侄叫李可瑾，在小学里教书，和国贞发生了恋爱，国贞也很爱他。但可瑾去求婚，晋禄却拒绝不许。照情形讲，伊所遭遇的又恰正和《孤女劫》中慧珠的境况相同。伊因为悲人自悲，又因寄人篱下，个性并不坚强，没有勇气反抗，这痛苦的经验便硬被压抑下去，久而久之，伊的精神支撑不住，由于那小说的诱因，竟致失掉了伊的原有的知觉。"

我连连点头说："原来如此。这是你精细过人，才能见得到这一层。"

"那也未必。我以前曾略略涉猎过一些变态心理，现在恰巧用得着它，一试就见效，那也是恰逢其会。"

"但你对国贞所说的婚约圆满的话，谅必是从权起见，暂时谎骗伊的，是不是？"

霍桑答道："不，不，谎骗只能暂时使伊清醒，过后还是要复病的，而且更厉害。那怎么可以？"

"那么晋禄真个应许了？"

"是。孙晋禄所受的刺激也严重，我先说了不少慰藉劝解的话，又保证可以医好他的侄女，不过先决条件是他不能再反对国贞和可瑾的婚姻。我又用婉和的语调和晋禄陈说利害，结果总算得到了他的应许。因为李可瑾也是一个有志的青年，不过家境稍微贫寒些罢了。"

我不禁拍手说："好极！你不但医好了伊的病，还玉成了伊的好事。你不但是一个良医，却还是一个善于作伐的良媒！"

霍桑缓缓把扇子摇着，吐出了一口烟，合着眯笑的眼缝瞧我：

"是啊，你自己也不能忘掉我啊！"

我想凡读过《险婚姻》的读者们一定可以了解这句话的含义。我笑了一笑，无话可答。他又继续发挥他的医学理论：

"那国贞的病，照平常医生看起来，似乎只属于心理方面，其实却还关系着生理。假使你只去治疗伊的心，也许还不能这样子立时见效。试想在这种郁闷湿热的天气，国贞又住在偏西的楼上，绝没有活动余地。空气既然蒸郁，心中又怀着懊丧失望的痛苦，内外夹攻，伊的脆弱的神经又怎能忍受得住？刚才你单单看了一会儿报，就觉头脑刺痛，岂不是一个显明的例证？所以我在诊治之前的种种布置，在治疗上也是具有辅助作用的。"

我打了一个哈哈，笑道："霍桑，我相信不久总会有人把'著手成春'的匾送给你哩！将来如果你对侦探工作感到厌烦了，也不妨换换口味悬牌行医了！"

霍桑忽正色说道："包朗，别说笑话。侦探工作恰合我的探求真理的根性，我敢说我不会有厌烦的一天。现在你的头痛如果好一些，那《孤女劫》续稿应得赶紧写好了出版，使读者们早些得到圆满的印象，不致再惹出意外的事来。我还得忠告你一句，你以后的作品，下笔时应得有些分量，万一再有什么岔子，我可不愿再代替你任过任怨了！"

霍桑说完了，他的眼光跟着那烟缕送到窗外，似乎在观测天空中的阴云是否有消散的可能，他右手中的折扇上的那只秦吉了的翅膀也不住地在缓缓扑动。

海 船 客

奇怪的报告

那是一个深秋天气的星期六下午。春江轮船已定在凌晨一点钟驶往香港。到了夜晚十点钟光景，船上热闹异常，男男女女的乘客们都陆续地上船，舱面上挤满了乘客、船员、送客的人，和许多搬运行李的脚夫。这些送客的人们即使不是新婚夫妇或是相知的密友，可是都照例地临别依依，不到开船的时刻，谁也不肯早一刻分手。但是那无情的汽笛不时发出那吁吁的刺耳又刺心的锐声，一再地警告这些送客者们："船将开了，快分手吧。"同时它又似乎残酷地故意要扰乱这班送客者们喁喁的谈话。下层的货舱中和舱门口，脚夫们的声音更是喧阗。原来开船的时间将到，码头上还堆积着许多货物，时间既是很短促了，脚夫们便不得不拼命地搬运。

座舱买办吴子秀早已上了船，正在账房中忙着查核账目。吴子秀在春江船上已经做了七年买办，手里已着实有些积蓄。他的年纪虽还三十二岁，经验倒很丰富，办事也非常谨慎精细。他是一个身材矮小的人，五官不很匀整，面色略带黝黑，看起来会超过他的年龄——这就是海上生活的特别标识。他有一个嗜好，就是无论在办公或休息的时间，嘴里始终衔着一支雪茄，习惯久了，就是和人家谈话，他的那只高价的蜜蜡镶金的雪茄烟嘴，也绝不例外地要夹在齿缝之中，不肯偶然放下。

这时候他正和一个管货舱的人喃喃地谈着。舱门口忽有一个穿玄色花缎夹袍和直贡呢马褂的男人，站住了向里面张望。这人戴着一副眼镜，嘴唇上留着些短须，躯干高大，年纪在四十左右，手中还执着一顶黑呢的铜盆帽子。那人向舱内接连望了几望，态度上显然有些异样。吴子秀仍和那管舱的谈着，还没有注意，但舱中另有一个专任伺候买办的茶房胡四，却已一眼瞧见。他急忙走到舱门口来，向着这个穿黑衣的人仔细端详。

那人倒先发问："这里可是账房？"

胡四靠着买办腿膀下的势力，态度上素来是傲慢惯的。他就冷冷地答话：

"你要找谁？"

黑衣人道："我要见见你们的买办。"

胡四又挺着胸膛，反问道："什么事？"

这黑衣人似乎受了胡四的传染，气派倒也不弱。他也大声回答：

"我找他自然有事，用不到你管。你去请他出来就是！"

都市社会里的佣仆，都有一种精灵知趣的适应本领。胡四当然也不会缺乏这种本领。他一见这来客的势头不大对路，早把自己的气焰压低了几分；这时他眼见对方的喉咙一响，他的挺硬的腰骨也马上会软化下来。他正待回身通报，但来客的语声早已惊动了舱里面的吴子秀。

子秀便从舱中发问："什么事？"

胡四乘势答道："有一位先生要见你。"

那黑衣人已自动地跨进舱来，走到吴子秀的近前，微微点了一点头，便摸出一张名片来。吴子秀接过一瞧，片上印着

"恒裕庄经理唐宝楚"字样。吴子秀分明不认识他，他抬起头来向那来客上下打量了一会儿：

"唐先生，有什么见教？"

他问这句话时，那支装在蜜蜡烟嘴里的雪茄仍照例衔着，神态上似乎随意得很。但这个叫唐宝楚的来客却容色严肃，好像正要开什么重要的谈判的样子。

他答道："我有一句话要和你密谈。这里可方便？"他的眼光向着旁边的茶房和一个管舱的瞧了一瞧。这管舱的非常知趣，不待吴子秀的吩咐，便自己退了出去。只有胡四仍旧留着。

吴子秀不禁改容说："唐先生，你到底有什么事？这是我心腹的仆人，你有话尽说不妨。"

唐宝楚虽还镇静，但脸上的肌肉也明明紧张。他点了点头，便把右手伸到衣袋里去。一会儿他的手伸出来了，那只手忽已握着拳头，拳头中好像藏着什么东西。

吴子秀愕异地问道："究竟是什么事？"

那来客摇摇头，答道："我也不知道这究竟是怎么一回事，但我仔细一想，觉得不能不让你知道。"

他把握着的拳头张开，掌心中便显出一个小小的纸团。吴子秀仿佛受了直觉的冲动，突然现出疑愕的态度。他忽缩住了手，不敢接受，他的身子也好像退后了些。

唐宝楚扬一扬右手，又略略颤动地说："我现在告诉你这纸团的来历。它的内容如何，你不妨自己去瞧。约莫在一刻钟前，我提了皮包上船，楼梯上上落的人非常拥挤。我忽觉有个人往我的右手的手掌中一塞，我自然而然地把手握拢了，就握着了这个纸团。我回头瞧时，但见人头攒动，已辨不出是什么人授给我的。"

唐宝楚略顿一顿，又向吴子秀瞧瞧。吴子秀脸上诡异的神气的确又有了进步，他的一双小眼扩张得几乎要破裂了。

唐宝楚继续道："这一着当然很使我诡异。我起初还以为有什么熟识的人和我开玩笑，但到了舱里，把这纸团展开来一瞧，才觉这不是玩笑的事。我本来已经定了舱位，但为谨慎起见，已决定改乘下一班船动身。我的行李已叫跟来的人重新搬下船去，准备就往轮船公司里去退票。不过这个纸团却关系全船的安危，我觉得不应当默默地带着回去。"他又把他的右手举一举："现在我特地把这东西交给你，我的责任也可以算告卸了。这件事究竟如何处理，请你自己斟酌一下吧。"

他走前一步，就把掌中的那个纸团放在账房舱中的小桌子上，乘势点了点头，回身退出舱去。

这一篇演辞式的报告，竟使这位座舱买办听得发呆。他的脸上的血色已完全消失，他的手依旧缩着，身子有些发抖，两只眼睛怔怔地瞧着账桌上的纸团，仿佛这小小弹丸似的东西，竟像一个猛烈的炸弹，动一动就会有性命的危险。

那茶房胡四仍站在旁边，一直想要卖力，却找不到机会。这时他想要走近前去，像要自告奋勇地取视这个纸团。可是他一伸手，给子秀的眼角一瞥，又终于缩住了，似乎他也不敢鲁莽。

一会儿，吴子秀定了定神，便放大胆子，伸出一只右手，迅疾地取起那个纸团，用足气力地把它展开来。他的双眼瞧瞧纸上，又瞧瞧舱板，末后又瞧到纸上。忽而他的牙齿一松，那只润泽而黄熟的蜜蜡雪茄烟嘴，连着半支烧着的雪茄，突地落在舱板上面。清脆的一声，那烟嘴已碎作两段！可是吴子秀似乎仍不觉得。他的呆木的眼光已被那一张团皱的神秘纸所吸住，再也不能够移动。这种景状吓坏了旁边的胡四。他疑心他的主人已经发疯哩！

警　耗

这一件案子，我当时也曾亲身经历的，我为着略略变更我记叙的体裁起见，故而顺序上稍有移动。

这件事发生在我结婚以后，所以我已经和霍桑分居。这天傍晚，我因闲着无事，特地到霍桑寓里去找他闲谈，不料他不在寓中。据他的旧仆施桂说，他是往警察总署汪银林探长那边去的。他临行时曾关照过，如果有人找他，可以用电话通知，他马上就能回来，我就打了一个电话给他，接着我点着了一支纸烟，坐在他的办公室中等他。

我的纸烟才刚吸了两口，电话忽又响动。我接了一听，却是太平轮船公司里打来的，据说有一件万分紧急的事，请霍桑立刻到黄浦码头春江轮船上去，和吴子秀买办接洽。那打电话的人还再三叮嘱，不可有一分钟的耽搁，只是不肯说明事情的内容。

事情真是太凑巧，我这一次造访，恰巧又遭遇这一个尴尬的难题。因为那边的事情显然是非常紧急的，霍桑却一时又不能回来，真有些左右两难。施桂从旁建议，不如我先替他去接洽一下，等他一回来后再赶去。我想了一想，接受了施桂的主意，便急急出门，赶向黄浦码头去。

我走上春江轮船的时候，已近十一点钟，船上正十二分喧闹。但这样的喧闹原是轮船将开时应有的景况，并不见有什么特殊的现象。我找到了买办的舱中，看见吴子秀已急得不成样子，他的眼球的神经仿佛已失了活动的可能，瞧人时呆瞪瞪地非常可怕。当我踏进去时，他正在舱中乱走，两只手忽而在背后反握，忽而搔头摸耳，骤然间看见了他，也许要把他当作一个疯人。

这时舱中另有一个紫色方脸的年老人，正襟危坐地等候着，神气上还比较镇静些。他见我走了进去，忙立起身来招呼：

"唉，你就是霍桑先生？"他随手小心地关上了舱门。

我一边取出自己的名片，一边答道："鄙人是包朗，是霍桑先生的同伴。霍先生不在家，我特地来代表他的。我已经吩咐他的仆人，等他一回寓，立刻就赶来。……请问有什么见教？"

那年老的也给我一张名片，唤作戈朋寿，是太平轮船公司的副经理。

戈朋寿转身向吴子秀招招手，说道："子秀兄，我们坐下来谈。这位包朗先生是和霍桑先生齐名的一个大侦探。他一定也能够给我们解决这个难题。"

我自忖我何曾是侦探？加上了那"大"字的形容，更是太滑稽，使我有些汗毛凛凛。但在这紧急的关头，我当然不便分辩或是说什么谦逊的废话，只索默认了。我们既已坐定，吴子秀便把先前得到那一个纸团的情形说给我听，那就是我在上一节所记的事实。接着他很郑重地开了一张小账桌的抽屉，将那张纸递给我瞧。纸上的字是用铅笔写的，字迹很小。我把纸凑在电灯光中细瞧。

纸上写着：

准在大戥口发动，两枪为号，到中舱面集合。

纸末并不具名，纸的左下角上只有两个交叉的乘法符号。我仔细瞧了一遍，抬起头来瞧那吴子秀和戈朋寿。他们都一眼不霎地注视着我发怔，尤其是吴子秀惊惶得嘴唇都变了青黑。我把纸小心地放在小账桌上。那成了两段的蜜蜡雪茄烟嘴，还躺在桌子上面，在电灯光下霎眼。

我缓缓地说道："这一张纸果真很奇怪。猜测它的语气，好像是什么海盗的秘密通信。他们的目的像是要设计劫船。你们的见解可也相同？"

吴子秀战栗地应道："正是，正是……这样明白的口气，除了这个密谋以外，还有什么？"

戈朋寿也接口说："包先生，你总也知道。近来这班海盗非常猖獗，劫船案层出不穷。上星期五，广新船方才脱险回来，损失竟在一百万以上。你想可怕不可怕？"

我点点头。这确是事实。那时候劫船的案子果真接二连三地不时发生，并且一经发作，不但损失可惊，有时船客们还有被绑架或性命的危险。莫怪这两个负责人急得丧了魂魄一般。

我又说："这件事假使实在，的确非常严重。但我们第一步必须查明这秘密的纸团怎么会落到那个唐宝楚的手中去。这唐宝楚的来历，也得先查一个明白才是。"

吴子秀应道："这一着我倒推想得出。我看这一定是出于投信人的错误。这纸团所以误落在唐宝楚手里，定是那个通消息的党徒一时慌张，在人群中偶然误认——或是唐宝楚的衣服和他们的同党相像，或是那真的同党恰在唐宝楚的身旁，那通消息的党徒匆匆忙忙，就塞错了一只手。"

我道："这设想确有可能。但唐宝楚是什么样人，你们也已查明白吗？"

吴子秀道："我们刚才已经打过电话到恒裕庄去，他确是这钱庄的经理。据伙友们说，他当真定意今夜乘我们的船往香港去，所以这个人的来历已不用怀疑。"

"那么现在最急切的，就是怎样设法破获这一班党匪，是不是？"

"是啊。此刻已是十一点过了，再隔两个钟头就要开船。船期是不能延误的，所以这件事必须在开船以前解决妥当。……包先生，总要请你想一个法子才好。"

我寻思了一下，反问道："你们为什么不报告警署，立刻派人上船来搜一搜？"

吴子秀连连摇着头："不行，不行，这法子我们也早想到，但有许多问题。"

"什么问题？"

"第一，请了警探们上船搜查，未免大动干戈。这消息传了出去，对于本船的营业和信用都有关系。第二，老实说，我们也怕结怨仇。所以最好想一个打草惊蛇的方法，以便两不损害。"

那老头儿戈朋寿也接嘴说："还有一层，这件事究竟还不能说定是实在的。万一并无其事，或是出于误会，我们却这样子郑重其事，也会闹笑话。"

吴子秀又接着说："对，对，这还会影响我的位子。包先生，你要明白，我因着这种种缘故，只和戈先生一个人谈起，还不敢贸贸然把这消息报告船主们。"

这几层理由果然都是很充分的，但对于我却是一个十足的难题。我在一时之间，实在也想不出任何两全的方法。我竟被他们难住了！

略停一停，我才说："既然如此，有一条路还可以走。"

吴子秀忙着问道："唔，什么路？"

我说："那送信的同党既然因着唐宝楚的装束而误认，那么我们但须拣那些穿黑袍褂的人查究一下，也许就可以破获这班党徒。"

年老的戈朋寿忽在旁边点头，似很赞成我的计划。可是吴子秀却仍摇头皱眉地表示不赞成：

"不，这方法不妥。今夜天气热，舱里面热得更厉害，乘客们上船以后，大半都是卸去了外衣的。这样，我们又怎么能凭着衣饰去找寻？"

我经他一辩，觉得确有理由，一时竟再没有话说。我在窘迫之余想起了霍桑。我本来是暂时代表霍桑的，这事尽可让他来解决，我何必虚费脑力？

我道："这问题既然如此困难，不如等霍先生来了再说。现在我下船去打一个电话，问问他曾否回寓。我料想在半点钟内，他一到这里，这件事总有办法。"

那两个买办在无可奈何中，只有接受我的建议。我就上岸去打电话。我嘴里虽向他们俩说了这几句宽心的话，心中实在也没有什么把握，因为他们所说的两全方法确实很难。霍桑虽是智力过人，这件事是否能在一两个钟点内解决妥当，我也不能给他保证。我接通了电话以后，霍桑恰巧刚回寓。他先问我有什么事情，我就把吴子秀的谈话向他说了一遍。他顿了一顿，也认为局势十分严重。他便从电话中指示我一种方法，叫我立即进行，以免坐失时机。他自己先要去探探那个唐宝楚，一查明白立刻就来。

海盗是我

十分钟后我又回到船上，那戈吴二人在关好舱门以后，都抢着发问：

"怎么样？霍先生已经回寓了没有？"

"回寓了。我已经把这件事和他说明白。他答应立刻就来。他还告诉我一种计划，最好立即就进行。"

吴子秀道："唔？什么计划？"

我低声道："他说这件事是否实在，还没有确证，故而也和你抱着同样的见解，不宜先行张皇。现在时间既迫，开船又不能耽误，即使真要搜查，事实上也办不到。因此，他有一个虚张声势的方法。"

"虚张声势？"吴子秀的语调有些疑讶。

我点头道："你可以召集水手跟茶房们，只说今夜有一种特别缘故，要提早开船，故而叫那些送客者们赶紧下船。一方面派人往各舱中去验票，按着每一个乘客，叫他们自己说明有几件行李，随即在行李上编号，粘贴标签，同时录在簿子上，装作一种准备要逐件仔细搜查的暗示。"

吴子秀迟疑道："这有什么用意？"

我答道："这就是俗语说的'打草惊蛇'。假使当真有图劫的匪徒混迹在船上，他们的行李中势必藏有火器。他们一觉得将要有搜查的举动，不免要恐慌逃走。这时你可以暗暗地派人在轮船的各处出口上守伺。如果有人重新带了行李下船，不妨就拦住了搜检一下。倘使这消息宣布以后，行李的检点并无可异，便可见这劫船的事一定是出于误会。你们两位可赞成这个方法？"

年老的戈朋寿摸摸他的秃顶，拍掌赞成道："好啊！这个方法再妥善没有，恰合我的意思。"

吴子秀仍踌躇地说："也好……但我的意思还要变通一些。"

"怎样变通？"

"我以为这班匪徒们为避免人家怀疑起见，往往都混在上层的头等舱里。我们不如先从头等舱着手，凡上落和出口的所在，都派人暗暗地把守。等到第一层查问完毕，再查下层舱不迟。好在这种手续不比搜查的麻烦，大概一会儿就可以有分晓。"

这变通的办法很有理由，我自然立刻赞同。吴子秀便奔出舱去发令指挥，我仍留在舱中。那副买办也陪我坐着。我因此乘间问起吴子秀平日的行为怎样，是否有人和他过不去。

戈朋寿说："他办事很谨慎周到，从来不得罪人。据我想，不致有人故意害他，更不会有人和他开这样的玩笑。"

我寻思道："这如果是玩笑的举动，那真是太恶作剧了。不过这秘密信的来由，实在太觉离奇。你想这东西如果是盗党的重要口号，论情，那传信的人势必要郑重其事，怎么竟会弄错？"

戈朋寿道："话虽不错，但天下的事往往有出乎意料的。或者果真那人一时粗心，弄出这个岔子，也未可知。"

我对于这个见解总有些不以为然，觉得那个报告的唐宝楚不无可疑。霍桑所以先要调查这个人，可见他也注重在这一点上。

约莫过了一刻钟，吴子秀已匆匆回进舱来。我看见他的神情很慌张，坐立不定。他分明因着不知前途是吉是凶，心中正像辘轳般地起落不停。

他惶惶然问我说："霍先生还没有来？"

我答道:"他说他先要去调查那个唐宝楚。他此刻还不来,也许那边已发现了什么线索。但你的计划实行了没有?"

吴子秀点点头:"他们已在那里着手了。如果头等舱中果有匪类,不久总可以明白。"他搔搔头皮:"哎哟!真急死人!最好立刻就有分晓。这样的惊恐,我实在受不住哩!"

我找不到安慰的话说,大家便暂时静默。自然这静默是十分难堪的。不料不多一会儿,舱门开了,我忽见一个船役领着一个西装少年走进来。吴子秀一见,怒目瞧着来客,默默地向他打量,现出一种又惊异又疑讶的状态。

那船役先开口说:"这位先生独坐在大餐室里,没有船票,又不肯照补。他说他跟吴买办认识的。"

吴子秀仍盯住来客,忽连连摇着头:

"我不认识啊,我不认识啊。"他说时,更露出一种惊骇的样子,又把身子靠住了账桌,似乎他的两条腿又在那里发抖,没有支撑已站立不住。

我瞧那少年穿一身笔挺的浅咖啡色花呢的西装,淡蓝缎子的领带上缀着一枚钻石扣针,头上戴一顶灰色呢帽,服装确很漂亮。他的面貌很美秀,但神色上有些惊慌,并且有一种欲言不吐的样子。幸亏他的两只手完全空着,我才不防他有什么意外的举动。

他期期然答道:"吴先生,我本来认识你的。你怎么忘掉了?"

吴子秀忙道:"就算你认识我,怎么乘船不买票?你到底有什么目的?"

那少年忽涨红了脸,张口结舌地说:"我……我……"

我看见了他这种状态,更起疑心。我正待插口向他问话,忽见又有一个人提着一只皮包，急匆匆奔进舱来。那是一个船上的职员，一进舱后，把皮包放下了，就向吴子秀报告：

"我在楼梯口发现这皮包，不知道是什么人放在那里的，问了一会儿，也没有人认领。故而我把它拿来，请你发落。"

吴子秀起先本全神贯注地瞧在少年的身上，一见了这只皮包，他的注意力移转了。他先向戈朋寿瞧瞧，又回头来瞧我。我想要表示意见，可是已来不及。

吴子秀忽然欢呼道："唉，我们的计划大概已成功了！这皮包里面一定就是党徒们所丢弃的证物。"他瞧着那个领少年进来的船役："桂荣，你去叫一个机匠来，快把这皮包打开！"

我走近一步，偻着身子在皮包的机钮上用手按了一按，那皮包已应手而开。

吴子秀又大喜道："唉，桂荣，慢！你不必叫机匠了。……包先生，你瞧瞧，这里面有多少军器。"

他说时他的身子忽而退后些，好像怕这皮包会突然爆炸。戈老头儿也明哲保身地采取同样行动。我却并没有这不必要的戒备，弯着腰把皮包开了，顺手将包中的东西一件一件取出来。但皮包中除了几件寻常的衣服以外，只有一只鸡心形的紫绒匣子，却绝不见有什么手枪或别的凶器，炸弹更是神经过敏。

可是在这个当儿，有一种奇怪的情景发生了。那吴子秀戈朋寿二人看见皮包中并无异物，正在凑近来失声惊讶。不料那个暂时被丢弃在一旁的西装少年，忽而从吴子秀的背后直冲过来。他涨红了脸，张大了两眼，疯狂似的猛力伸出手来。他一手把那只绒匣子抢起来，嘴里连声呼喊：

"唉！对！对！这真是我的东西！……这真是我的东西！"

莫名其妙？是的，这确是我当时的感觉。我正自惊讶着，忽见这少年且说且把那只绒匣急急地塞在自己的袋里，仿佛防人家夺去的样子。其实这是过虑的，这时候大家都呆住了，绝没有人和他争夺。他这种出人意料的举动，委实带几分疯气。

我先开口道："这东西是你的吗？"

少年只顾点着头，却不答话。

我又说："那你应得说明这回事的原因啊。"

少年抹了抹他头上的额汗，又连连点头道："当然，当然。不过第一着，你们先听我一句话。"他的声浪提高了，神气似也比先前镇静了些。

我道："你有什么话说？"

"你们不是要搜查海盗吗？"

"唔……是的。"

"那么……你们……你们应把这搜查的举动立刻停止。"

"为什么？"

"因为……因为……这……件事完全是没有的。"他还是喘得厉害，"唉，对不起，抱歉得很！海盗……海盗就是我……可是……可是我实在不是海盗！"

他不会是个疯子？我这感觉并不是孤独的，因为那戈老头儿又在抚摸他的秃顶，吴买办也张开了小眼向我发愣。我们都不接口，仍让这少年说下去：

"我……我只因为失掉了这个东西，才利用这条计策。哎哟，真正对不起！这一着要请你们千万原谅！"他穿着西方服装，竟行起东方的礼节来——他不住地拱手作揖。

巧 计

那少年的解释委实都出我们意料。原来我们无意中都做了他的傀儡，成全了他的某种目的！

他的解释却很有趣。他姓金，名叫咏秋，是华新银行里的一个出纳主任。他新近因着订婚，特地购了一朵珠花。不料在三天前，珠花忽而失窃。后来他查明那珠花是被他家里的一个叫朱翠妹的女仆和一个叫阿福的车夫通同了偷出去的。他本已报了警局，但四处探访，总找不到这一男一女的踪迹。直到这天的晚膳以后，那车夫阿福忽而自己回去见金咏秋，声言他受了那翠妹的迷惑，帮助伊窃取了那朵珠花，一同藏匿在一爿小旅馆里。翠妹说伊有方法销赃，故而把珠花藏在伊的身上。谁知一连两天，毫无出卖的消息。阿福才知上了翠妹的当，因而他懊悔起来，特地向主人自首告发。

据阿福说，这翠妹另外有一个妍识的男子。上夜里他听得翠妹起来开后门。他也悄悄地起来，听见伊和一个男人在门外谈话。他仿佛听说这东西在本地出卖不妥；又听得"香港"和"春江轮船"的话。他当时还不大明白。等到早晨起来，翠妹叫他陪着伊一同往浦东乡间伊的亲戚家里去。他陪到了那里，又问起那朵珠花。伊仍一味游移推诿，他才醒悟过来，他知道中了这女仆的狡谋，做了伊的工具。他就独自赶回上海，到主人家里来认罪告发。

金咏秋解释到这里，又继续说道："我得到了这个消息，当然喜出望外，料想那朵珠花因着不能在上海销售，故而翠妹叫另一个人悄悄运往香港去出卖。我查得春江轮船果真在今夜里开往香港，但那翠妹既已安心往乡间去，可见并不同往，阿福又不曾和那翠妹的另一个相好会面过，故而那运珠花的人虽在船上，我也没法指认出来。

"这个时候既晚，我已来不及把那翠妹捉来指引。就算报告了警署，一时也必没法可施。但这珠花不但价值在二万元以上，而且我费了不少心思四处拣选，才购得一百二十二颗粒粒精圆的珍珠。我委实舍不得失掉。我也知道如果要在轮船上搜查，一定是办不到的。于是情急智生，我才想出这……这一个空城计来。唉，先生们，抱歉得很，我要使你们代我搜查一下，等到搜查以后，我打算再设法查明有没有发现这朵珠花。如果有的，当然就不难破获。

"因此之故，我模仿着党徒通信的口气，利用着一个上流乘客给我做一个报信的人。我老实说，这样的纸团，我本已预备了两三个，以防有什么粗心的人，或不肯多管闲事，随手把它丢了，这计划也许不灵。不料我把第一个纸团塞进了那个高个子的黑衣人的手中，事情便成功。那人一走进舱中，将纸团展开来瞧了一瞧，就给我实行这小小的计划。我那时本暗暗地监视他的举动，后来我见他亲自到这里来见你，才知我的计划已一部分成功。"

这一个闷葫芦总算打破了！那个报告的唐宝楚显然也被动地做了他的傀儡。但霍桑此刻还没有来，不是也走进了歧路，还在那里调查这个唐宝楚吗？这玩意儿竟教人家如此劳师动众，未免有些可恶。

吴子秀恨恨地作抱怨声道："你的计划固然很巧，却累人吓碎了胆！"

金咏秋又连连作揖，重新伸手入袋，把那紫色绒匣子取出来：

"是的，吴先生，对不起。不过我这举动委实也是万不得已。我真是一百个对不起你们。现在这东西既已追回，你们要我怎样报酬，我都听命。不过那个偷运珠花的同党，谅必已侥幸地逃走了。"他随手把那绒匣上的一个金属小钮用指爪抵了一抵，绒匣的盖立即开了，匣中果真是一朵白光耀眼的珍珠菊花。他又作欢喜声道："你们瞧，这珠子的光彩多么好，并且——"他说时已把那珠花取在手中，忽而眼睛一定，顿时住口。他作惊讶声道："怪了，怎么竟变得这样轻？——哎哟！不好！这珠子已经变成假的了！"

这又是一个意外的警报！我们三个人又都为此暗暗吃惊。这一出滑稽性的把戏将要闭幕，却不料还有这一个变端。谁又想得到？

金咏秋又作失望声道："唉，这恶汉委实厉害！他已把真的取去，却留下这条假的做脱身工具！哎哟！不得了！现在还有什么方法追回来呢？"他最后的一句声音，哽咽而阻塞，几乎要哭出来了。

"还好，你总算还有运气。别哭！你的真珠花已有了着落哩。"

奇怪！这时候竟另有一个人从舱窗外面接他的口。我回头一瞧，才知说这话的人就是我的老友霍桑。他显然已在舱门口听了好一会儿，我们却听得出神，没有注意，一直等到这紧要的关头，他接了一句口，才推开了舱门笑眯眯地踱进舱来。金咏秋张大了眼睛，忍住了呼吸，向霍桑瞧着，却开不了口。

我高声介绍道："这就是霍桑先生。"

舱中两个所谓买办的眼光都不约而同地集注在霍桑的身上。霍桑仍带着笑容点点头，随即向金咏秋说话：

"你的故事怪有趣。不过你是受过教育的，怎么这样子自私？你这种举动，分明是只顾自己，不顾别人，岂不是太冒失？太无理性？你今晚虽没有耽误这轮船的开行时刻，但叫这船上的一班职员们吃了这一番虚惊，你又打算怎样报偿？"

那少年气息咻咻地答道："我……我知道的。霍先生，我实在该死！我已经说过，只要我的珠花追得回来，无论怎样罚办，我都听命。……但是……霍先生……你……你不是说我的珠花已经有着落？"

霍桑微微点了点头："这样，很好。此刻难童教养院正在募集基金，你应用这吴子秀先生的名义，捐助一万元。明天你可凭着捐款的收据，到警察总署里去换你的那朵珠花。"

金咏秋大声道："霍先生，当真吗？如果真的，我一定遵命。"

霍桑道："谁和你开玩笑？你因为失掉珠花的事，不是已和侦探长汪银林接洽过一次吗？他和几个弟兄今夜里也曾为了你忙过一会儿，明天你不妨就去向他交换。你也应当谢谢他们呢。"

偶然的机缘

这幕小小的喜剧——一幕不平凡的喜剧，现在已到了闭幕时间了。但霍桑怎样揭幕，怎样破获那朵珠花，当然也需要有一番解释。他当初接了我的电话，立即通知汪银林，约几个探伙一同到船上来探查。接着他另外打一个电话到恒裕庄去探问，那经理唐宝楚果真有上船后重新退回的事实。他觉得这人既有着落，还没有急切侦查的必要，就会同了汪银林等赶到轮船上来。他们到了码头，霍桑便留心观察，料想搜查的计划实施以后，如果真有什么海盗党徒，势必要避免搜查而逃下船。

那时霍桑果然看见有一个服装华贵的男人急匆匆地下船，神情上非常慌张，霍桑觉得他形迹可疑，忙指给汪银林瞧。汪银林恰巧认识他的，这个人是一个拆白骗子，名叫马金生——绰号叫小马——从前已犯过案子，受过警察局的拘禁。

霍桑便上前将他拦住。那人越发惊恐，夺身要逃，就给旁边的探伙捕住。接着他就从那骗子身上搜出了那朵珠花。不过当时他还不曾想到这珠花案和劫船的疑案有关。他就叫汪银林将珠花藏好，又派一个探伙把那马金生先带回警局里去。他让银林等在码头上守伺，自己上轮船来瞧，方才明白了这案子的真相。

霍桑在事后笑着说："这案子虽说是我破获的，但实际上完全是出于偶然的侥幸。"

第二天马金生在法庭上吐供，承认他本和金咏秋的女仆翠妹姘识。他听得伊的主人新购一朵重价的珠花，就主使那女仆行窃。到手以后，他觉得一时没法销售，便定意带往香港去脱货。但他为谨慎起见，恐防路上有什么阻碍，或是漏了风声，被人留难，或者另外有同道们嫉妒劫夺，因此他又特地备了一朵假的珠花藏在皮包中，那朵真的却藏在身上，以备在危险时借此脱身。

那晚上他要避人耳目，乘的是头等舱。他躺在舱里，忽听说要把行李编号。他觉得不妙，因此就提了皮包下船。不料他正要下梯，看见楼梯口有人监守，局势的确尴尬。他寻

思真的珠花既然在他自己身上，为避免不必要的嫌疑，便丢
了皮包下船，但想不到他下船时仍被霍桑拦住，到底逃不出
法网。

这案子结束以后，难童教养院果真收到一注吴子秀名义的
一万元捐款。马金生和翠妹都判了监禁的罪，阿福却从宽免
究，但丢了饭碗。汪银林因着这个骗子的被捕，珠花案又破，
上海社会上少了一个害物，当然又很感激霍桑的臂助和指引。

误 会

隔室中

我相信这一种特殊的习惯，不是我一个人所独有——每逢我寄宿在旅馆中时，总不易得酣适的睡眠。那些"管弦嗷嘈，彻夜不绝"的闹旅馆固然不必说；就是比较安静些的，我也往往会终夜反侧，睡不安稳。那一次秋天的苏州旅行，我的见解果然又获得一次证实。

这一次我的佩芹的弟弟铭文，忽然"逸兴遄飞"地要往天平山去看枫叶。这提议立刻得到我的赞成，原因是我连续赶写了几篇稿子，也需要一种相当的疏散。美中不足的，这一次旅行，我的妻子佩芹和老友霍桑都不能同行。佩芹因为将近产期，懒得出门；霍桑在上一天比我先出门去了，来不及接洽。

我们寄寓在苏州旅社。第一天，我们在城里的拙政，惠荫，鹤园，怡园等几个花园中逛了一会儿，身体上有些疲乏，论情，在晚上我应得好好地安眠。可是我睡到床上，翻来覆去地没法通过黑甜乡的大门。那时我觉得我对面榻上的铭文，也像被拒在睡关之外，正要勉强挣扎着进去。这样约莫挨过了两个钟头，我的精神上越发疲倦，正待混进睡乡里去，忽而有一种意外的惊扰，不由使我醒觉过来。

"包哥，强盗！——强盗！——"

呼声虽不甚高，但那声浪中含着一种神秘的魔力，一刺进我的耳朵，竟使我的刚要松弛的神经立刻全部动员。

我张开眼睛，忽见我床上的帐帘已揭起了一面，有一个黑影站在我的榻前。这时室中的电灯虽没有扳亮，但隔室中的灯光从板壁上面的梭形孔中穿射过来，隐约中还瞧得清楚。这黑形就是我的内弟高铭文。

我立刻从榻上坐了起来，正待问话，铭文忽凑近我的耳朵，继续地发出骇呼：

"唉！包哥，有强盗呢！"

我定了定神。室中静悄悄地并无异状。铭文莫非梦魇？

"铭弟，你不会弄错？"

"真的！一定是强盗！"

"唉，在哪里？"

铭文向隔室指了一指："就在隔壁。"

我仔细听听，隔室中灯光虽然亮着，却并无声息。我仍是半信半疑：

"你怎么会知道隔室中有强盗？"

"我刚才听得他们的谈话，明明准备要打劫什么人家。"

我想铭文因着接近我们，关于疑案秘闻，耳闻目击的印象很深，莫非他有些神经过敏？

我又问道："你听清楚没有？"

"再清楚没有，绝不会错！"

"你听得些什么？"

铭文更放低些声浪，说："我因着睡不着，听觉便特别敏锐。起初这隔室中有好几个男子声音，彼此切切地密谈。我辨不清楚。后来忽然有一个粗壮声音发了一声命令，众声便立即静寂。接着，那人似乎在一个个分配职司，内中有几句最可疑的话，我完全听得。"

我先前的怀疑开始被我的好奇心所克胜而消散：

"什么可疑的话？"

"我听得那粗壮的声音说：'你的职务在把守门户。'……'喂，你的动作应完全听我的指挥，不可乱动。'……'最要紧的，不可临时慌张！'……'家伙拿好，不能乱用。'……'你们都领会吗？'包哥，你想，这些都是什么话？"

我把这几句话仔细玩味了一会儿，不能不承认确有注意的价值：

"以后怎么样？"

"我又听得一阵子切切的密语，随即一个个离室而去。这隔室中似乎只剩了那粗壮声音的男子和另外一个女子。现在虽已听不出什么声音，但我相信那一男一女一定还没有睡。"

我下了床，轻轻拔上了皮鞋，又披了短褂，蹑着足尖，走到板壁旁边，贴着耳朵倾听。隔室中果真还有断断续续的细碎声音，好像有人在那里整理瓷器的杯盘。我略一踌躇，便举足跨上那方桌旁的椅子，又接足踏上了桌面。我的举动是十二分谨慎的。我先俯着身子，缓缓地仰起头来，把眼睛凑到板壁上端的梭形方格里去，隔室中的景状便赫然入目。

我们住的是三十二号，隔室是三十三号。这三十三号房间的容积，比我们三十二号的大些。有一个年在三十三四个子高硕的男子正靠着方桌独酌。那人面向着室门，我的视线恰在他的右侧，但他的面貌我还约略可辨。他的面色苍黑，眉毛浓厚，颊旁鬓毛很浓，因着修剃的结果现出一种青色。他穿的是西装，下面一条深棕色的逊泼洛甫裤子，上面一件白地儿蓝条的衬衫，袖口都卷过了肘弯，颈项间的硬领已卸去了，皮鞋却仍穿着。他饮的是一瓶三星白兰地酒，瓶中已少了小半。桌面上有三四碟菜，两副杯筷，一副却空着不用。但那空杯筷前也留着些残骨，杯中也有余滴，可见这一副杯筷，以前已有人用过。

我因着那副剩余的杯筷，就又发现室中的另一个人。那桌子的对面——贴近我偷窥的板壁的一面——排着一只睡椅。我的眼光向下瞧时，看见一只女子的脚高高地矗着，似乎有一个女子睡在睡椅上面，曲着一足，另一足搁在膝上，才有这种景象。那女足上穿着舶来品的肉色丝袜，小腿部分的肌肉非常丰腴。可惜我的眼光不能曲折，瞧不见这女子的全身。但从伊的睡态上推测，料想伊的"浪漫"程度一定已相当深远。

我瞧见了这两个人，对于我先前的怀疑，还不曾得到什么印证。旅馆中有这种寓客，本是很平常的事。单凭他们的浪漫态度，决不能就把他们认作强盗。这时铭文也已轻轻地踏上桌子。他的低微和惊骇的语声又刺动我的耳朵：

"瞧，桌子底下不是还有几把刀？"

我移转了目光，也向桌子底下瞧去，果然有六七把单刀，用绳子扎着。不过仔细瞧时，那刀的光彩太明亮了些，不像是真的。不但如此，同时我又瞧见壁角里有一座三足架，两只帆布箱子，一大一小，大的是方形的，小的是狭长的；另外还有一个圆盘形的帆布黑包。除此以外，我还见那铜床侧边有一只没有盖上的藤箱，箱子里堆叠着许多奇形杂色的衣服。因着这许多物证，又经过一度的回想，我的疑团便有了解释。

我附着铭文的耳朵，低声说："铭弟，你现在明白了没有？你到底是弄错的！"

"唔？弄错？"

"你总记得我们今天回旅馆时，旅客表上有好几个房间写着'飞凤影片公司'字样。我看这两个人明明是电影演员——那男的也许就是导演。你瞧，那壁角里的不是摄像机吗？箱子里的衣服和桌子底下的刀，就是他们所说的'道具'；刚才你听得的话，也就是导演对于演员们的说明。你这误会，险些给弄大！"

铭文究竟是一个没有经历的少年，经我一说，似乎有些不安起来。我正待走下桌子，他忽抢着先下。他的一足误踏在桌子上的茶杯盘中。砰的一声，一只茶杯抵不住他的足力，便碎裂在他的足下。

这出乎意料的动作果真立即惊动了隔室的人。我的身子虽早已俯下，耳朵中却没法拒纳隔室中的粗壮的吆喝：

"干什么？"

我忍住了呼吸，绝不理会，但轻轻扶着铭文跨下桌子。同时我又听得隔室中咕噜的诅咒声和女子的穿鞋声，又有擦火柴的声音，一会儿，才渐渐恢复了静寂。

这一个小小的谜团既经揭破，铭文就懊丧地归睡了。但我的好奇心既经发动，一时却按捺不下，很想再瞧瞧这隔室中的两个角色的真相。

我又缓缓抬起头来，把眼睛凑到方格子中去。那女子已站了起来，细眉巨眼，额发卷曲，脸上的脂粉特别浓厚，单就嘴唇上猩红的颜色说，已足使人看了寒凛凛。伊的上身穿一件绯色缎子短袖袒胸的紧身短袄，下面只穿一条薄绸的西式短裤。因为衣服过于紧窄，伊的肌肉越见得饱满丰腴。伊的血唇间正衔着一支纸烟，侧着头和那独酌的男子谈话。那男的也偶然回过脸来，我才看见他还有一副三角形的眼睛，一个高耸的鼻子，鼻子两旁划着深刻的皱纹，形状很觉可怕。如果要和这样一个人办交涉，我倒有些不容易对付。

这个误会发生在那夜十一点钟光景。到了十一点半，我们正重新向睡乡行进，却来了几个巡查旅客的军警，又给搅扰了一会儿。那时候掌军权的人因着地盘的争执，颇有些"同室操戈"的趋势，所以防范盘查，旅客们受到不少麻烦。不料一波才平，一波又起。那军警们离去了半个钟头，又有一种打破我的睡梦的意外惊扰。

多事之夜

我刚翻了一个身，我的神思正在恍恍惚惚之间，陡听得有一种剥啄之声剌动我的听觉。我仔细一听，那剥啄声连续发生，果真在我们一室的门上。

我又坐起来揭开帐帘，走下床来，准备去开门。这时铭文似乎已经入梦了，他榻上的帐帘沉沉下垂，并无动静。这敲门的人是谁？他是来瞧我们的来客？还是再来一下巡查？我又怀疑那敲门的声音轻微而急促，似乎带着些诡秘意味，分明不像是军警或旅馆的茶房。那么，如此深夜当真还有什么人来访问我们？

我越想越觉得可疑。我们在旅客姓名表上只写一个"包"字，事前又不曾和什么人预约，绝不会有人造访；何况又在深夜之中？门外究竟是什么样人？

当我在这踌躇的一刹那间，叩门声音又继续了两次。在势我再不能延迟，只索把门开了瞧一个究竟。我先开亮了电灯，又穿上鞋子。当我没有把电灯开亮的时候，又曾从那梭形的方格中向隔室三十三号瞧过一瞧，却已熄灯安睡。

门开了。有一个瘦长身材戴眼镜的人忽忽匆匆忙忙地直闯进来，不由使我让路。我定睛瞧视，那人穿一件深色丝绸的夹袍子，上面罩一件过时的玄色团花的缎子马褂，头上戴一顶瓜皮的纱帽，一个小小的帽结倒是鲜红惹目。他一走进来，又急忙忙把室门轻轻关上；接着他旋转身来，一边伸手到衣袋里去，一边凑近我的身子低声说话：

"你等得心焦了吧？唔，我实在不能脱身。……现在一切都已没有问题了，这个，你……"

他说到这里，他的手已从衣袋中摸出一种奇怪的——有些红色又有些白色——东西，似乎要交给我的样子。但他的头和我面部越接越近，他的近视的眼睛方才发觉了误会。我见他的一双圆黑的小眼，从那厚凸的镜片后面突地闪了一闪；他的带些橄榄形的头略略再探向前些；接着，他急忙退后，嘴里同时发出一种惊诧：

"唉！唉！……你……你不是……？"

我仍保持着镇静的态度，并不接口，但向他微微摇了摇头。我的眼光仍盯在他的脸上。他的年龄在三十左右，鼻梁细而高，鼻尖却带些钩形，两颊的肌肉不多，线纹却很深刻。他的嘴似乎特别阔大。其实只因他的上嘴唇短缩了些，那上面一排黄而带黑的牙齿便大部显露在外，所以瞧在人家的眼里，便发生了口阔的印象。

那人露出一种惶急的神态。他的那只握着奇怪东西的手急忙缩了回去，重新插入衣袋。他的咽喉间又像黄河决口时抢险似的硬筑了一个坝，阻塞他的话潮的冲击，因此酿成了一种欲言不吐期期艾艾的状态。

他又最后瞧了我一眼，又张开了嘴像要发问，却终于按捺住了不说。他忽而向我深深地弯了弯腰，连连作了两个揖。

他道歉说："唉，对不起！对不起！……我弄错了……嗯，冒昧得很！"

我也点点头，问道："你要找谁？有什么事？"

他摇摇头不答，立即旋转身去，举动特别敏捷，一霎眼已开了室门走出去。我来不及阻拦，却不期然而然地跟着他走出门口。我希望要瞧瞧他究竟往哪一室去。他匆匆走了两步，又回头来向我瞧瞧，便放开又轻又阔的步子，一直向楼梯方面走去。

我回进了房，关上房门，铭文依旧酣睡着。我把刚才的经历回想了一下，觉得有些好笑。

我打了一个欠伸，自言自语地说："这两次误会消磨了我半夜的睡眠。……唉！这真是个'多事之夜'！"

第二天是星期四。天色阴暗，西风也加紧些，空中布满了灰色的厚云，给人一种雨意的威吓。我们本打算往天平山去，但因着天色的影响，临时变计，就上附近的虎丘去玩了一下。铭文还是第一次到苏州。一个人初次游历一种新的境地，一切的事物在脑室所留的印象往往特别深刻。例如，那街上往来的过时交通工具——驴马，琅琅憎耳的黄包车上铃声，还有附着三四种以上响器而舍了性命出风头似的包车，在铭文眼中耳中都觉得新奇可观。我却不但因着旧地重游，兴味比较淡些，并且因着上夜的两次误会，心中系着一种不可名状的惦念。我虽然承认那是误会，但我的脑中盘踞着的"究竟是误会吗？"的问句却终于没有消灭。唉，当真是误会吗？不！

这天下午四点钟时，我们回到了旅馆，意外的事情竟发生了！

我们走入三十二号室时，我曾向隔室三十三号的门口瞧过一瞧。那姓名牌上本写一个"毛"字，此刻已给抹去，好似那位电影导演先生已经迁去。这本不干我们的事，可是我们一踏进房里，有干系的事情立即映入我们的眼帘。一只本来放在茶几上的手提皮包，这时却已移到了地板上；而且安放得歪斜不妥，更容易触动我的视线。我挂好了呢帽，急急把皮包提了一提，皮包竟应手而开。皮包的锁也被人撬开了！

铭文发出惊诧声道："唉，皮包已给人撬坏了！"

我默不答话，索性将皮包开了，把包中的衣服衬衫和梳漱器具一件件取出。我所最关心的是一只照相器；因为皮包中最值钱而最容易变钱的就是这个东西。可是翻到底，那照相器安然无恙。我开了盖一瞧，镜头也没有动过。

我也惊异地说："奇怪！东西都没有遗失啊！"

铭文的神经仍紧张到高度。他瞧着我摇摇头，似乎觉得我的语气太懦弱怕事，表示不能赞同。

他说："但皮包总给撬坏了！我敢说一定是隔壁那个强盗干的。我昨夜早对你说过，你说我弄错了——"

"铭弟，别性急。我们既没有少什么东西，不能就说是强盗；更不能贸贸然说定是隔壁的人。"

"无论如何，我们的东西总被人弄坏了。我决不能就此甘休。"

"那自然。我们应得向账房交涉。不过你说话也得谨慎些才是。"

我捺一捺电铃，有一个茶房应声进来，我便向他问话：

"我们出去时，谁进来过？"

那茶房是个麻脸的胖子，但瞧着我的脸呆呆地出神，并不回答。

"我们的箱子被人撬破了。你知道吗？"铭文赶紧补上一句。

那麻子茶房似乎微微地点了点头，但仍不答话。

我又说："你是知道的？那么你应当负责！"

胖子才期期地说："这……这个我不能负责。那……那是警察先生进来撬开的——"

铭文又抢着道："什么？警察？警察来撬我们的东西？……胡说！"

茶房坚持说："真的。我怎敢乱说？有一个警察进来搜查过。"

我接着问："真有这事？好，我向你们的账房去说话！"

那茶房非常见机，立即退了出去，随手带上了房门。我满肚皮怀着疑团，诧异着误会的事会如此凑巧，竟一而再再而三。我们的皮包怎样会劳动警察先生的搜查？这不是误会是什么？可是一转念间，那"究竟是误会吗？"的问句忽又在我脑中活跃起来。我把皮包中的东西重新装好，又整整衣领，叫铭文留在室中，准备一个人到账房里去交涉。不料我还没有走近房门，门上忽一声剥喙，房门便立即从外面被推开。有一个人直闯进来，后面还跟着一个穿黄色制服的警士。

那人一走进来，顿然停步，嘴里发出一种惊奇的呼声：

"包朗！……唉！……铭文，你也在这里！"

我定一定神，也不觉惊喜交集，不由失声呼叫：

"霍桑！"

铭文也赶过来招呼："霍先生，你怎么也在这里？这是什么一回事呀？"

霍桑点点头："唔，这件事误会了！"

他旋过头去，挥一挥手，叫那跟随的警士留在门外。他又把房门关上。我等他回身过来的时候，指了指皮包，正要告诉他遭遇的事情。他反先给我解释。

他说："我知道。这是误会的。你们在这里，我完全不知道。昨夜里你们不是也遭遇过什么意外事情吗？"

我答道："是啊。昨夜的一夜可算是多事之夜！"

"是不是有一个人来敲过你们的门？"

奇怪！霍桑怎么已经知道？这件事一变再变，真使我摸不着头绪。霍桑见我不回答，又继续发问：

"那人不是戴一顶尖顶红结纱帽，近视眼，戴眼镜，有两只龅牙的？"

"正是！正是！这个人你也认识？"

"唔，你且别问。他对你说过什么话？"

"他只说'一切都已没有问题'；又想把什么奇怪的东西给我，但到底不曾给我。我问他要找谁，他觉得错误，道了一声歉，就退出去。"

霍桑现着注意色问道："他要给你什么东西？"

我答道："这个我没有瞧仔细。他握在手中，像是白色的银币，又像是什么铜质的东西，另外又像有红布或红绸卷着。我到底想不出是什么。"

霍桑皱着眉峰想了一想，点一点头似已有所领会。我正要问他，霍桑又继续问话：

"你刚才说昨夜是多事之夜，那么你遭遇的意外也许不止这一次，是不是？"

"正是。还有一次误会！"我就把铭文对于隔室中人谈话的误会，和我的偷窥事实约略说了一遍。

这几句话我自以为是出于误会无关紧要的，可是一进霍桑的耳朵，却产生了严重的后果。他仰起头来，从板壁上端向三十三号里瞧了一瞧，又回头向我说话：

"你以为那个男人是电影导演？"

"是啊，这是我从他们的外表上观察的结果。难道内幕中还不尽然？"

霍桑忽放低了声音，说："他们实在是匪徒。你被他们瞒过了！"

铭文张大了眼睛，瞧着我说："怎么样？我早说过，你却以为我误会——"

我把手在铭文肩上拍了一下，接口道："好，好，误会的是我，不是你。但是他们现在已经走了啊。"

霍桑点头道："是。但这个人的面貌你可曾瞧清楚？"

我答道："我瞧清楚的，他有个怕人的脸，高鼻子，三角眼，再见时一定可以辨认出来。你此刻可是要追寻他们？"

霍桑略一沉吟，又瞧了瞧手表，答道："他们一定因着发生了误会，怕人怀疑，所以已经移换地点。"他又思索一下："我们要找寻他们的踪迹，也许还不难，不过这是远路。我看时机很危急，我们不能不走近路！"

"喔，很危急？"

铭文又插口道："霍先生，这究竟是什么事？可是这班强盗要图劫什么人家？"

这问句早已在我的喉间，铭文竟代替我说了出来，我自然十二分赞成。不过霍桑的答话很模棱，不能教我满意。

他说:"这件事不但紧急,而且非常曲折,此刻来不及细说。包朗,你得助我一下,快跟我走。天将近黑下来了,不能耽搁!……铭文,你不如留在这里。至多不出两个小时,你刚才的问句,我就可以详细答复你。"

全武行

我对于霍桑的请求当然是无条件接受的。不过我所担负的究竟是怎么样的任务,和这件事属于什么性质,我却完全处在五里雾中。直到我们的车子进了阊门,到刘家浜一宅巨厦的门前停下,我方才猜度出了一些端倪。那屋子的门前扎着红绿的彩绸,蠹灯上标着"阮府"二字。门前有不少仆役,好像正干办喜事,不过并无乐队鼓手,还不算十二分热闹。从门口望进去,一连五进,中门都完全洞开。我跟着霍桑走进了最后一进的内厅,瞧见厅堂上摆满着许多红木嫁妆,花花绿绿,撩人眼睛,我才知道这家是女宅,正准备发妆。

苏州的旧俗,还剩留着买卖婚姻的残痕。大资产或中产阶级的嫁女,妆奁是一个首要的重心。他们似乎为着取媚男宅起见,或是为着夸耀自己的富有,往往尽力在嫁妆上铺张。有些力量不足的,因为被吃人的习俗所困,也不得不出于张罗借贷。那娶妻的男子方面,自然也把妆奁认作了婚姻的第一条件。有些漠视了时代的腐化"少爷"越发荒谬,娶妻只是一个名义,娶奁倒是真正的目的!所以旧社会间一直流行着那一句侮辱女性的话,叫作"三年不死老婆大晦!"这恶习惯本来早应淘汰了,可是在江南一带的旧都会中,还是很普遍地流行着!

我看见厅上铺排的嫁妆,全都是红木的椅桌盆桶和一切家用器物，堆满了一厅。彩绸的被褥堆了好几堆，觉得几乎接触屋梁；桌子上面也排满了金银器皿，真是五花八门，使人眼花缭乱。我当然不是来欣赏嫁妆的，也不是贺喜的宾客，不知道霍桑所说的臂助，究属怎样的性质。一会儿，霍桑引我进了一间旧式的书房，又介绍我见了一个旧式绅士模样的人物。这人年在四十六七，唇上已留着短须，瘦怯怯的身材，耸着两个肩胛。这人就是阮姓的主人，名叫孝根，出嫁的就是他的女儿。我勉强和他寒暄了几句，阮孝根也说了几句"仰仗"劳神"的客套，连连地打躬作揖。霍桑便悄悄地取出两支手枪交给我，又附耳和我密谈。

他道："包朗，你须谨慎些。这里的婚期定在明天。但今天六点钟就要发妆。现在已五点零五分。在这一小时内，一定有什么岔子发生。"

我问道："可是有什么人要来抢劫妆物？"

"正是。那劫妆的人大概混在接妆的仆役里面，不容易辨别，所以不能不借重你。"

"那些仆役们身上不是都佩着银质红绸的徽章吗？"

"不错。但这徽章一定已失了效用。须知这里面是有内线的。昨夜你不是已瞧见过这红绸白银的奇怪东西吗？"

我追想了一下："唉，那橄榄头的戴眼镜的角色原来就是一个内线！"

霍桑点点头，答道："这个且慢说。我料那个你误认作导演的，一定是匪党的首领。今天的举动势必由他指挥。少停你一瞧见他，应得立即制止他的行动，不可失机。别的可由我来应付。不过接妆人一到，人多手杂，辨别是不容易的事。在此后一小时内，你的眼睛决不可有丝毫的懈怠！"

　　秋天的白天比夏季短得多。这天又是欲雨不雨的阴天。这时候虽只五点刚过，大厅的四角早已渐渐被黑暗势力占了地盘。不一会儿，电灯已完全开亮，那排列嫁妆的内厅上除了往来忙碌的仆役们以外，还加添了许多男女亲友和邻居，都在那里观览和赞赏那妆奁丰美。我也杂列在众宾之中，眼光却特别注意那些仆役。因为那些邻居们虽也有注意的必要，但大多是妇女，有几个还牵着孩子，不见得就是乔装的匪党。

　　我对于每一个佩着红绸银章的仆役，都悄悄地注意他们的神色和行动。仆人一共有四五十人之多，辨别原不很容易。不过苏州地方，那种帮办喜庆的差役差不多是一种专门的职业。他们的言语行动都受过传统的专门训练，那种眼尖手快卑屈逢迎的姿态可以一望而知。假使有人乔装假扮，行动上就万不能像他们一般地自然。不过我想到在发妆的时候，男宅方面势必另有一大批接妆的仆役，那时人众声乱，辨别时就难免困难。

　　五点二十分过了。外边的天色越发黑暗，我的眼光一直瞧到大门外面，等待有什么可疑的人物混进来。内厅上的仆役越集越多，都在那里做事前的准备，只等接妆的人一到，就动手把妆具搬运出去。外面的花厅上有两三桌麻雀，雀桌的旁边也围集了不少闲观的人，大概都是主人的宾朋之类。在这样热闹的所在，万一开枪动武，损害一定不小。所以霍桑所说的一看见那人，立即制止他的行动，实在是唯一的要着。因为在人多的地方，一发生惊乱，往往会自相纷扰，反使匪徒们有隙可乘。匪党们利用这个机会实是很狡猾的。

　　时间一分一分地过去，我的神经的紧张度也在一分一分地增加。我瞧瞧手表，已经是五点半。匪徒们为什么迟迟不至？另有狡计吗？还是实际上并没有这一回事，只是霍桑的神经过敏？

正在这时，我的眼角里忽而吸收一种异状！

三五个仆人从外面花厅上慢吞吞走进来。他们的身上同样挂着红绸的银章，步骤却带着一种闲豫的状态。这已是可异了。他们一踏进内厅，便分立在阶石下面。我仔细一瞧，那最后的一个，穿一件宽博的黑色长衫，果真就是那个浓眉，高鼻，三角眼的角色。

我正站在那厅柱的后面，全神贯注地戒备着。那三角眼的家伙走到了阶沿面前，他的左足跨上了最高的一级，他的左右两手忽而同时从那黑衫的两旁插进去。我不再延缓，突地从柱背后闪出，拔出手枪，跨前一步，用枪管直指着他，同时又高声呼喝：

"别动！快把手举起来！"

那三角眼的匪徒显然是出乎意料的。他的眼光一闪，他的两只手果真停止了动作，不敢再插进袋里去。他旁边的其他三个人也吓呆了，有些不知所措。

我继续喝道："快举起手来！……你们四个人……都举起手来……"

我的呼声才刚出口，我的左眼角里猛觉有一种东西疾飞过来。我急忙把头一偏，可是我的左耳廓上已着了一种重物的击触，同时砰的一声，有一个瓷瓶碎在我的脚下。

我的耳朵已给震聋，眼目也顿时昏花，但我仍不敢旋转头去瞧那掷瓶的人是谁。我的眼光仍努力注视着那个匪首。那匪首本来已停止了动作，但趁这扰乱，他的手又重新活动，插进了他的衣袋。

情势急了！我也顾不得什么，便向着那三角眼开了一枪。

砰！……砰！

第二次枪声接踵而起。更一刹那，砰砰的枪声四面交集，仿佛黄鞭一般地震人耳朵；内中还夹杂着妇女的骇叫，小儿的啼哭，真闹得头昏眼花。我正想扑过去擒住那个匪首，我的左腿上忽而着了一弹，身子一晃，竟也站立不住。

这天晚上九点钟时，我已安然回到旅馆。我受伤的只是腿部的肌肉，虽也流了些血，一经裹扎，不觉得多大痛楚。霍桑和铭文却很小心地陪在我的榻旁。那阮孝根和他的儿子云书医生，都曾亲自送我回旅馆，在一刻钟前他们方才离去。我对于受伤倒不放在心上，心中急于要解决的，却是这件案子的始末。可是一经霍桑的解释，案情很觉简单。

阮孝根有一个堂弟名叫孝宜。他名下所有的财产已在"烟赌"两字上花得干净。他就觊觎孝根的产业，向孝根借贷已不止一次。后来因着孝根拒绝了他，他怀恨在心。这一次孝根嫁女，奁资固然不少，单说珠钻饰物一项，已近两三万。因此他们略有风声，孝宜似乎准备在发妆时有什么异动。孝根的儿子云书是学医的，新从德国回来，和霍桑有些交谊。因此，他亲自去请霍桑到苏州来筹商对付方法。霍桑一面在宅中布置防备，一面偷偷地窥探孝宜的举动。那仆役的徽章，原是霍桑的主意。不料那天晚上，孝宜竟照样偷做了几个，准备送给他所通同的匪徒。他上夜里的行动本是有人尾随的，不料他因着近视的缘故，弄错了号数，因而又多漏一个破绽。

我不禁插口道："这个误会倒是很自然的。那三十二和三十三已经容易瞧错，那匪徒的门上写着一个'毛'字，和我的姓，瞧起来又很相近。这个误会可算是百密一疏。现在这橄榄头阮孝宜怎么样了？他唆使行劫，在法律上应当有处分啊。"

霍桑答道："不错。他不但是盗案的教唆犯，而且还有行凶未遂的罪名。"

"唔，他要行刺谁？"

"你。"

"喔，开枪打我的是他？"

"不。开枪的是一个匪徒。你不记得你曾给一个瓷瓶在耳朵上击一下吗？"

"喔，这家伙真可恶！现在捉住了没有？"

"他不但已给捉住，还受着伤呢。"

于是霍桑又解释当时的情形。他在内厅中早埋伏着几个便衣侦探，装作宾客模样。不过这些侦探的举动太迟缓了些，当我第一次喝令的时候，他们不能立时接应。直到那橄榄头掷了花瓶，那五个匪徒都摸出了手枪，他们方才奔过来开枪抵御。匪徒们共有十一人，没有一个漏网，有三个都中了枪弹。那匪首叫崇明老四，伤得最厉害，恐有性命的危险。还有一个姓吴的女匪，事后又在大东旅社中给捕住。我还有一个疑点质问霍桑，他们为什么假扮电影演员。

霍桑微笑着说："你总知道这几天正在酝酿着内战，战事有随时爆发的可能，所以后方防务特别加紧。在这种局势下，多数人结队住宿，容易引起人家的怀疑。并且苏州的交通不便，事成后一时也不容易脱身。他们为妥慎计，就假扮着电影演员，以便事前事后掩饰人家的耳目。昨夜你所瞧见的摄像机的帆布箱子，箱中装的完全是砖块和报纸。你总知道电影是新兴事业，摄片时成群结队，社会上已经习见。并且有些人因着爱好电影艺术，对于电影演员往往会有特别好感，有时还肯借给他们用具，或供给他们助力或便利。他们瞧到这点，就乘机利用。"

"真狡猾，亏他们想得出！"

"这也不算什么。三天前的报上，不是还载着几个匪徒穿了童子军的制服而行劫的新闻吗？"

我叹息道："唉，人心太险诈了！"

霍桑又微笑说："包朗，发牢骚是无聊的，这是一个严重的生活问题，也是一个根本的社会问题。你这种感叹实际上会产生什么影响？"

我又不禁叹了一口气，在左腿上抚摸了一下，又缓缓地说："我觉得这一回事委实有些不值得。"

霍桑问道："你指什么？"

"阮孝根这一次嫁女，仍沿着旧社会的俗礼，原近于'慢藏诲盗'。并且这种买卖婚姻的丰奁制度，我根本不赞成。"

霍桑点点头，又带着笑容，作慰解语道："对，你从这一方面着想，固然不错。不过我们是因着云书的友谊，给他解除一次困难，并不是拥护这种害人的制度。"

"云书既然受过新教育，怎么连一些革新的勇气都没有？"

"他也是反对的。但你总知道这一次是阮孝根嫁女，不是阮云书嫁女。在这个转变的时代，残剩的父权专制还有相当力量啊。"

我再微微叹着气，不再说话。

霍桑又说："从别方面看，我们给社会的群众除去了几个蠢贼，你又得到了一种资料，也不能算完全不值得。……包朗，你振作些吧。你的腿伤如果不怎样厉害，我想明天我们坐了藤轿游山，大概还不致败你们的游兴。……铭文，这一次你应当记一个首功。你有着这样敏锐的观察，前途很有希望。现在你早些睡吧。我可以保证你，今天晚上不会再有噩梦来缠绕你了！"